KU-051-090

Entra en mi vida

Clara Sánchez

Entra en mi vida

Clara Sánchez

Ediciones Destino
Colección Áncora y Delfín
Volumen 1231

© Clara Sánchez, 2012

© Ediciones Destino, S. A., 2012
Diagonal, 662-664. 08034 Barcelona
www.edestino.es
www.planetadelibros.com

Primera edición: marzo de 2012

ISBN: 978-84-233-2517-7
Depósito legal: B. 5.496-2012
Impreso por Dédalo Offset, S. L.
Impreso en España-*Printed in Spain*

Esta historia sucede entre los años 1987 y 1994, como muchas otras historias reales, ocultas durante largo tiempo, que han inspirado las vidas y las conciencias de los personajes de esta novela.

«Se acostumbra uno a todo. Cuando ya nos hemos quedado sin nada.»

NATALIA GINZBURG

I

Perdida en algún lugar

I

Perdida en
algún lugar

I

Verónica

En el último estante del armario de mis padres había una cartera de piel de cocodrilo envuelta en una manta que nunca se usaba. Para cogerla tenía que traer la escalera de aluminio desde el tendedero y subirme a lo más alto. Pero antes debía buscar la llavecita con que se abría la cartera entre los pendientes, pulseras y anillos del joyero de mi madre.

Nunca le había dado importancia. Hasta mi hermano Ángel, de ocho años, sabía lo de la cartera, y si no nos sentíamos tentados de hurgar allí era porque dentro no había nada de interés: la escritura de la casa, las cartillas de vacunación, los papeles de la seguridad social, la licencia del taxi, los recibos del banco, las facturas y los certificados de estudios de mis padres, y cuando yo llegase al instituto también iría a parar allí mi boletín de notas. A veces mi padre apartaba el frutero de la mesa del comedor y abría la cartera, que se desplegaba en tres partes y no cabía en otro sitio, a no ser en la de la cocina si se quitaban todos los trastos que había encima.

Mi padre me había pedido que lo despertara de la siesta a las cinco. No se había afeitado como señal de que empezaban las vacaciones. Se levantó abotargado y, después de estirarse y bostezar, abrió el armario y bajó la cartera: parecía que iba a aprovechar para revisar papeles. Lo seguí por el pasillo. Seguí sus piernas peludas y el bañador de rayas hasta medio muslo. La barba le había crecido varios milímetros y era como uno de esos padres sonámbulos que salían de los adosados de nuestra urbanización los fines de semana, clavaban unas estanterías en el garaje y lavaban el coche medio dormidos y acorchados. Mi padre se dedicaba a limpiar el taxi. Casi todos los padres del vecindario resultaban más atractivos cuando iban y venían del trabajo que dentro de casa, con la diferencia de que el mío debía de ser más guapo que la media porque, cuando iba a buscarme al colegio, las profesoras, las madres de otros niños e incluso los propios niños me preguntaban ¿es ése tu padre? Si quería llamar la atención en algún sitio, sólo tenía que pedirle que me acompañara. A su lado adquiría cierto resplandor. Pero mi padre no tenía ningún sentido de la estética y no se consideraba nada especial. No tenía conciencia de ser una persona que gusta a otras, nada más le preocupaba el trabajo.

Lo seguí hasta el comedor y allí abrió sobre la mesa de caoba la cartera de los documentos importantes, la cartera sagrada, que dividió el mundo en un antes y un después, y a mis padres en los de antes y los del secreto. Nunca olvidaría esa tarde. Mi madre había llevado a Ángel a kárate y no regresaría en hora y media porque ella también aprovechaba para nadar antes de recogerle.

A mi madre, Roberta, todo el mundo la llamaba Betty. Estaba mal de los nervios, y el médico le había recetado que hiciera mucho ejercicio. Correr, nadar, bailar. A mí no me hacía ninguna gracia que bailase porque llegaba un momento en que se ponía a llorar y no se sabía si era de pena o de alegría. También le recomendó rodearse de flores, por lo que la casa parecía muy alegre. Había jardineras y macetas en el porche, en los poyetes de las ventanas, sobre los muebles, y en los lugares donde no llegaba la luz había puesto flores de plástico y de tela.

Así que estábamos solos mi padre y yo cuando, con la

cartera abierta sobre la mesa, le llamaron por teléfono y salió a hablar al jardín con el inalámbrico. Empezó diciendo que por ese dinero ni siquiera metía la llave de contacto. Yo me quedé dentro, aburrida; no pensaba en nada cuando pasé la mano por la caoba de la mesa y la piel de la cartera. La voz de mi padre sonaba fuera. Hablaba y hablaba. A mí me dio por desplegar la cartera del todo, y descubrí que tenía cuatro partes y no tres como había creído hasta ese momento. Quería comprobar lo larga que era y fue entonces cuando vi asomando por una ranura el pico de lo que parecía una fotografía. La saqué con cuidado con las puntas de dos dedos, como si quemara, y la miré y remiré sin saber qué pensar.

Estaba viendo a una niña como yo, mayor que yo. Yo tenía casi diez años y la otra tendría doce. Era tirando a rubia, con melena a la altura de las orejas y flequillo, y la cara redonda pinchada en un cuello largo y delgado, que le daba aire de superioridad. ¿Quién era esa niña? ¿Por qué estaba en el lugar donde se guardaba lo importante? Llevaba un peto vaquero con una camiseta por dentro y chanclas, y tenía un balón en las manos.

Y de pronto ya no oía a mi padre. Había colgado, así que dejé la foto donde estaba, con un pico asomando, y la cartera como la encontré. Tenía la sensación de haber hecho algo malo, de saber algo que no debería saber, y por nada del mundo quería asustar a mi padre, ni preocuparle —ya tenía bastantes problemas con el trabajo—, por haber mirado donde no debía.

Salí al jardín. Mi padre abrió la boca como un león.

—Verónica —dijo—. Tráeme una cerveza del frigorífico, la más fría que encuentres.

Ni por lo más remoto se me habría ocurrido preguntarle quién era esa niña: un sexto sentido me advertía que habría sido mejor para todos que no la hubiese descubierto. La lata estaba cubierta de vaho helado y de la cocina al jardín me fue quemando los dedos.

Me quedé mirando cómo se la bebía cerrando los ojos. El calor aflojaba. ¡Ah!, dijo con satisfacción al terminar de tragar. Se limpió las comisuras de la boca con los dedos y se colocó bien las gafas para mirarme como si por fin se hubiese despertado del todo. El resplandor de fuera se alejaba de nosotros como una ola.

A partir de ese momento la cartera de cocodrilo en lo más alto del armario, bajo la manta, empezó a despedir una luz muy fuerte que llegaba hasta mí estuviera donde estuviera en la casa, y esa luz se me metía en la cabeza y me ordenaba ir al tendedero a coger la escalera de aluminio, arrastrarla como pudiera hasta el dormitorio de mis padres, buscar la llave, subir la escalera, bajar la cartera, abrirla sobre la cama, sobre el edredón de grandes flores verdes y azules y mirar una vez más aquella foto que me dejaba hipnotizada y que acabé memorizando al dedillo. Y cuando mi hermano aparecía en el dormitorio o presentía que mis padres llegarían de un momento a otro, deshacía lo hecho. Después de cerrar la cartera, revolvía bien la llave en el joyero y cargaba de nuevo con la escalera.

La niña de la foto se llamaba Laura. Estaba escrito en un papel con la letra de mi madre. Me sonaba. En casa se había pronunciado ese nombre más de una vez, pero hasta que no descubrí la foto no le presté atención. Mis padres, cuando hablaban de sus cosas, casi siempre mencionaban a amigos que yo no conocía y que seguramente nunca conocería. Compañeros de trabajo de mi padre, alguno de nombre extranjero, y amigas de soltera de mi madre. Mi casa estaba más llena de gente invisible que real. Y encima mi madre no era muy sociable y le duraban poco las amistades. La más constante era una amiga que se llamaba Ana y que tenía un perro lanudo. La llamábamos Ana la del perro. Además de prestarles dinero para terminar de pagar el taxi, escuchaba a mi madre con mucha paciencia y le daba la razón en todo. En casa le estábamos muy agradecidos porque durante ese rato Betty era una mujer normal, con una amiga normal a la que le estaba contando sus cosas.

Me gustaba su peculiar manera de tocar el timbre con tres timbrazos cortos, como si llamara en clave. El perro era muy grande y había que sacarlo al porche para que no lo llenara todo de pelos, y yo jugaba con él, le daba galletas y le hacía rabiar. Tenía los ojos negros y brillantes y la lengua rosa y goteante. Y había un momento en que el perro, *Gus*, me miraba de una manera más intensa que cualquier ser humano. Al fin y al cabo, eran ojos. Ojos de perro y ojos de persona, pero ojos hechos para mirarse y entenderse.

¿Qué quieres decirme, *Gus*?, le pregunté mientras veía tras el cristal cómo mi madre abría delante de Ana la cartera de cocodrilo. Mamá, para cogerla del último estante, no tenía que llevar la escalera al dormitorio; le bastaba con subirse en una de las butacas forradas en azul y ponerse de puntillas. No era muy alta, medía uno sesenta y cinco, pero con tacones lo parecía. Lo que pasa es que no se los ponía nunca. Llevaba casi siempre botas de cordones debajo de los vaqueros o chanclas en verano, y el pelo recogido en una cola de caballo para no tener que arreglárselo. Hoy, como hacía bastante calor, se había puesto una túnica que Ana le trajo de uno de sus viajes a Tailandia. Era blanca y transparente, con un dibujo de cristalitos en el pecho. No se maquillaba, sólo en mi comunión y en la de mi hermano y entonces el cambio era espectacular. Por eso su amiga Ana le decía de vez en cuando que, para que la quisieran, primero tenía que quererse a sí misma, comentario que me parecía una tontería porque a mi madre la queríamos Ángel, mi padre y yo.

Mi madre sacó la foto de Laura que yo estaba harta de escudriñar y echó un vistazo alrededor para comprobar que yo no estaba por allí. Por mi parte disimulaba acariciándole el lomo a *Gus* sin quitarle ojo al comedor: Ana miraba la foto y a mi madre muy atenta, muy seria, sin parpadear, dejando que el pitillo se le consumiera entre los dedos. Ana era alta, buen tipo, pelo corto negro, con algunas hebras plateadas antes de tiempo, y cara de estar siempre por ahí. No se parecía a mi madre en nada, era pura diversión. Fumaba como un carretero y siempre se le caía la ceniza encima del sofá. No usaba cenicero. Chupaba y el pitillo se iba convirtiendo en ceniza y luego se rompía, pero a ella le daba igual. Parecía que estaba acostumbrada a hacer lo que le daba la gana. La considerábamos muy lista. Conducía de maravilla, casi mejor que mi padre, por calles estrechas con coches en doble fila. Aparcaba en cualquier hueco. A veces dejaba el coche medio subido en la acera, casi sosteniéndose en la pared. Conocía a fondo la ciudad: calles perdidas, bares, restaurantes, tiendas, clínicas, peluquerías. Este mundo no tenía secretos para ella.

Esa tarde fue tremenda, incluso *Gus* estaba alerta, con las orejas empinadas, como si fuese a tener que actuar de un momento a otro. La tensión era total. Aunque hubiese querido no habría podido desentenderme de lo que estaba ocurriendo, sabía un poco y sospechaba demasiado, ¿quién era esa niña? Me habría quedado sin ir al cine un año por escuchar la historia que mi madre le estaba contando a Ana. No debía de ser nada fácil contarla porque se cogía la cabeza con las manos, lloraba, volvía a comprobar que yo no estuviera por allí, se encendía otro cigarrillo que aplastaba al minuto, le enseñaba otra vez la foto, que Ana tomaba entre sus dedos con aprensión. Ana movió negativamente la cabeza como diciendo es imposible, y mi madre suspiró y se pasó el dorso de la mano por la nariz. Por fin cerró la cartera con varios golpes secos y se la llevó de vuelta al dormitorio, mientras Ana se quedó mirando a la pared de enfrente. Estaría contemplando el mueble del televisor y los libros que había alrededor. Estaría agotada de la escenita melodramática que le había montado su amiga. Después se subió un poco la manga del jersey y miró la hora. Se puso en pie, de pronto tenía prisa. Anduvo de un lado para otro del comedor frotándose las manos como si fuese a arrancarse la piel.

Antes de que mi madre volviera, Ana fue a buscar el perro al porche.

—¿Estás aquí? —dijo alarmada al verme junto a *Gus*.

Me concentré en volver a acariciar el lomo peludo: estaba claro que Ana preferiría que no supiese nada de la foto de Laura y no quería meter la pata.

—Creía que habías salido.

—No, me he quedado jugando con este salvaje. ¿Dónde está mi madre?

—En la cocina, creo, o en el baño.

La verdad es que me incomodaba cómo me observaba Ana, que sabía perfectamente que mi madre estaba guardando la cartera en el dormitorio. Daba la impresión de que quería hacerme desaparecer con la mirada.

—Pensaba que os habíais ido a dar una vuelta —se me ocurrió decir para tranquilizarla.

—No, hemos estado charlando —contestó ya más relajada y tomando entre los dedos uno de mis rizos.

Ana siempre decía que tenía un pelo precioso, el sueño de cualquier chica. Lo tenía como mi madre, negro y rizado, lleno de caracoles por la nuca y en las sienes. Y a Ana le gustaba tocarlo, meter la mano dentro y dejarla ahí unos segundos. Pero yo me sentía aliviada cuando por fin dejaba de sentirla.

Cuando mi padre llegó por la noche notó que algo pasaba.

—Se lo he contado —dijo mi madre en cuanto entró en la cocina.

Mi padre hizo tiempo lavándose con el detergente de fregar los platos. Se pasó las manos húmedas por la cara y por fin miró a su mujer.

Yo estaba haciendo los deberes en la mesa de roble de la cocina y apenas levanté la cabeza del cuaderno: no quería que reparasen en mí y me hicieran salir. Ya tenía el pijama puesto y había cenado con mi hermano, que estaba viendo la televisión.

—Quizá ella pueda ayudarnos.

Mi padre torció el gesto, se le ensombreció la cara. Se convirtió en una roca con ojos tristes.

—¿Se puede cenar? —preguntó de mal humor.

—Sí —dijo mi madre poniéndole el plato de espaguetis delante con un golpe.

Unas cuantas gotas de tomate regaron la mesa. Menos mal que no era la mesa buena del comedor porque entonces sí que habría sido un desastre. En la de la cocina se podía bailar encima y no pasaba nada. Mi padre abrió las palmas de las manos como para detener una tormenta.

—He tenido un día regular. Casi me atracan.

Sospeché que era una manera de frenar a mi madre.

También mi madre se sirvió un plato y los dos comenzaron a cenar en silencio, sin mirarse.

Había llegado el momento de cerrar el cuaderno e irme con Ángel a ver la televisión. Me repantigué en el sofá y me quedé mirando la pantalla sin pensar en lo que veía. Ángel tenía mucha suerte: no sabía nada, vivía en la inopia, pendiente de comer y jugar. Algo de la televisión le hizo reír y me miró para ver si también me reía. Dependía mucho de mi opinión. Siempre estaba observando de reojo si algo me parecía bien o mal, si me hacía gracia o no lo que él decía, si me gustaba lo que dibujaba.

De la cocina no venía ningún ruido, ni siquiera de platos, vasos o cubiertos, como si nuestros padres hubiesen muerto. Les debía de estar costando trabajo romper un silencio tan profundo, un silencio como el del mar cuando se bucea y no se oye nada.

Ángel seguía a un lado, pendiente de mis movimientos y pendiente de la televisión. Era más que delgado, no había manera de que los brazos y las piernas tomaran algo de forma por mucho que mamá lo llevara a kárate. Iba siendo cada vez menos rubio y de mayor sería completamente moreno, por lo que no parecería la misma persona. Mi padre también había sido rubio y ahora era tirando a castaño, pero con ojos azules. En las fotos de niño tenía una cara redonda que parecía que jamás fuese a endurecerse, pero sí que se le había endurecido hasta marcársele todos los huesos de la cara.

—¿Has hecho los deberes? —le pregunté por decir algo.

Como era de esperar, Ángel no contestó y se acomodó más en el sofá. Permanecimos así unos segundos hasta que dirigimos la cara hacia el pasillo que llevaba a la cocina. De allí llegaba un llanto débil. Podía ser llanto o una risa ahogada. Quizá mis padres habían hecho una de esas cosas que hacen los adultos de abrazarse de golpe y pasar de la pena a la alegría. Ojalá, pero no era probable. Eran muy tozudos; no les gustaba dar el brazo a torcer y, sobre todo, les costaba romper el silencio profundo, como si por romperlo fuese a estallar el universo.

Ángel volvió la cara otra vez hacia la televisión. Una cara preocupada en una cabeza que no quería preocuparse; si no hubiese estado yo delante, se habría tapado los oídos. Era llanto, y luego, nada. Ahora, el grifo. Mi madre estaría lavándose la cara. ¿Qué hacía, me iba o me quedaba? No quería verles así, pero tampoco quería salir huyendo a mi cuarto. Decidí quedarme junto a Ángel. Los pasos de cuatro pies descalzos avanzaban hacia el salón; el volumen de la televisión se elevó por los anuncios.

—Ana es muy lista, seguro que se le ocurre algo —dijo

mamá, y se dejó caer en el sofá de golpe, como intentando romperlo—. ¿Cómo voy a estar tranquila, Daniel, cómo voy a estar tranquila?

A mi padre le cayó una tela invisible por los ojos y se le puso la mirada de cuando la vida no merecía la pena. Podía leérsele el pensamiento: trabajar, aguantar a los clientes, estar cogido al volante todo el día, soportar a unos cuantos compañeros que no podía ver, preocuparse por el colegio de los niños, por sus estudios, por su futuro, por que fuesen bien vestidos y no les faltara de nada, tener todos los recibos al corriente, procurar sacar a Betty del pozo oscuro en que a veces caía. Pero no era bastante, nunca era bastante, porque por bien que se hicieran las cosas, por bien que se encarase la vida, siempre, absolutamente siempre, había algo pendiente.

Y yo sabía qué era eso pendiente. Era Laura. Algo grave ocurría con la niña de la foto.

—Ana me ha ofrecido un trabajo para que me distraiga.

A mi padre le desapareció la tela invisible y se animó un poco. La vida volvía a merecer la pena.

—Me harían un hueco en la empresa de un amigo suyo vendiendo productos dietéticos y cosméticos de alta gama a domicilio. Dice que a lo tonto a lo tonto te sacas un sueldo.

—No nos vendría nada mal —dijo mi padre cogiendo a su mujer por los hombros.

Ángel asistía a la escena viendo la televisión con los ojos de la cara y viendo a sus padres con los ojos de la nuca unas veces y con los ojos laterales otras. Era más inteligente de lo que parecía, por lo que era conveniente que no escuchase el nombre de la niña para que no preguntase.

—Por lo visto, puedo sacar varios frascos de multivitaminas al mes para nosotros a mitad de precio. Son reconstituyentes.

Todos miramos hacia Ángel, y Ángel dijo que él no pensaba tomarse esas porquerías.

Me propuse ser la próxima vez mucho más simpática con Ana y con *Gus* porque gracias a ella mis padres acababan de salir del infierno al menos por esa noche.

2

Laura

Cuando nos marchamos de nuestra antigua casa de El Olivar yo tenía doce años, mi madre era joven y mi abuela Lilí no estaba en la silla de ruedas. La casa era difícil de encontrar. Estaba al final de una cuesta a la derecha, entre árboles y hiedra, y si no sabías que allí vivía gente te la pasabas. Sólo iba el cartero y los que leían los contadores de la luz, el gas y el agua. Y cuando venía alguien a visitarnos había que explicarle mil veces cómo llegar. Todo era así. Por las mañanas la parada del autobús se llenaba de vecinos que salían de entre la maleza con trajes y tacones, y también nuestro coche, con los faros encendidos en invierno, con las ventanillas bajadas en verano para que entrara el fresco y el olor a regado.

Y de pronto un día tuvimos que marcharnos y tuve que cambiar de colegio. Lilí y mamá dijeron que era más práctico vivir encima de la zapatería, el negocio de la familia, en un piso señorial, y no tener que coger tanto la carretera. Pero no podían disimular que estaban enfadadas porque había ocurrido algo de lo que hablaban cuando no estaba yo o creían que no estaba. La noticia que revolucionó nuestra vida se la dio Ana, a la que yo a veces llamaba tía sin ser realmente mi tía. Se presentó un día en casa bastante seria, diciendo que nunca se habría imaginado que esto pudiera pasar, y me mandaron a jugar al jardín. Por las puertas de cristal del salón miraba a

Ana ir y venir de un lado a otro con un cigarrillo en la mano, y a Lilí y a mamá escuchándola sentadas. A la semana siguiente de madrugada nos mudamos y metimos todos los muebles en el piso de la calle Goya, encima de la zapatería. Durante toda la tarde anterior estuve recogiendo mis cosas y a las cinco de la mañana llegaron los de la mudanza. Estábamos serias, tristes, irritables; no nos mirábamos. A mí no me permitieron despedirme de mis amigos del vecindario ni decir en el nuevo colegio dónde vivía. Me dijeron que a nadie le importaba nuestra vida y que no querían que los nuevos propietarios del chalé nos dieran la lata con reclamaciones. No me costó mucho callar porque estaba acostumbrada a no hablar de la familia. Me hice más discreta aún y pensaba lo que iba a decir antes de abrir la boca. Y cuando me saltaba esta ley, sentía que traicionaba a mi familia y a mí misma y que era una irresponsable.

A Lilí todo el mundo la quería, pero pocos podían imaginarse lo desconfiada que era, como si alguna vez le hubiese ocurrido algo terrible e imposible de contar. Desde que tuve uso de razón la oí decirme que no me fiara de nadie y que no hablase con desconocidos. Me decía que la gente siempre quiere algo y que pocas veces sabemos qué es realmente. Cuando iba al colegio me decía que me anduviese con ojo y que nunca le dijera a nadie en qué calle vivía ni cómo me llamaba; me decía que no tenía por qué hablar con extraños y me contaba cuentos que tenían que ver con niños a los que querían secuestrar. Y cogí la costumbre, que ha continuado hasta el día de hoy, de no abrir la puerta de la calle sin preguntar antes quién es.

Aparte de mi madre, Greta, y de mi abuela Lilí, mi familia la formaban mi tía Gloria y su marido Nilo y mi prima Carol, la actriz, y unas tías segundas de mi madre, una soltera y la otra viuda, que había tenido dos hijas, Catalina y otra que murió cuando yo tenía diez años y que se llamaba Sagrario. Sagrario era una mujer tan dulce y discreta que casi nadie se dio cuenta de que había muerto. Yo recordaba de ella cómo se me quedaba mirando fijamente y luego me sonreía, como si quisiera comunicarme algo con el pensamiento o como si viese en mí algo muy extraño. Toda la atención la acaparaba Catalina, y la pobre Sagrario se conformaba con su pequeño y corto papel en la vida. El hermano menor de Lilí se llamaba Alberto y tenía un hijo que también se llamaba Alberto. Alberto I y Alberto II estaban unidos a las celebraciones. No se sabía nada de ellos hasta que mágicamente aparecían en el cumpleaños o en el entierro, como si no existieran en ningún otro lugar del universo. Más o menos ésta era la familia más próxima, toda materna porque mi padre desapareció del mapa antes de nacer yo. No se hablaba de él, hasta el punto de que tenía la impresión de que nunca había existido y que mi madre y mi abuela me habían hecho con sus propias manos. A la que más quería era a mi prima Carol porque habíamos pasado muchos veranos juntas, porque ninguna tenía una hermana y porque sólo me llevaba tres años y yo la admiraba.

Desde los diez años hasta los doce me dormía todas las noches pidiendo que no muriese nadie de mi familia, sin acordarme de que la pobre Sagrario ya había muerto. Y por el momento mis ruegos habían sido atendidos. Y si yo tenía ese interés por que todo siguiera igual es que seguramente era feliz.

Sólo podría ser más feliz si se enamorasen de mí como se enamoraban de Carol. No tenía que hacer nada para que se fijasen en ella. Tenía mucha presencia: cuando entraba en una habitación era como si hubiesen entrado veinte. Cuando se arrancaba la goma del pelo y sacudía la cabeza y el ambiente se llenaba de suavidad y brillo y fragancia, nos quedábamos mirándola como a un ser superior. A mí me daba miedo ser como Sagrario, así que a veces trataba de imitar a Carol. Me esforzaba por ser muy simpática y natural y espontánea, por no pasar inadvertida, pero no producía el mismo efecto que ella y además acababa agotada. Yo era más bien contemplativa y reflexiva, aunque para bien poco me habría servido ya que no supe distinguir ni interpretar ninguna de las señales que la vida me enviaba.

3

El vestido rojo de Verónica

Mi madre tomó con entusiasmo su nuevo trabajo de vendedora a domicilio. En la empresa le marcaron objetivos y llegaba por la noche completamente rendida. No tuve más remedio que aprender a hacer espaguetis para mi hermano y para mí, y al cabo de unos días también los preparaba para mis padres. Se los dejaba sobre la encimera tapados con el cubrequeso. Los hacía a la boloñesa, a la carbonara, a los cuatro quesos. No quería que mi madre encontrara ninguna excusa para volver a quedarse en casa y sumirse en la melancolía. Así parecía que vivía como el resto de las mujeres del mundo. Ángel llegó a acostumbrarse tanto a mi comida que ya no saboreaba lo que hacía mi madre. Nos encontrábamos a gusto los dos solos haciendo los deberes en la cocina mientras se iba cociendo la pasta. A veces mi madre se empeñaba en que probásemos los productos de algas y tofu de su empresa, y nosotros los tirábamos a la basura cuando no estaba y los tapábamos con papel de periódico. No queríamos que dudase de que lo que vendía le gustaba a la gente.

Se suponía que yo debía acompañar a mi hermano a kárate, pero entre nosotros dos llegamos a un pacto por el cual iría él solo con mucho cuidado mirando bien a derecha e izquierda antes de cruzar la calle. Todos los niños de su edad lo hacían. Daban una vuelta completa a la urbanización en bicicleta. Corrían como locos de un lado a otro. Nadie estaba todo el rato a su lado. Pero a mi madre le costaba darse cuenta de que sus hijos crecían. No comprendía que la vida tiene que descubrirla uno solo. Cuando yo tenía ocho años como Ángel engañaba a mi madre diciéndole que estaba jugando en la casa de otra niña y que la madre de esta niña me acompañaría a casa por la noche, cuando en realidad estaba en la calle y regresaba sola ya oscurecido cruzando por semáforos y pasos peatonales, haciendo todo lo que mi madre consideraba mortal. Enseguida comprendí que los temores de mi madre eran exagerados y que había que combatirlos con astucia. A trancas y barrancas logré llevar la vida de una niña normal, incluso con más libertad porque mi madre no se enteraba de nada. Siempre estaba distraída pensando quizá en esa otra niña de la foto, Laura, mucho antes de que yo supiese que existía, o en Dios sabe qué. Si al menos mi madre tuviese hermanos podría compartir con ellos sus angustias, pero era hija única y sus padres, la abuela Marita y el abuelo Fernando, vivían en Alicante. Tanto la escasa familia materna como la paterna vivían lejos, en otras ciudades, y los veíamos en Navidades como mucho. Mi madre no era una persona familiar, no era sentimental, no se volvía loca por ir a Alicante a ver a sus padres, ni por que ellos vinieran aquí a pasar unos días. Cuando mi padre y yo alguna vez le reprochábamos que debían de encontrarse muy solos tan lejos, ella nos contestaba que sus padres no tenían ni la más remota idea de lo que era sentirse completamente solos. Y así se zanjaba la cuestión.

Ángel siempre había estado al margen de los problemas, y oía y veía estas escenas como si fuesen una pequeña obra de teatro en medio de la vida. Muchas veces me preguntaba cómo sería de mayor cuando se pusiera traje y corbata. Ahora tenía el pelo liso, de color cobre, como los cables de la luz, y muy fino. Apenas si se veían los cabellos que quedaban en el cepillo. Ojos también de cobre y, lo blanco, azulado. Piernas tan delgadas que bailaban dentro de los pantalones. Era largo, debilucho y reconcentrado como si estuviera construyendo la vida con su mente. No era tan vistoso como los hermanos de otras amigas mías. Y yo tenía que cargar con él prácticamente a todas partes. Íbamos y volvíamos juntos del colegio. Me lo llevaba al parque con mis amigos. Era lo más parecido a una sombra. No podía decirse que fuésemos juntos, sino que Ángel me seguía, arrastrando un poco los pies, y sabía perfectamente cuál era su posición: intervenir sólo si se le pedía. Oír, ver y callar. Como la mayoría de los hermanos segundos, estaba revestido de una aureola de seriedad. Parecen más observadores que los mayores y su mundo es un misterio.

Cuanto más trabajaba mi madre, más agotada se encontraba, y cuanto más agotada, más libertad para Ángel y para mí. Estaba llegando a la conclusión de que los mayores en el fondo sólo son necesarios para traer dinero. Mi padre, Daniel, aprovechaba la gran actividad de su mujer para hacer más horas en el taxi. La vida funcionaba, y Ángel empezó a tener unas pantorrillas más potentes y mejor color de cara. Cada vez se iba más lejos a jugar y cada vez tenía que correr más para llegar a casa antes que nuestros padres. Por si acaso un día se alteraba el sistema solar, habíamos acordado decir que estaba en casa de un amigo y que el padre del amigo le acompañaría a casa, y nos habíamos marcado como hora tope las diez.

Pero aquella noche, la noche de los nervios rotos, Ángel no llegó a las siete ni a las ocho. Me estaba aprendiendo el tema de sociales mientras hacía unos tallarines con setas. Por lo general, llegaba antes mi padre, sobre las ocho, y a las ocho y media mi madre. Mi padre se duchaba y se ponía a leer el periódico, y a veces se quedaba mirándome como tratando de discernir qué rumbo llevaba la familia. Mamá nada más entrar por la puerta se quitaba los zapatos y los hacía rodar por el vestíbulo. Dejaba el maletín con los productos y las llaves del coche con un golpe seco sobre la consola de mármol y se iba quitando ropa camino del dormitorio. Se duchaba y luego, de vuelta, lo recogía todo.

—¡Por Dios, qué día! —decía dándole un beso a su marido.

Luego iba a la cocina y permanecía unos segundos parada en el umbral contemplándonos estudiar en la mesa.

—¡Qué suerte tengo! ¡Qué afortunada soy! Nadie en el mundo tiene unos hijos como los míos. Estoy batiendo un récord en la empresa. Ana dice que los jefes están muy contentos conmigo. Este año nos vamos a marchar un mes entero de vacaciones.

Siempre me había preguntado por qué Ana no trabajaría también allí. Parecía un buen negocio. La verdad era que no se sabía muy bien en qué trabajaba Ana. Era como si no necesitara dinero o como si no necesitara trabajar para tenerlo. Y era como si fuese normal que mis padres tuviesen que trabajar tanto y ella no. Nadie se lo cuestionaba. Hay gente rica, que no tiene que luchar día a día por conseguir dinero y que tampoco tiene que contarlo. Se nacía como Ana o se nacía como mis padres. ¿Qué me esperaría en el futuro?

Pero la noche de los nervios rotos, cuando mi madre se puso un brazo en la cadera y otro en el marco de la puerta de la cocina para contemplar a sus maravillosos hijos Ángel no estaba. Eran casi las nueve. Se había marchado a jugar al fútbol a las cinco, después de merendar y hacer unos ejercicios de matemáticas deprisa y corriendo, y a las ocho empecé a sentir un cosquilleo en el estómago. Porque el estómago no sólo me servía para hacer la digestión, sino también para avisarme de las novedades y los contratiempos, como si tuviera un cerebro allí al que bajasen los datos recogidos por el otro cerebro y pudiera anticipar que lo que iba a pasar era bueno o malo. Lo que iba a pasar ahora era malo, claramente malo. El cosquilleo casi me daba náuseas. Por lo pronto, mi madre no preguntó: pensaría que estaba en su cuarto. El cerebro de su estómago no le avisó de nada. Destapó el plato de tallarines y se llevó uno a la boca paladeándolo.

—Cuando les cuento a mis clientas lo bien que guisas con diez años no se lo creen. Una se echó las manos a la cabeza porque según ella los niños no deben trabajar, y yo le contesté que no dijera tonterías, que los niños tienen que aprender a valerse por sí mismos.

Más de las nueve y media, casi las diez menos cuarto. Le sonreí a mi madre.

—Después de esto, me devolvió el bote de algas que iba a comprar. Tendría que haber esperado a que me pagara para responderle —dijo.

Se tomó otro tallarín mientras yo recogía los libros. Lo masticaba entre seria y extrañada.

—¿Y Ángel?

Hice como que no escuchaba y fui a la habitación a dejar los libros. Me senté en el borde de la cama. ¿Dónde te has metido? Ven ya, por favor. No me hagas esto.

A no ser que sonara el timbre de repente, era cuestión de minutos que estallara la tormenta. Miré el reloj. Las diez menos cinco. Mi madre apareció en la habitación. Los ojos tenían un brillo que anunciaba un brillo más grande, una explosión de brillo aterrador.

—¿Y Ángel?

Aparté a mi madre suavemente con la mano para ir al baño.

—Está en casa de un amigo. Ahora lo traerá su padre.

Abrí el grifo. En el baño estaba a salvo, aún podía llegar mi hermano. No tendría que haberle dado libertad. Ángel no era como yo. Yo nunca di lugar a una situación así. Jamás me despisté. Más de una vez llegué con el corazón en la garganta de tanto correr y más de una vez pensé que al llegar al portal me encontraría con coches de la policía, el Samur y todas esas luces de la desgracia en la oscuridad que tanto miedo me daban. Pero al final mi madre abría la puerta y la pesadilla acababa. Daba por hecho que una persona mayor me había acompañado hasta casa. Daba por hecho que su hija no tendría valor para engañarla de esa manera.

Ya eran las diez. Esperaría unos minutos más cepillándome los dientes.

Al otro lado de la puerta se oyó la voz de mi madre.

—¿Quién dices que lo va a traer?

Me hice la sorda. Un poco más de tortura. Un castigo por haber mentido tanto, por haber hecho locuras. Por dejar solo a mi hermano. Ahora que mi madre se encontraba tan bien y que casi no abría la cartera de cocodrilo, ocurría esta desgracia, y yo tenía la culpa.

Las diez y diez.

No tenía más remedio que salir del baño. Lo recorrí con la mirada como si fuera la última vez, como si fuera a morirme o fuesen a echarme de casa. Baldosas imitando mármol blanco con vetas marrones, suelo de gres azul oscuro, bañera, taza del váter y lavabo blancos con el nombre de Roca. Un armario azul, como el suelo, colgado de la pared. Peces de silicona pegados a los mosaicos y estrellas imitando el fondo del mar. Flores de tela cayendo en cascada desde lo alto del armarito azul. Compartía el baño con mi hermano, pero de mi hermano sólo era una esponja natural, el cepillo de dientes y el albornoz. Lo demás era mío. Un decolorante para el vello de las piernas y los brazos, un pintalabios, regalo de Ana la del perro, horquillas, gomas para el pelo, varios cepillos y peines, frascos de colonia que me regalaban en mis cumpleaños y que de vez en cuando me traía mi madre por sorpresa, y un albornoz de terciopelo rosa con capucha. Siempre puede ocurrir algo peor, pensé mientras abría la puerta.

—Es muy tarde. Dame el teléfono de la casa de ese amigo suyo.

Hice como que iba a buscarlo.

Mi padre dejó el periódico y bajó el volumen de la televisión al nivel de susurro. Se puso en pie; los dos estaban de pie con los brazos cruzados, serios. Mala señal. Eran las cosas que se hacían en los momentos malos, cuando mi hermano o yo estábamos enfermos, cuando mi padre no tenía trabajo. ¿Por qué no vienes de una maldita vez? Ayúdame.

Regresé al salón con las manos vacías y cara seria, triste. Mi padre me interrogó con la mirada. Una mirada asustada. Mi madre se estaba poniendo los vaqueros. El cerebro del estómago le había reaccionado. Otra señal de los malos momentos, vestirse fuera de horario.

—Salió a jugar a las cinco y aún no ha vuelto.

—Eso es imposible —dijo mi madre mirándome fijamente y separando mucho las palabras, como si pensara en todo el mal del mundo, en todo el mal de la familia y en todo el mal que yo sería capaz de hacer.

Siempre me había aterrado tener que comunicarles algo importante a mis padres, sobre todo a los dos juntos. Era en estos casos cuando me daba cuenta de que ante todo formaban un equipo, formaban un muro que había que atravesar.

—¿Por qué le has dejado salir solo? —gritó mi padre, que nunca había visto mal que saliera solo.

—Porque sus amigos lo hacen —dije rompiendo a llorar.

—No llores ahora —me dijo mi madre anudándose las deportivas a toda velocidad—. Ahora no es momento de lloros. ¿Dónde juega?

—Por todas partes —dije.

—¿Por todas partes? —preguntó mi padre.

—Sí, van hasta el fondo y vuelven, y por la calle de atrás. Cruzan hasta el parque para jugar al fútbol, luego van a casa de algún amigo.

—Qué ciega he estado —dijo mi madre mirándome con rencor.

Habría dado cualquier cosa por morirme y no pasar este suplicio. Nunca en la vida volverían a confiar en mí. Podría matarme. Eso sí podría hacerlo. Me clavaría el cuchillo de cortar carne en rodajas finas. Era tan afilado que no tendría que hacer ninguna fuerza. Me tomaría todas las pastillas que había en las mesillas de noche de mis padres. Mi madre se atiborraba de pastillas para los nervios y el dolor de cabeza. Se necesitaba receta para comprarlas y enseñar el carné de identidad. En las cajas ponía «dejar fuera del alcance de los niños», pero daba igual dejar los medicamentos en el cajón o en cualquier otro sitio. Nada en la casa estaba fuera de mi alcance, ninguna cosa, ningún papel, ninguna mirada, ningún sentimiento.

Mamá abrió de un tirón el armario del vestíbulo y sacó el bolso.

—¿A dónde vas? —preguntó él.

Mamá se atragantaba al hablar, ni siquiera podía llorar. Por su cabeza debían de volar miles de imágenes horribles que me apretaban el corazón.

—Espera —dijo mi padre—. Voy yo. Tú llama a la policía.

La pesadilla de las luces y las sirenas de la policía junto a mi casa se estaba cumpliendo, como si lo que tiene que ocurrir estuviera ocurriendo, pero otro día y a otra persona.

Eran más de las diez y media.

Papá se vistió rápidamente. Desde la puerta volvió corriendo para coger la cartera.

—¿Y si nos lo quitan? —gritó mamá—. ¿Y si alguien lo ha secuestrado? Dios mío, no puede ser. Otra vez no puede ser.

—Llama a la policía —dijo mi padre dando un portazo.

Yo miraba a mi madre, que iba de un lado a otro. La vida era maravillosa hasta hacía un momento y ahora era horrible.

—Podría ir a buscarlo. Yo sé por dónde va —dije.

—¿Estás loca? Nunca, ¿me oyes?, nunca vas a ir sola a ninguna parte.

Y entonces empezó a salirle un llanto muy raro: no era llanto, eran sonidos huecos de ahogo.

—¿Quieres que llame yo a la policía? —dije.

Me tendió el teléfono.

—Explícales lo que ha pasado y después me pongo yo —dijo con la voz entrecortada—. Ahora no puedo…

La policía no podía hacer nada. El niño se habría despistado y estaría dando vueltas por ahí. Lo mejor era que salieran a buscarlo, pero que alguien se quedara en la casa por si regresaba solo. Mamá me arrebató el teléfono y les dijo que no tenían conciencia y que si su hijo no aparecía ellos serían los culpables. Debían de estar acostumbrados a oír estas cosas porque no le hicieron mucho caso.

Pasó una hora en que el mundo iba derrumbándose poco a poco, ladrillo a ladrillo, niño a niño. Los cómics de mi hermano, las zapatillas en el porche, los pantalones en la cesta de la ropa sin planchar. Hasta ahora no me había dado cuenta de todos los sitios donde estaba Ángel o las cosas de Ángel o las huellas invisibles de Ángel. La televisión seguía puesta sin sonido.

De pronto, mi madre cogió el bolso y dijo que no podía más.

—Voy a buscarle. Tú no te muevas de aquí.

Di una vuelta por la casa sin saber qué hacer. La recorrí centímetro a centímetro como si fuese la última vez que la veía. Entré en el cuarto de Ángel y me quedé mirando los pósteres de motos. Los cuadernos ordenados encima del escritorio y las motos en miniatura sobre la estantería, el balón en un rincón, sobre la bolsa con el equipo de kárate, y la colcha estirada. Ángel iba a ser tan ordenado como nuestros padres. Ninguno de los tres podía resistir el impulso de ordenar las cosas, de recoger lo que estuviera por en medio, de colgar la ropa en perchas y doblar las camisas y los jerséis y meterlos en los cajones correspondientes. En el cuarto de baño Ángel tenía sus cuatro cosas en perfecto estado de revista, mientras que las mías estaban tan revueltas que a veces las tenía delante de las narices y no las encontraba. ¿Y si no volvíamos a ver a Ángel? En la puerta había pintado una luna con cráteres; de mayor quería ser astrónomo, y yo había pensado regalarle un telescopio para su cumpleaños. Por primera vez en medio de la tragedia pensaba de verdad en mi hermano; hasta ahora toda mi atención la concentraba la angustia de mi madre, después la de mi padre, y luego el sentirme culpable. Ahora el pensamiento de que le hubiese ocurrido algo malo, de que nunca encontrase la casa, de que le atropellase un coche era tan grande que salía de la cabeza y ocupaba todas las habitaciones y se pegaba al papel pintado de las paredes, a los juguetes de mi hermano, a los platos, al sofá imitando cuero, se metía por todos los rincones y entre las páginas de los libros. Y no sabía si podría soportar algo tan terrible. Era imposible que nos ocurriese esta desgracia y me arrodillé para pedirle a Dios que nos devolviera a Ángel con sus piernas flacuchas y sus ganas de hacerme rabiar. Quería que volviesen las tardes en que estábamos los dos en la cocina.

Sonó el teléfono. Era mi madre para preguntar si había aparecido el niño, y antes de que pudiese contestar, colgó. Mi voz y mi respiración lo habían dicho todo.

Me asomé a la ventana. La oscuridad podría haberle confundido y encontrarse en calles completamente desconocidas. Podría haber echado a andar en dirección contraria y estar en otro barrio, y sin dinero para llamar por teléfono. Quizá ni siquiera encontrara una cabina. Estaría asustado pensando en el lío que se estaba montando por su culpa. Me senté en una silla con la espalda recta, respiré hondo y cerré los ojos con fuerza. Imaginé a Ángel y le pedí que se tranquilizara y que no tuviese miedo. Le pedí que buscara una parada de metro. Mira en las aceras a derecha e izquierda, busca una salida de metro. Si la has encontrado, métete dentro. En alguna pared tendrá que haber un plano. Busca la línea once. Creo que es verde. Ahí verás nuestra parada: Mirasierra. Mira bien lo que tienes que hacer para llegar. También puedes preguntar en la taquilla si está abierta. Si no llevas dinero, cuélate por debajo del torniquete cuando nadie te vea, como cuando haces que estudias y no estudias. Sé astuto. Súbete en el metro y, si puedes, siéntate para que parezca que no vas solo. Concéntrate. Yo estoy esperándote en casa. He hecho tallarines con setas. Cuando llegues te los calentaré.

Me levanté de la silla. Me dolía el estómago, sentía un pinchazo en el lado derecho. Era la única que aún estaba en pijama. Un pijama de pantalón corto y blusa de Snoopy, que me parecía demasiado infantil, pero era un regalo de la abuela de Alicante y mi madre decía que a caballo regalado no le mires el diente. Fui a la habitación a cambiarme. Me puse el vestido rojo de las ocasiones especiales y dejé los zapatos preparados para cuando tuviese que ponérmelos. En la cocina puse en el fregadero los platos de la cena de mis padres y no me dio tiempo de tirar los restos porque sonó el timbre de la puerta. Me quedé paralizada.

La vida ahora estaba al otro lado de la puerta. Me dolía el pecho. Podría ser Ángel.

Era mi padre.

Tiró las llaves sobre la consola. Casi no me miró. No me preguntó si había habido alguna novedad. La vida no merecía la pena.

Fui a peinarme al cuarto de baño y dudé si ponerme colonia.

Todo por mi culpa.

—He estado por todas partes —dijo mi padre al verme entrar de nuevo en el salón. Estaba pálido, envejecido, como si estuviera enfermo—. Le he preguntado a la gente, pero nada.

—¿Y mamá? —dije.

—La he perdido de vista. Debe de haber ido lejos.

En ese momento fui a ponerme los zapatos. Mi padre tenía la misma cara que si estuviese llorando pero sin que le cayese ninguna lágrima.

—Salgo a la verja a ver si llega. No te preocupes, no voy a salir a la calle —dije.

No oí la respuesta de mi padre, abrí la puerta. No la cerré, permanecí quieta en las losetas de pizarra de la entrada, pensando, escuchando, oliendo. Los sentidos se me alargaban y llegaban muy lejos. Notaba algo. Notaba el olor de Ángel cuando volvía de jugar al fútbol. Olor a calle, tierra, sudor y la goma del balón. Y oí un pequeño roce en alguna parte. Podría venir de un hueco que llamábamos la leñera y que lindaba con el muro de separación del vecino. Fui hasta allí, pensando que alguna de las peticiones que había hecho esta noche tendría que cumplirse, pero sabiendo también que lo normal era que no se cumpliese ninguna, así que ahora no me atreví a pedir que estuviera en la leñera.

Ángel llevaba allí escondido una hora porque le daba miedo llegar tan tarde a casa. Al verle tumbado en el suelo de medio lado, con un brazo debajo de la cabeza, me dieron ganas de gritar, de bailar y de pegarle un tortazo, pero no hice nada.

—¿Por qué vas vestida así? —dijo Ángel levantándose.

—Llevamos buscándote toda la noche. ¿Pensabas quedarte aquí para siempre?

A Ángel le quitaron el balón y fue a buscarlo, se perdió, pero al final, preguntando a unos y a otros, llegó a casa. Estuvo a punto de colarse en el metro. Al llegar a la puerta oyó las voces de nuestros padres discutiendo y no se atrevió a llamar.

—Ahora entra y dale un beso a papá.

Ahora sí que mi padre lloró. Abrazó a Ángel y no quiso regañarle; en contrapartida, me miró con toda la dureza de su corazón. Después fue a buscar a mamá. Cuando regresaran, la vida volvería a la normalidad, la tragedia acabaría, la luna volvería a su sitio, y las estrellas y el sol saldrían al día siguiente. El infierno se despegó de los muebles y de la casa entera.

Fui a calentarle a Ángel los tallarines.

—Vas a chuparte los dedos.

Estaba cenando y llenando con su intenso olor a calle la cocina cuando llegó mi madre, jadeante y poniéndose la mano en el costado. Había venido corriendo sin parar desde donde la encontró mi padre. Se limpiaba el sudor con las manos. No quería besar a Ángel con la cara empapada. También tenía mojada la camisa. Entonces Ángel se levantó y la abrazó.

—Dios sabe que no habría podido soportar otro golpe como el de Laura —dijo enredada en su alegría y su dolor.

Aunque estaba pendiente de cómo iba reaccionando mi madre en conjunto, sin prestar atención a las palabras, el nombre de Laura me sobresaltó, aunque al segundo lo olvidé porque el momento era absorbente.

Mi padre se había relajado tanto de golpe que tenía que apoyarse en la encimera con las dos manos. Fui a poner más alta la televisión. La vida continuaba.

—Y tú —dijo mi madre al reparar en mí—, ¿por qué vas vestida así? Me marcho a buscar a tu hermano y aprovechas para ponerte el vestido rojo. ¿No has hecho ya bastante?

—Déjala —dijo mi padre—. Estamos todos juntos y eso es lo importante.

Ya no confiarían más en mí y mamá tendría que dejar ese trabajo que la distraía tanto de su tristeza. Pensé que me estaba bien empleado por no ser tan buena hija como ellos creían que era. Mi hermano me miró con pesar, pero no dijo nada. Era mejor así, dejar pasar la tormenta. Esperar a que todo se olvidara.

Últimamente, en las ocasiones importantes, me ponía el vestido rojo y los zapatos negros. Y ésta era una ocasión importante. Había creído que si llegaba la policía debía estar vestida lo mejor posible. Pero ahora el vestido rojo ya no me gustaba: me recordaba esta noche y la punzada en el lado derecho del estómago y la sensación de tener un hueso de melocotón en la garganta. Fui a mi cuarto, me lo quité, lo doblé todo lo que pude hasta dejarlo como un pañuelo y lo metí debajo de todo el lío de ropa que había en el armario. Luego me senté en la cama y me puse el pijama muy despacio. Mis padres hablaban, Ángel no decía casi nada, no paraba de comer y resumió lo que le había pasado en muy pocas palabras. De buena gana me habría metido en la cama y me habría puesto a leer, pero salí una vez más para dar las buenas noches: no quería crear ningún malentendido. Luego sentí un enorme vacío, como si todo lo importante hubiese ocurrido ya.

A Ana la del perro le sorprendió mucho que mamá quisiera dejar el trabajo.

—No puedo dejarlos solos —dijo cabeceando de un lado a otro, convenciéndose a sí misma.

No me atrevía a decirle que no tenía de qué preocuparse porque ya no dejaría salir nunca solo a mi hermano, pero no quería decir nada para no empeorar las cosas.

—Me ha afectado mucho, ya sabes por qué. No podría soportar otra desgracia con otro hijo mío. Sé que no puedo protegerles de todos los peligros y sé que no puedo protegerles de la vida. Ellos no tienen la culpa de nada.

—Tienes que sobreponerte —dijo Ana—. Si quieres, puedo quedarme con ellos algunas tardes. Puedo pasarme por aquí a ver si todo sigue en orden. Podría acompañar a Ángel a kárate.

Adoraba la fácil vida de Ana. No tenía que torturarse por los hijos, ni por el trabajo. Para ella nada llegaba a ser trágico. Se marchaba de vacaciones tres o cuatro veces al año y no sólo quince días en agosto como nosotros. Andaba sobre una alfombra mientras que mi familia andaba sobre piedras. No podía dejar de observarla cuando nos visitaba, que cada vez era más a menudo. Sus cortes de pelo, la ceniza entera del cigarrillo, cómo cruzaba las largas piernas. Llevaba maquillajes que no se notaban, zapatos planos, vestidos entallados. Mi madre, en cambio, tenía un poco de barriga por los embarazos, iba a la peluquería dos veces al año, se teñía las canas ella misma en casa y se ponía de mal humor por cualquier cosa.

Me caía bien Ana porque se preocupaba por mi madre y porque tenía muchas atenciones conmigo. Me preguntaba qué tal iba el colegio y los chicos, y me regalaba pintalabios para el futuro, pulseras, baratijas. Pero también tenía la sensación de que le interesaba mucho mi aprobación, que quería tenerme de su parte. Lo que no podía saber era por qué. Las señales eran parecidas a cuando una compañera de clase quería hacerse amiga mía o cuando alguna quería unirse a mi grupo para estar con el chico que le gustaba. Lo que pasaba es que Ana era una persona mayor. Quizá yo le recordaba a la hija que no había tenido. No sé, no estaba acostumbrada a que alguien mayor quisiera agradarme.

Poco a poco todo fue regresando a la normalidad. Ni Ángel ni yo volvimos a dar ningún disgusto. Hacíamos todo lo que se nos decía. Y fueron nuestros propios padres quienes decidieron que Ángel saliese a jugar con sus amigos en un radio del que no debía salir aunque saliesen los otros. Se lo hicieron jurar y le amenazaron con todo lo que se les ocurrió si no cumplía su palabra. Lo hacían para que fuese tomando control sobre el entorno y su vida. Nuestro padre dijo que era mejor aprender a nadar que no ir nunca a bañarse, y mamá afirmó con la cabeza. Tomaron esta decisión donde las tomaban todas, en la cama. Allí hablaban en voz baja de todo lo importante. Así ya no era yo la responsable de lo que le pasara a Ángel, me sentía libre. Mamá quería volver a confiar en mí y de vez en cuando decía que a veces lo que no se tiene pesa más que lo que se tiene. ¿Qué era lo que no tenía? Mi madre nunca hablaba por hablar. Decía cosas que si no las decía reventaba. No tenían más remedio que escapársele por la boca. Mi madre vivía en un mundo distinto al del resto de la gente. Allí sólo estaba ella. Sólo estaban sus pensamientos y sus palabras, a pesar de que tenía padres, marido e hijos.

4
Laura, recoge
tus cosas

Mi primer colegio se llamaba Esfera, pero cuando nos cambiamos de la casa de El Olivar al piso de encima de la zapatería me matricularon en uno de monjas.

Estábamos en mitad de clase de Geografía cuando entró el director del colegio. El profesor se quedó mirándole con la tiza en la mano. Era una visita inesperada que sólo se producía cuando ocurría algo gordo, como la muerte de un familiar o una amenaza de bomba. El profesor se le acercó con cara de susto. Hablaron bajo y, según hablaban, al profesor se le fueron elevando los hombros: no pasaba nada grave. Nos observó bajo los gruesos pabellones de los ojos, recorrió la clase y fijó en mí su negra y lejana mirada.

—Laura —dijo—, recoge tus cosas, han venido a buscarte.

Treinta cabezas se giraron hacia mí. No reaccioné. Todos estaban esperando que dijera algo, que preguntara, querían enterarse.

—Laura, están esperándote —repitió el profesor, que siempre llevaba pantalones de pana con chaleco a juego, que acababan cubiertos de polvillo blanco.

Hice lo que se esperaba de mí, llena de vergüenza por ser la única que lo hacía. Cerré el libro y lo metí en la mochila, también los cuadernos y el estuche con los bolígrafos y los lápices. Sin cruzar la más mínima mirada con ninguno de mis compañeros, llegué a la altura del tercer botón del chaleco del profesor.

—Vete a Dirección —dijo, y se volvió a la pizarra.

No consideró necesario decirme nada más. Era una niña de doce años que debía aceptar la vida como venía. Hasta que fuese mayor, no podría quejarme y protestar.

Con la mochila a la espalda me dirigí al temido despacho. Llevaba los vaqueros con estrellitas plateadas en los bolsillos y la sudadera roja, mi ropa de la suerte. El pelo me llegaba a la mitad de la espalda, liso y rubio porque Lilí me lo aclaraba con camomila. Más o menos así era yo cuando vi a mi abuela sentada frente al director.

—Bueno, ya está aquí —dijo él levantándose del sillón—. Siento mucho que tenga que abandonarnos, es una alumna modelo.

Mi abuela se puso en pie con su mejor cara sonriente. Llevaba un abrigo blanco de lana, que la hacía más grande. Inclinó a un lado la cabeza para hablarle.

—Es un colegio maravilloso —cerró los ojos— porque tiene al frente a un director excepcional.

Él le besó la mano y nos acompañó pasillo adelante.

—Ojalá pueda venir a visitarnos alguna vez —dijo él.

Mi abuela rió con esa risa suya que se te metía en los huesos.

—Qué amable, qué amable.

Cuando nos montamos en el coche, Lilí cambió de semblante. Ya no tenía que ser encantadora. Ahora estaba pensando mucho y no se la podía distraer.

Yo no era una alumna modelo. Al salir del colegio debía dedicarme cuatro horas diarias al ballet y apenas podía hacer los deberes. Apenas podía estudiar. Por la mañana me entraba dolor de estómago en cuanto me acercaba a la verja del colegio y veía el nombre en la fachada, Esfera. Suplicaba al viento y al sol que a ningún profesor le diera por preguntarme nada.

Lo mejor eran los entrenamientos de baloncesto en el patio. Los teníamos dos veces por semana y era el único rato en que no pensaba en nada, en que corría, saltaba y me pegaba empujones con las compañeras. Volaba y me sentía feliz.

—Mañana iremos a visitar tu nuevo colegio.

Me puse a llorar. No quería cambiar porque un colegio era un colegio y al menos éste lo conocía. No me sentía capaz de empezar de cero. Lilí dijo que llorase lo que quisiera, que me desahogara.

Continuaba llorando al entrar en el nuevo piso, encima de la zapatería. Mamá estaba en Tailandia y Lilí se quejó de que todo tenía que hacerlo ella. Lloré en el baño y en mi cuarto. No sé cuántos litros de lágrimas echaría. Primero salían de los ojos, pero luego subían desde el estómago, como si el estómago fuese un lago.

Lilí dijo que este colegio estaba más cerca de casa y que me alegraría del cambio porque había unas monjitas muy cariñosas.

5

La abuela
de Verónica

En cuanto llegaba una visita a casa, retirábamos lo que hubiese en la mesita de centro del salón y poníamos un plato con queso cortado en triángulos, aceitunas, almendras y cervezas, vino y coca-colas. En el buen tiempo se hacía lo mismo en el porche y enseguida se animaba el ambiente. A mi madre se le iban las preocupaciones y a mi padre le daba por contar cosas graciosas del taxi. Ángel y yo nos sentíamos inmensamente felices.

En verano venían a comer o a merendar los compañeros taxistas de mi padre, sobre todo uno, con su mujer y sus hijos, que se llamaba Osvaldo. Era venezolano y ponía música de salsa, por lo que ese día nuestra casa parecía la más alegre de toda la urbanización. Los padres de mi padre vivían en Canarias y sólo habían venido un par de veces a vernos y además se alojaban en un hotel del centro para poder patearse Madrid y porque mi madre no les ponía muy buena cara. Nos invitaban a cenar en algún restaurante caro, y mi padre se ponía las botas, pero mi madre apenas tocaba el plato. Eran altos, enjutos, con aire de extranjeros, y aún no se habían hecho a la idea de que mi padre fuese un simple taxista, de que no hubiese llegado más lejos, como si su mujer y sus hijos le hubiésemos cortado el paso a la gloria, cuando jamás oí a mi padre quejarse de nada y cuando daba la impresión de haber conseguido lo que quería.

También nuestros abuelos maternos, Marita y Fernando, eran casi unos extraños para Ángel y para mí. A veces les escribíamos alguna postal, y entre nosotros a Marita la llamábamos abuelita por lo pequeña que era. Sentada, los pies no le llegaban al suelo. Mi madre había salido a su padre, un militar guapo que había caído en las garras de esa mujercilla que lo único que había querido toda su vida era estar tumbada en la cama y no hacer nada, según mi madre. En casa todo lo hacía él. La compra, la comida, lavar y planchar, llevar las cuentas y encargarse de todos los caprichos de su mujer. Abuelita usaba gafas de culo de vaso sobre unos ojos diminutos, por lo que todavía tenía más mérito el enamoramiento de mi abuelo. Y los deseos de Marita eran órdenes para él. Por lo visto, tenía un magnetismo especial para que todo el mundo acabara haciendo lo que ella quería. Me intrigaba mucho, me gustaba que aquella mujer fea de misteriosos encantos fuese mi abuela. Y al mismo tiempo, en solidaridad con mi madre, no me gustaba. Quizá era la única que se resistía a sus deseos, y a cualquier cosa que le pedía le respondía con un rotundo no. Le decía que se buscase otro tonto. Era asombrosa la firmeza de mi madre frente a ella siendo hija única.

Una calurosa tarde de junio con el cielo azul, Ángel llegó alborotado diciendo que creía que abuelita subía la cuesta arrastrando una maleta más grande que ella. Salí afuera y, en efecto, una mujer con zapatos blancos de tacón se aproximaba tirando de una maleta y con un bolso también blanco cruzado sobre el pecho. Llevaba un vestido negro con motas blancas. Mi madre estaba haciendo visitas a los clientes y mi padre con el taxi. Yo trataba de estudiar en mi cuarto.

Ángel y yo bajamos a ayudarla. La última vez que la habíamos visto fue en la comunión de Ángel, y luego llamaba por teléfono para felicitarnos por cualquier cosa o para comprobar que seguíamos vivos. Para nosotros existía, pero no del todo. No como los árboles de enfrente que veíamos a todas horas, vacíos de hojas o llenos como ahora.

Al vernos soltó la maleta y nos besó mucho, pero antes hubo un instante de reconocimiento. ¿Éramos nosotros? Vaya estirón. Yo era una mujer y Ángel seguro que volvía locas a las niñas. Le dijimos que la había visto Ángel por casualidad y que nuestros padres estaban trabajando. Le dijimos que jamás nos habríamos imaginado verla viniendo hacia la casa un día normal y corriente.

Agradecí que mi madre no estuviera a la llegada de Marita porque así el recibimiento era más fácil. Nos dio unos regalos. No eran caros: se notaba que no tenía mucho dinero. Seguramente la pensión que cobraba mi abuelo no era gran cosa. Él se había quedado en casa cuidando de la gata y del jardín. Abuelita se quejó de que le dolían los pies de andar con los zapatos de tacón y le puse un barreño con agua y sales. Me dijo que se sentía de maravilla. La maleta, después de sacar los regalos, se quedó abierta en medio del salón. La cerré y la llevé a mi habitación. Podría haberla acomodado en el cuarto de invitados, pero preferí sacar la cama nido y tenerla cerca.

—Tenía ganas de veros —dijo pasándome la mano por la cabeza mientras le masajeaba los pies en el barreño—. Por eso no he llamado a tu madre: me habría puesto pegas y mientras tanto vosotros crecéis.

—Vienen un poco tarde. Trabajan mucho.

—No importa. Haremos la cena y les daremos una sorpresa.

Ángel se fue a kárate y yo iba a ir al cine con unas amigas, pero deshice la cita. Marita tenía algo que hacía que me apeteciese estar con ella, quizá era el hecho de que me reconocía en algunas cosas. Las dos teníamos la piel tan blanca que las venas resaltaban como si fueran a romperse al mínimo roce, y al mirar sus manos vi que se me arrugarían antes de tiempo, como si tuviésemos pocas capas de piel y como si nuestros antepasados vinieran de un país con poco sol.

Era muy pacífica. De vez en cuando me daba un beso. Hacía mucho que no la veía, pero era mi abuela y estaba en su derecho de besarme. Hicimos empanadillas, ensalada y pescado a la plancha. Mejor dicho, lo hacía yo y ella observaba bajo sus gafas de mil dioptrías. Entre las gafas y los pendientes casi no se le veía la cara. No hablaba mucho, pensaba más que hablaba. Sería eso lo que había vuelto loco a mi abuelo. Le conté de un tirón mi vida de adolescente, y ella me dijo que tuviera cuidado con los chicos. Me habló de mi madre, de cuando era pequeña. Le gustaban mucho los animales. En la casa había perros, gatos, un loro, peces en una pecera. Suponía muchísimo trabajo y tuvieron que ir deshaciéndose poco a poco de aquel zoo, porque Betty era una niña muy compasiva con los animales desvalidos y había que frenarla. Yo me parecía a ella, en los ojos, en el pelo y en la nariz. Cuando me miraba, parecía que estaba viendo a Betty. Me agradaba mucho que me hablase de mí. Por la noche, cuando estuviéramos en la cama, le preguntaría por la historia con el abuelo. Era una sensación extraña, la de haber vuelto a una cueva pequeña y caliente donde estaba toda mi tribu.

A las nueve y media sonó el timbre de la puerta. Ya habíamos puesto la mesa con el mantel que mi madre guardaba para las ocasiones especiales. La primera en llegar fue ella. Abuelita estaba sentada en el sofá. Al oír la puerta se giró de medio lado. A mamá se le clavaron los pies en la entrada al salón. Se paralizó.

—¡Qué sorpresa! —dijo.

Abuelita se levantó y fue a darle un beso. Llevaba mis pantuflas con caras de perro y casi no podía andar con ellas. Se las dejé porque eran suaves y ella tenía ampollas. Mi madre las miró. No parecía hacerle gracia que llevara mis pantuflas, lo que significaba que no le hacía gracia que su madre estuviera aquí. Las dos tenían el mismo culo respingón y ningún parecido más.

—¿No tienes calor con eso? —preguntó.

—He venido a veros.

Mi madre se quitó los zapatos y la blusa y se quedó en sujetador. Era lo primero que hacía antes de ducharse. De camino al baño echó un vistazo a la mesa.

—Así que estamos de fiesta.

—Sí —le dije—, en cuanto vengan papá y Ángel cenaremos.

No dijo más. Se oyó correr el agua de la ducha más de lo habitual. Marita salió al porche. Refrescaba y se veían las pequeñas luces de los otros porches.

—Está muy bien para ser Madrid —dijo.

A las diez y diez estábamos cenando. La mesa estaba animada. A todos, menos a mi madre, nos alegraba que hubiese una persona más de la familia. Por la ventana abierta entraba una brisa negra y azulada. Nos dejaron beber un poco de vino. Mi padre le dijo a Marita que si necesitaba ir a algún sitio él la llevaría en el taxi. Mamá le preguntó que por qué no había llamado para avisar, ella tenía mucho trabajo y no iba a poder atenderla. Le contestó que no se preocupara, que venía para ayudar, no para dar más guerra.

—Tu ayuda llega un poco tarde, ¿no crees? —dijo con ojos furiosos. Se podría pensar que los tenía así de brillantes y negros por el vino, pero era por abuelita.

En aquel momento, Ángel tuvo el acierto de poner la televisión y todos miramos hacia ella. Viajábamos en la oscuridad del cielo, y como si me leyera el pensamiento Ángel dijo que ahora nos estábamos trasladando a una enorme velocidad alrededor del sol. Mi padre dijo:

—Quiere ser astrónomo.

Marita estuvo una semana en casa y al final mi padre la llevó en el taxi a la estación. Esa noche, cuando mi madre regresó, dijo que por fin estábamos de nuevo en familia y que íbamos a cenar de una manera normal.

—Ya no sabe guisar —dijo, lo que no era cierto.

—Eres injusta —le dijo mi padre de muy malhumor—. ¿No se te ha ocurrido pensar que puedes estar juzgándola mal?

—Ella tuvo la culpa. La tuvieron los dos. Me dejaron sola. ¡Sola! Y no pude defenderme. Son tal para cual. Son mis padres sólo de boquilla, para venir aquí a darme más trabajo, para interrumpir nuestra vida. Ya no los necesito.

Mi padre suavizó la voz.

—Cariño, no sé qué hacer para que dejes de obsesionarte. Tenemos que vivir. ¿Sabes lo que es eso? ¡Vivir!

Entonces mi madre se puso a llorar sonándose todo el rato con un pañuelo.

Llevaba la ropa de la calle. Un vestido suelto con tirantes, que le borraba las formas, unas sandalias con cuña y un colgante con una amatista que a mí me gustaba mucho de pequeña y que le llegaba más abajo del pecho.

—Creía que la había encontrado. Creía que ya la tenía —dijo, sentada en el borde del sofá y con el pañuelo entre las manos.

Mi padre estaba de pie. Meneó la cabeza, se sentía impotente.

—He estado en una casa vendiendo los cosméticos, convencida de que era la suya. Parecía una pista completamente fiable. Pero sólo había una mujer en una silla de ruedas. Le pregunté si había algún joven estudiando al que le pudiera interesar tomar algún complemento para la memoria y me dijo que no. Eché un vistazo alrededor y sólo vi muebles buenos y cuadros oscuros como de museo. No había fotos enmarcadas.

Mi padre de pronto cayó en la cuenta de que Ángel y yo estábamos allí y se la llevó a la cocina.

—Vas a enfermar —le dijo.

Al día siguiente, en cuanto estuve sola, volví a abrir la cartera de cocodrilo. Si había habido algún avance en este asunto, lo habrían guardado aquí. Pero no había nada. Y no me atrevía a mirar en el bolso de mi madre porque era traspasar la línea del respeto.

El nombre de Laura estaba a punto de salir de mis labios cualquier día. Se me iba a escapar de un momento a otro. Ángel no metería la pata porque lo había oído como quien oye el vuelo de una mosca. Laura. Yo no sabía exactamente quién era, pero sí que era real y que de alguna manera vivía entre nosotros.

6

Laura, no
puedes engañarme

Mi nuevo colegio se llamaba Santa Marta, y la directora, sor Esperanza. Era tan corpulenta y tenía tanta seguridad en sí misma y controlaba tan bien todo lo que la rodeaba que nos hacía sentir insignificantes. Su frase más repetida era que allí habíamos entrado para formarnos como mujeres. Lo buscaron entre mi abuela y Ana porque, por aquellos días, mamá estaba centrada en un curso intensivo de yoga y dijo que conocería a la directora y a las profesoras cuando pudiera ir a buscarme. Me impresionó mucho entrar el primer día porque el patio del recreo estaba protegido por muros de cinco metros. Tenía pinta de convento y pensé que en el futuro quizá yo fuese también monja.

Mi abuela siempre iba a buscarme en su Mercedes, mi madre algunas veces, pero cuando cumplí los dieciséis les dije que quería volver a casa en el autobús como todas mis compañeras. Aunque al principio a Lilí no le gustó la idea porque decía que perdería demasiado tiempo en el viaje en perjuicio del estudio, mi madre me echó un cable al decirle que si hasta ahora no había pasado nada, tampoco tenía por qué pasar en adelante. Aquella frase se me clavó en la memoria porque parecía decir más de lo que decía. Sobre todo porque era casi imposible que nos pasara algo. Las monjas que limpiaban y hacían la comida también nos cuidaban y controlaban al milímetro todo lo que ocurría en el colegio. En cierto modo, me parecía normal estar vigilada constantemente, llevar pegados a la nuca los ojos de las monjas y de Lilí. Llegué a pensar que Lilí era una espía de Dios y que sabía todo sobre mí, lo que hacía en cada momento, lo que pensaba, y que era imposible engañarla.

7

Un banana split
para Verónica

Ana vino con *Gus* a casa antes de que llegara mi madre
de trabajar. Se anunciaba con sus tres timbrazos cortos y
secos. Nos traía un regalo de Tailandia, unos muñecos
típicos. Le gustaba mucho viajar, irse lejos, tomar avio-
nes. A mí me intimidaba que fuera una mujer de mundo
y que hubiese conocido a tanta gente y tantas cosas porque eso nos convertía en unos paletos. Y, a veces, en el
fondo de mi alma sentía miedo de que mi madre quisiera ser como ella y que no pudiese y se sintiera frustrada.

Le dije que podíamos hacer tiempo en el parque para
que *Gus* correteara, y contestó que era una idea fantástica, maravillosa, poniéndose las manos en el pecho. Nunca regateaba elogios ni entusiasmo. Y esto era lo primero
que había que aprender para ser como ella: no estar esperando que algo nos obnubilase ni nos acelerase el corazón para estar entusiasmados. Le quitó la correa a *Gus*,
que empezó a correr como un loco, y se dirigió al quiosco de bebidas. Nunca nos habíamos sentado allí porque
mis padres no eran caprichosos, no hacían lo que les apetecía en cada momento.

Elegimos helados a la carta, para mí un banana split.
Yo iba con pantalón corto, y Ana, con un vestido de seda
rojo abierto por los lados hasta medio muslo. Se pidió un
gin-tonic, se encendió un cigarrillo, cruzó las piernas,
sacó un bolígrafo del bolso, extendió unas postales en la

mesa y se quedó mirando al cielo. Parecía todo muy alegre, la gente paseando arriba y abajo, las enormes bolas del helado de fresa, nata y chocolate con anisitos espolvoreados y una minisombrilla clavada encima. Me lo tomaba cogiendo con una cucharilla trozos pequeños mientras ella escribía, fumaba y bebía.

—¿Está bueno el helado? —dijo sin dejar de escribir.

Afirmé con la cabeza.

—¿Qué tal va el colegio?

Me encogí de hombros.

—Regular —dije—. No entiendo las matemáticas.

Se rió un poco.

—No eres la única. Cuando seas mayor las entenderás.

Y entonces me decidí y lo solté.

—¿Sabes quién es Laura?

Tiró el cigarrillo, debía de ser el tercero, y lo aplastó con su zapato plano de bailarina. Por primera vez me prestó verdadera atención.

—Una niña con melenita y un peto vaquero. Mi madre tiene su foto en la cartera de cocodrilo.

—No sé de qué me hablas. ¿Una niña?

—Tienes que acordarte porque un día te la enseñó. Yo estaba con *Gus* en el porche y vi cómo sacaba la foto de la cartera y te la enseñaba. ¿Quién es esa niña?

—No me acuerdo de nada. Tu madre es una mujer delicada, a veces se obsesiona por cosas que hacen que se deprima. Tienes que cuidarla mucho. Es muy buena.

Bajé la cabeza. A lo mejor no estaba ocupándome de mi madre como debía. Había estado yendo al psiquiatra una temporada y le había mandado unas pastillas que se tomaba por las noches con un vaso de leche. También le recetó lo de las flores y lo del ejercicio.

Ana no pegaba en nuestra casa ni con mi madre. Siempre que la veía en nuestro salón daba la impresión de que había entrado por equivocación. Seguramente tendría otras amigas con estilo y sin obsesiones e irían a tomar una copa a clubes y quedarían a jugar al tenis. Y, sin embargo, siempre la había visto. La conocía de toda la vida. Ana la del perro era amiga de mi madre desde antes de nacer yo. ¿Dónde la conocería? En algún momento serían parecidas, les gustaría el mismo tipo de ropa y de pelo y luego se volvieron muy distintas. ¿Dejaríamos mi amiga Rosana y yo de parecernos?

—El otro día casi encuentra la casa de esa niña.

Ana cruzó las piernas y se encendió otro cigarrillo. Las piernas llegaban a la mitad de la plazoleta.

—Y tú ¿cómo lo sabes?

—Porque se lo dijo a mi padre llorando.

—Pero no la encontró.

—No. Cree que se confundió de casa.

Movió la pierna montada sobre la otra. El zapato parecía que volaba. Qué elegante era.

—¿Y Daniel qué dijo?

—Que no podemos seguir viviendo así.

El zapato se le salió un poco del talón. Se reclinó más en la silla.

—Tenemos que ayudar a tu mamá para que no piense cosas raras. Tu papá la quiere mucho.

—No quiere a mi abuela.

—Ah, ¿no? Bueno, ya se le pasará. Son cosas entre madres e hijas que no tienen importancia.

Esa manera de fumar de Ana y de escribir sus postales me tranquilizaba. No pasaba nada. Tenían que suceder cosas constantemente, pero eso no quería decir que ocurrieran de verdad.

8

Laura, nos vamos de la playa

Estaba deseando saber fumar como Ana. Era una de sus muchas habilidades. No había nada de ella que desentonara, ni un gesto, ni unos zapatos, ni un pañuelo ni un perfume. Las uñas pintadas le quedaban bien y sin pintar también. Incluso *Gus* parecía haber nacido para realzar a su ama, y el collar y la correa de *Gus* estaban hechos a mano a su imagen y semejanza. El mundo de Ana era el mundo más ideal que había tenido y que probablemente tendría nunca más ante la vista.

Lo que menos me gustaba era que se llevase tan a menudo a Greta a Tailandia. Por culpa de sus romances y de los viajes con Ana, yo había pasado más tiempo con Lilí que con mi propia madre. Lilí decía que mamá era una cabeza loca y que yo debía hacer lo posible para no parecerme a ella. Por eso, quizá, hasta las monjas del colegio me reprochaban que fuera demasiado seria.

A mamá le encantaba la vida de ahí afuera y tener amantes. Cuando se refería a ellos, no los llamaba novios ni amigos, sino amantes. Los hombres se dividían en buenos y malos amantes y, si daba con uno bueno, era completamente feliz. Y desde luego parecía que se divertía mucho más que las madres casadas de mis amigas. Pero a mí me mortificaba que fuésemos diferentes, y su amiga Ana formaba parte de esa diferencia. Lilí decía que Ana era un mal necesario en nuestras vidas (lo que siempre me tomé como una exageración) y que la culpa de que Greta no parase en casa nada más que para recuperar fuerzas no la tenía Ana, que al fin y al cabo aprovecharía esos viajes para hacer dinero (otra exageración sin duda porque, que supiésemos, Ana no tenía ningún negocio como el nuestro), mientras que Greta, lamentablemente, sólo quería apurar la vida, y Lilí echaba de menos la época en que por lo menos intentó ser pintora, pero ni siquiera con eso se había comprometido.

Yo no podía fallarle a Lilí como hacía mamá, debía compensarla por las dos. Debía ser formal y responsable por las dos. Debía contentarla por las dos.

Por lo menos este verano hicimos planes las tres juntas, mejor dicho las cuatro, porque Ana nos llevó en el coche a Alicante. Pensaba estar dos días con nosotras y luego se marcharía porque tenía otros planes en que no debía de haber incluido a mamá. Yo estaba deseando que nos dejara solas porque su presencia siempre me hacía pensar que había una gran vida en otra parte. Lo que no podíamos imaginar a la llegada es que regresaríamos de nuevo las cuatro y *Gus*.

Creo que todo empezó cuando perdí en la playa la gorra que mamá me trajo de Nueva York. Se notaba que era auténticamente americana y me gustaba mucho. Aunque, para ser sincera, más que perderla me la quitaron. La dejé en la toalla para bañarme y desde el agua vi cómo una mujer la cogía y se la llevaba. Salí corriendo, pero cuando llegué a la arena ya no la encontré. Se lo dije a Lilí, que estaba bajo la sombrilla y que no se había enterado de nada. Mamá y Ana no paraban de andar por la arena para moldearse las piernas.

No te preocupes, ya compraremos otra, dijo y volvió a cerrar los ojos.

A partir de ese momento buscar una gorra igual se convirtió en una excusa para que por las tardes Lilí fuese parándose en todos los tenderetes con bolsos, gafas, camisas y gorras de imitación que chicos negros altos y delgados desplegaban en el suelo. Era insoportable porque yo debía acompañarla, mientras Ana y mamá se sentaban en una terraza a esperarnos. Preguntaba precios y todo tipo de cosas, el caso era no arrancar. Estaba pensando que nunca encontraríamos una gorra parecida y que ya me daba igual, cuando vi pasar a *Gus* corriendo y, tras unos cuantos segundos, a Ana. No me atreví a salir detrás y dejar sola a Lilí, así que me subí a un poyete y pude ver a *Gus* con un grupo de personas entre las que había una niña que jugaba con él. Ana volvió al rato. Mamá ya se había unido a nosotras.

—Me he encontrado con unos amigos —dijo muy seria, como si más que amigos fuesen enemigos— y tengo que cenar con ellos.

Mi madre y Lilí permanecieron unos minutos mirando con cara de preocupación cómo se marchaba y mamá dijo enfadada que esto no iba a terminar nunca.

—Todo ha sido por tu bien —dijo Lilí reprendiéndola.

—Ya estamos otra vez con mi bien —dijo mamá moviéndose de un lado a otro con un vestido blanco hasta los pies comprado el día anterior en el mercadillo—. Te recuerdo que yo no quería meterme en esto. Pero ya estoy metida. Me dijisteis que no habría ningún problema, era absolutamente seguro. ¿Y ahora qué? Ya nos hemos cambiado de casa y ahora nos cambiamos de playa, ¿y después?

—Me parece que la gorra tendrá que esperar. No me gustan las que veo —dijo Lilí dándole la espalda a mamá y apretándome contra su pecho.

Y a la mañana siguiente nos marchamos como habíamos venido. Lilí dijo que con la humedad del mar le dolían muchísimo las rodillas. Mamá dijo que no tenía ganas de más veraneo familiar y que si Ana le hacía sitio se iría con ella, pero Ana contestó que sus compromisos también eran familiares y entonces se hizo un enorme silencio en el coche porque nunca había mencionado a su familia, al menos delante de mí. Siempre la veía sola o con *Gus* y casi daba por hecho que había venido al mundo así, como era ahora, vestida y con el perro de la correa.

9

Verónica,
la vida
maravillosa

Me quedaron las mates para septiembre, pero no importó demasiado porque, aquel verano, los primeros días de las vacaciones fueron de vida maravillosa. Los abuelos de Alicante nos dejaron un apartamento que alquilaban por temporadas a extranjeros y que estaba libre. Lo habían preparado para la batalla con muebles fuertes que soportarían un tornado, los que no eran de pino robusto eran de plástico indestructible, y las plantas de las macetas ni siquiera había que regarlas. Esto es vida, decía mi padre estrujando la lata de cerveza, la bolsa de las patatas fritas, la servilleta del restaurante.

Mi madre, con los preparativos del viaje, se convirtió en una madre normal. Íbamos a pasar allí un mes y tuvo que aprovechar las rebajas para comprarnos bañadores y pantalones cortos. A mi padre le compró unas bermudas hasta las rodillas y polos de distintos colores, y para ella, dos bikinis y un pareo. Compró una nevera portátil porque el apartamento estaba algo lejos de la playa, una cesta de paja para llevar las toallas y cuatro toallas grandes, como de terciopelo, granate, verde, azul y amarilla, que eran las mejores toallas que habíamos tenido nunca. Por la tarde, después de un día de playa, mi madre se arreglaba y nos íbamos al paseo marítimo a tomarnos un helado y luego a cenar. Se le habían puesto los ojos más claros y la piel más oscura, y mi padre la besaba mucho. Estaba muy guapa con el vestido blanco de tirantes y el pelo suelto.

En la playa nos pasábamos las horas muertas. Clavábamos la sombrilla a las diez de la mañana y no nos marchábamos hasta las tres. En la nevera había refrescos y cervezas. Mi hermano y yo vivíamos nuestra vida entre las olas y la arena, y nuestros padres leían bajo la sombrilla y se turnaban para dar largos paseos y no dejarnos solos. Mamá estaba convencida de que si andaba por la arena dos o tres horas seguidas, al cabo de un mes tendría piernas de modelo, y mi padre iba a nadar por donde no había gente. Nadaba muy bien y también esquiaba. Siempre estaba diciendo que nos iba a enseñar a mi hermano y a mí. Mientras tanto, su equipo de esquiador se pasaba de moda en el trastero y a veces Ángel se metía en las enormes botas para hacer de superhéroe.

A los ocho años Ángel ya era reflexivo: después de acarrear un cubo de arena se quedaba contemplando el mar de pie, con las manos apoyadas en la cintura, un buen rato. ¿En qué pensaría? ¿Se daría tanta cuenta como yo de los cambios de humor de nuestra madre? Aquella mañana, su caminata fue más corta y regresó a eso de la una agitada, con la cara descompuesta y con una gorra de visera en la mano. Todo mi cerebro, mis ojos y mis oídos se concentraron en mi madre.

Agitaba la gorra y abría los brazos delante de mi padre. Le hablaba como si le suplicara, iba y venía delante de él. Mi padre la escuchaba asustado y luego le decía cálmate, por favor. Tardó un rato en levantarse de la toalla de terciopelo granate y en cogerla por el hombro. Mi madre se deshizo de la mano.

—Estoy segura de que es ella. Si vienes…, a lo mejor aún no se han marchado —dijo medio ahogándose.

—No podemos dejar a los niños solos.

Mi madre me miró. Estaba en la orilla tapándome las piernas con arena, no podía imaginarse que en ese momento me había convertido en un ser sobrehumano que los oía y los veía como si estuviese a su lado.

—Voy a volver. Voy a hablar con ella.

—Pero ¿no comprendes que entre todas las playas del país es demasiada casualidad que esté justo donde estamos nosotros? Por Dios, razona.

—No puedo. Sé lo que he visto.

Metió la gorra en la cesta de paja y se marchó a paso veloz. Tuvimos que esperarla hasta las tres y media. Ángel se quejaba de hambre, pero yo no tenía ninguna. Miraba sin parar hacia las grúas que había a unos cinco kilómetros de distancia entre el resplandor, esperando verla aparecer.

—¿Qué le ocurre a mamá? ¿Por qué se ha marchado? —le pregunté a mi padre, que había pasado de la felicidad a la indiferencia.

—Quiere aprovechar para darse otro paseo.

—¿Y la gorra esa? —dije mirando hacia el cesto.

—Se la ha encontrado.

—¿Puedo ponérmela?

—No. Imagínate que pasa su dueña y la reconoce, sería muy embarazoso.

Hablaba mecánicamente, sin ilusión. Luego se estiró en la toalla y se pasó las manos por la frente.

No dije más. Sabía que la situación era anormal por mucho que mi padre le diera a todo una explicación. La vida maravillosa se había acabado.

Mi madre llegó, nos secó a Ángel y a mí con la toalla llena de arena. Luego las sacudió todas montando una polvareda, las metió en la cesta junto con la gorra y se puso el pareo. Mi padre la observaba de reojo mientras recogía la sombrilla. No hablaron. Las piernas de mi madre cada vez eran más bonitas y se lo hubiese tenido que decir hacía cuatro horas. Ahora estaba fuera de lugar.

Esa tarde mi madre no se arregló como todos los días. Se peinó sin mirarse al espejo, no se pintó los labios.

Se puso los vaqueros y una camisa (el vestido blanco debía de resultarle demasiado festivo), mientras una gran sombra salía de ella y pasaba sobre nuestras cabezas como si fuese a estallar una tormenta. Durante la cena en un restaurante italiano al que nos habíamos aficionado por sus espaguetis, mi padre le preguntó ¿has vuelto a verla? Y ella negó con la cabeza. Él movió pensativamente la suya.

La gorra desapareció de la cesta y de mi vista. Podría haberla buscado por el apartamento y en el equipaje, pero no quise: había llegado con la sombra y debía marcharse con ella. No volví a mencionarla ni a pensar en ella. Sobre todo porque ocurrió algo que rompió el maleficio que acababa de caer sobre la vida maravillosa.

De repente, después del asunto de la gorra, cuando comprábamos los helados de todas las tardes que luego nos comíamos en el paseo marítimo haciendo tiempo para la cena, vimos a Ana la del perro. Jamás me alegré tanto de ver a alguien. Primero vimos al perro y luego a Ana, como si su cometido fuese aparecer en nuestra vida como un relámpago estuviésemos donde estuviésemos.

—No puedo creérmelo —dijo mi madre alborozada—. ¿No es ése el perro de Ana? ¡*Gus*! —le gritó.

Gus vino hacia nosotros medio corriendo y medio meneando el rabo, medio alegre. Seguramente estaba tan sorprendido como nosotros de encontrarnos fuera de nuestro mundo. Toda la familia nos volcamos sobre él. Le necesitábamos. Era una tromba de agua fresca que necesitábamos para beber y de aire para respirar. La sombra que nos iba a aplastar hasta el final de las vacaciones se acababa de rasgar.

—¿Dónde está tu dueña? —preguntó mi madre.

Gus se giró y olfateó alrededor como nosotros. Ni rastro de Ana, pero no dejábamos que el perro se marchara porque si estaba con nosotros ella vendría. Necesitábamos mucha gente con nosotros, gente que hablara y que rompiera nuestros pensamientos.

Ana apareció enseguida, y *Gus* se deshizo como pudo de nosotros para saltar hacia ella.

—Bandido, he estado buscándote por todas partes —dijo mirándonos incrédula—. Vaya sorpresa. Esto sí que es una sorpresa.

Expresamos una alegría exagerada. En una situación normal no nos habríamos puesto así. Incluso Ángel estaba radiante. Le pedimos que se quedara con nosotros a cenar. Ella dijo que estaba con unos amigos y que tendría que avisarles. En otras circunstancias se le habría dicho que no cambiara los planes, pero en ésta debíamos pensar en nuestra supervivencia. Mi padre le pidió que se quedara.

Cambiamos el italiano por un restaurante mucho mejor donde servían ostras y langosta. Los mayores cenaron con champán. Todo era poco por volver a la vida. Al día siguiente Ana se marchó. Dijo que la esperaba un amigo muy especial y que tal vez nos lo presentase un día. Dijo que era un hombre muy rico que había conocido en Tailandia y que cuando fuesen más en serio nos invitaría a toda la familia a su casa. Antes de irse se quitó un pañuelo blanco y rojo que llevaba al cuello y me lo dio. Ponía la palabra amor en muchos idiomas, yo sólo entendí amor y *love*.

A partir de aquí, gran parte de las conversaciones de mis padres se centraron en el tailandés rico y en la cabeza loca de Ana. En el fondo mi madre la admiraba porque en su vida no le había pasado nada malo ni tenía ninguna sombra dentro. Y si a ella no le hubiese ocurrido lo de Laura puede que también fuese un poco así, como esas madres que no están todo el rato mirando lo que haces, que no ven el peligro, que se fuman un pitillo con los ojos entrecerrados mientras a sus hijos podría atropellarles un coche, pero que por designios de la vida no les pasa nada y llegan a los veinte años sanos, fuertes, espontáneos y decididos. La casa del tailandés estaba en Bangkok y me la imaginaba con un techo inmenso, estanques llenos de nenúfares y budas en el jardín. Mi madre decía que un viaje así nos costaría una fortuna pero que era una oportunidad de conocer mundo. También decía que había que tener mucho mundo para poder estar con un hombre de ojos rasgados, con otras costumbres y muchos refinamientos. Mi padre dijo que un hombre es un hombre aquí y en la China.

Ángel y yo nos empeñábamos en comernos el arroz con palillos para no hacer el ridículo cuando fuésemos a Tailandia. Gracias, Ana, por introducir el lejano Oriente en nuestras vidas, aunque sólo fuese porque nos sirvió para terminar bien aquellas vacaciones. Y cuando nuestro soñado viaje quedó en el olvido, mi madre decía que seguramente no había salido bien el romance con el oriental y que no sería ella quien le recordara a Ana este fracaso sentimental.

II

Un bosque
de sombras
y flores

10

El padre
de Verónica

Ángel se había convertido en un chico aceptable, casi guapo, cuando nuestra madre enfermó. Tenía quince años, y yo, diecisiete. Ya estábamos hechos a la idea de que cuando pegase el último estirón cambiaría mucho, se volvería más ancho y le saldría barba y bigote, se le afianzaría la mirada y dejaría de tener voz de niña.

Ese año aprobé la selectividad por los pelos y me jugaba el poder entrar en la universidad el curso siguiente. Quería estudiar Medicina. En unos meses sería mayor de edad. Podría votar. No tendría por qué soportar la vida de los demás, la vida de mi madre. Había crecido viviendo sensaciones que no entendía y estaba harta. Me ilusionaba encontrar un trabajo mientras estudiase y compartir un piso con compañeros de la facultad que seguro que conocería. Sería maravilloso tener mi propia vida. Desde luego me costaría trabajo abandonar a mi familia en este bosque de sombras y flores que era nuestra casa. Afortunadamente, Ángel seguiría aquí en representación de los dos para que nuestra madre no pensara demasiado y de paso tampoco mi padre, que se quejaba amargamente de que la gasolina estaba por las nubes y no había clientela. A veces se pasaba las horas muertas en la parada o callejeando por ahí, y era casi un milagro que le parara alguien con maletas y cara de ir al aeropuerto: la gente prefería tomar el metro. Así que entre unas cosas y otras su mujer aportaba más dinero a la casa y eso le mortificaba. Pero todo cambió de repente.

Hasta este momento, hasta que mi madre empezó a no comer, lo más importante para la familia eran mis futuros estudios. Incluso mi madre parecía haber bajado la guardia en su enfermiza obsesión por la Laura de la foto. Últimamente daba la impresión de que Ángel y yo éramos más reales, Laura sólo existía dentro de la cartera, y de que en este nuevo mundo cada uno iría ocupando su verdadero sitio. Lástima que un día mi madre dejase de tener hambre y comenzara a adelgazar.

Al principio nadie se dio cuenta, ni ella misma, hasta que empezó a ser raro ese continuo cansancio que no la dejaba levantarse de la cama y lo achacamos a que no paraba un momento. La obligamos a ir al médico, y el médico dijo que tenía anemia crónica y arritmia y que era normal que no pudiera con su alma. También dijo que tenía el corazón muy deteriorado, débil, y que le pondría una medicación severa, pero que no descartaba la operación. La ingresaron en el hospital. La abuela Marita, cuando se enteró, quiso venir a verla, pero mi madre se negó en redondo. Sólo consintió que mi hermano fuese a pasar con ellos el resto del verano, hasta que empezara el instituto. Que por una vez en su vida haga algo útil esa vaga, dijo mi madre, que nunca fingía sentir lo que no sentía por la abuela. Para mí supuso un gran alivio porque así, por lo menos, no tendría que ocuparme de él ni pensar en que comiera bien. Mi padre siempre recurría a los menús y yo me las arreglaba con cualquier cosa.

Ahora sí que la vida había cambiado bruscamente, más que nunca. Al menos yo era mayor y podía ocuparme de la familia. Mi padre no salía de su aturdimiento. Se le caía el pelo. A veces venía a casa oliendo demasiado a cerveza y yo tenía que decirle que podían retirarle el carné y la licencia del taxi. Le daba todo igual, el mundo se desmoronaba. Yo me pasaba la vida entre el hospital y nuestro bosque de sombras y flores, como yo llamaba a nuestra casa. Ahora también un bosque de silencio. Mi madre me decía con una voz extraña, que parecía salir directamente de un corazón arenoso y sin fuerza, que estaba bien, y me pedía que vigilara a Ángel, que le llamara a Alicante día sí y día no. Tu padre ya tiene bastante con el taxi, decía. Gracias a Dios, no sois unos niños, y sois listos, no os pueden engañar tan fácilmente, decía.

Para tranquilizarla le dije que, aunque Ángel aparentemente no se enteraba de nada, se enteraba de todo. Tiene unas antenas muy largas, le dije, no se le escapa nada, sabe defenderse. Le dije que se acordara de la vez que se perdió en la calle y cómo al final supo volver. Entonces me cogió el brazo con la mano, la tenía esquelética y demasiado pálida. Me dolía su mano. No era normal que mi madre de pronto tuviese una mano de doscientos años.

—Quiero que sepas que es una tontería empeñarse en que las cosas sean como deberían ser. Se pierde la vida intentándolo.

¿A qué se refería?, ¿a la vida en general?, ¿a algo que le quedaba por hacer?, ¿cuentas pendientes? Me vino a la mente el nombre de Laura, pero me contuve puesto que nunca me había hablado de ella. Sobre todo no quería que se alterase, no quería que hiciese ningún esfuerzo de ninguna clase.

—Si no te he dicho algunas cosas es para que no cargues con eso. Es porque para ti no deben tener importancia —dijo abriendo la puerta a un sinfín de sospechas.

Hizo una pausa esperando quizá que le preguntase algo, pero no le pregunté. En ese momento me interesaba más ella que sus confesiones.

—En un bolsillo del abrigo de visón hay una bolsa con dinero. Tu padre no sabe nada. Son ahorrillos. Por si nos venían mal dadas quería darle una sorpresa.

Jamás me imaginé a mi madre capaz de una cosa así, de ocultarle algo de dinero a su marido.

—¿Y qué quieres que haga?

—Que sepas que está ahí por lo que pueda pasar.

—Bueno, lo dejaré ahí hasta que salgas.

Cerró los ojos. ¿Para qué querría ese dinero? No creía de verdad que fuera para darle una sorpresa a mi padre. Se lo contaban todo y siempre estaban haciendo cuentas. Uno frente al otro con la calculadora solar en medio, de cara a la ventana para que le diera la luz. Para él habría sido un gran alivio saber que contaban con un millón de pesetas de reserva, y sin embargo mi madre tenía las narices de verle mortificarse sin darle la buena noticia. Quería ese dinero para algo que ella consideraba más importante que la tranquilidad momentánea de mi padre.

Uno de esos días, un día de primeros de septiembre, ya no tan caluroso, pero con los árboles que rodeaban el hospital profundamente verdes y los pájaros alegres como si ni la enfermedad ni el mal existieran, me asusté. Estaba sola frente a la soledad de mi madre. Sus secretos se habían convertido en una soledad devastadora, que salía de la habitación 407 del hospital y caía sobre el mundo como un eclipse. Envolvía el verde de los árboles, el canto de los pájaros, el ruido de los coches y el resplandor de las ventanas cambiándolo todo. También me envolvía los pulmones y las venas y los pensamientos. Tuve miedo de que mi madre muriera. ¿Y si moría? Por lo menos tendría que llevarse la sensación de que su vida no había sido un completo fracaso y de que algo al final era como debía ser. No quería que la gente de la marquesina del autobús me viese llorar por algo que aún no había ocurrido y me puse las gafas de sol e intenté pensar en mis estudios, y entonces me asaltó la duda, la fuerte duda, de no haber formalizado la matrícula de la universidad a tiempo.

Me dije que podría ir estudiando por mi cuenta y al año siguiente hacer primero y algunas asignaturas de segundo. Mi madre estaba muy contenta de que fuese universitaria y se lo decía a los médicos y a las enfermeras. Cada vez estaba más consumida, y los médicos estaban esperando a que se le elevaran los niveles de hierro y a que remitiese una infección para operar.

Le pedí a mi padre que procurase ir al hospital un rato todos los días, pero me contestó que no podía dejar el taxi y que ahora necesitaríamos más dinero para su recuperación, medicinas. Eran excusas para no pasar por el trance de verla como una anciana de cuarenta kilos.

—Tiene otra mirada —dijo completamente derrotado.

Estaba sentado frente a la televisión y le puse delante un plato con un trozo de lasaña que acababa de calentar. Ya no me gustaba cocinar, hacer platos sabrosos para alimentar cuerpos desagradecidos que enferman. Mi madre no hacía excesos y últimamente tomaba los complementos vitamínicos que vendía. No tendría por qué haberle pasado nada. Mi padre comía sin ganas. Movía el tenedor como si estuviera luchando con el aire.

—¿La has hecho tú? —dijo mirando la televisión.

—Es congelada.

—Ya me parecía.

Masticaba despacio, tragaba con dolor, la montura de las gafas despedía un resplandor de escaparate.

—Papá, el dinero no es problema.

Se volvió hacia mí con el tenedor en alto.

—Qué inocente eres.

Solté el paño de la cocina con que me había estado limpiando las manos mientras hablábamos hasta dejarme las palmas completamente rojas. Notaba correr la sangre por ellas a toda velocidad. Recorrí el pasillo hasta el cuarto de mis padres. Le saqué a mi padre un pijama limpio de la cómoda y luego abrí el armario, busqué la funda de tela blanca que cubría el visón, la subí y metí la mano en los bolsillos. En uno había un bulto, una bolsa de seda marrón, como el forro del abrigo. Dentro había un millón de pesetas en billetes de cinco mil. Los conté rápidamente mirando hacia la puerta. Volví a contarlos. Si se los enseñaba ahora a mi padre, no tendría excusa para no visitar a su mujer todos los días, para no escuchar salir de la boca de los médicos su gravedad, ni para dejarlo todo en mis manos. Pero entregarle este dinero a mi padre era perder la esperanza de que mi madre volviera a ser dueña de sus secretos. Sin embargo, el secreto de Laura sí que lo compartía con su marido e incluso con Ana la del perro. Volví a meter la bolsa de seda con el dinero en el bolsillo del visón, lo cubrí con la funda y luego me subí en la butaca forrada de terciopelo azul claro y saqué de entre la manta la cartera de piel de cocodrilo.

La extendí en la mesa de caoba del comedor. Mi padre seguía tenedor en mano sin comer y mirando sin ver la televisión. Llevaba pantalón corto y una camiseta de propaganda del polideportivo. No era consciente de su aspecto porque nunca había aspirado a llevar nada más que la vida que llevaba, el trabajo y su familia, pero tenía unos ojos azules que me habría gustado heredar y una sonrisa que hacía que le dejaran colarse en los puestos del supermercado y en el médico, y quizá por eso me resultaba tan dramático ser testigo de cómo iba perdiendo pelo y cómo se iba cargando de hombros.

Mi madre podría haber sido una mujer celosa, pero no lo era, casi no lo miraba. Ante su presencia no se ponía ni tan simpática ni chispeante como las demás: tenía cosas más importantes en que pensar que en el irresistible atractivo de su marido. En compañía de su mujer él se convertía en un hombre normal y corriente, de tono bajo.

Dudé y tuve que tragar saliva antes de encender la luz y llamar su atención. Estaba cruzando una línea que nadie me había pedido que cruzara. Se me pidió que cuidara del atontado de mi hermano y en cierto modo de mi padre. Hablar con los médicos y hacerle compañía a mi madre me lo había impuesto yo misma porque no me fiaba del aturdimiento de mi padre. Lo que iba a suceder a continuación, la información que se desprendiera de la foto de Laura, era una nueva responsabilidad que me echaba sobre la espalda.

—Papá.

Se giró hacia mí. Me miró interrogándome con los ojos tras unos cristales donde se reflejaba el comedor con la litografía enmarcada de Miró.

—Papá —volví a decir.

Su mirada bajó de mi cara a la cartera abierta y observó cómo yo sacaba la fotografía de Laura en cuestión de unos segundos que parecieron horas.

Se la enseñé.

—¡Por Dios! —dijo esforzándose por levantarse, como si fuera joven por fuera y viejo por dentro—. ¿Es que no vamos a acabar nunca con esta historia?

Me encogí de hombros.

—¿Qué significa?

Como respuesta me la arrebató de la mano.

—Ha sido nuestra pesadilla. Es nuestra pesadilla. Y tú no tendrías que meterte en esto.

—La encontré por casualidad.

—¿Por casualidad encima del armario entre una manta? Le dije a tu madre que necesitábamos una caja fuerte.

Se quedó observándome como si acabara de darse cuenta de cómo era yo en realidad.

—¿Desde cuán…?

Le interrumpí.

—Desde los diez años.

La mano que no sostenía la foto se la pasó por la cabeza. Era un hombre atrapado en una vida que no se parecía a él, pero a la que iba acercándose cada vez más deprisa.

—Lo siento —dijo—. No contaba con esto. Creía que el tiempo iría colocándolo todo en su lugar.

—Si no lo coloca el tiempo, tendremos que colocarlo nosotros. ¿Quién es esta niña?

Retiró una de las sillas que había alrededor de la mesa y se sentó en ella, luego la corrió hacia adentro y el borde de la mesa se le encajó en la cintura. La casa sin mi madre resultaba vacía, parecía que íbamos a mudarnos de un momento a otro. Sus pasos hasta que se quitaba los zapatos y después sus pasos sin zapatos, con peso pero sin ruido, la voz áspera de haber fumado mucho en su juventud, su olor al gel que se hacía ella misma echando esencia de rosas, que le había traído Ana de Estambul, en un jabón del supermercado, su manera de quitarse el sujetador vestida, desabrochándoselo por detrás y luego metiendo la mano por una manga, tirando de un tirante y haciéndolo salir por ahí como una tripa suelta, sin darle importancia. Todo esto faltaba.

Los dos miramos a la niña.

—En realidad no lo sé. Todo son suposiciones, aunque a Betty parece que le bastan.

La llamó Betty, no tu madre, que era lo habitual, lo que significaba que entrábamos en un terreno extraño o no recorrido hasta ahora.

—Aquí pone que se llama Laura.

Mi padre acababa de darse cuenta de que yo siempre había tenido ojos y oídos.

—¡Joder! Podrías haber dicho algo. No sé cómo has podido callarte.

—¿Y no habría sido peor?

—Seguramente. Así sólo habrás tenido sospechas.

—¿Sospechas de qué?

—¿No te lo imaginas?

—No.

—Si no lo imaginas es porque no quieres. Eres muy lista.

—Y si no me lo he imaginado antes, no voy a imaginarlo ahora —dije poniéndole delante de la cara la foto.

Mi padre bajó la cabeza.

—Me tomaría una cerveza.

Iba a decirle que se habían acabado las cervezas, no me gustaba que bebiera tanto, pero comprendí que era el momento de que mi padre y yo nos tomáramos una cerveza juntos.

Puse dos jarras de Heineken y abrí las cervezas con paciencia; antes comprobé que estaban bien frías, al fin y al cabo si llevaba con el peso de no saber nada varios años, podría soportar cinco minutos más. En cualquier otra situación habríamos brindado, ahora estábamos tristes. Bebimos un trago largo y luego otro. Mi madre estaba en la habitación 407 sin enterarse de nada.

—Betty cree que esa niña es su hija, tu hermana.

No digo que no se me hubiese pasado por la cabeza alguna vez, pero oírlo me mareó. No había cenado, me había tomado una cerveza y estaba sabiendo la verdad. Me levanté de la silla y me senté en el sofá, por lo menos de ahí no me caería.

—¿Y tú qué crees?

—Creo que hoy nos acostaremos tarde y dormiremos poco.

Fue a buscar otro par de cervezas, pero yo no abrí la mía.

—Perdona —dijo mi padre pegando un largo trago a la siguiente sin hacer caso de la jarra—, tengo mucha sed. Dos años antes de nacer tú tuvimos otra hija que nació muerta.

—Bueno —dije, pensando en ese perenne gesto distraído de mi madre que me ponía enferma—, sabía algo de eso, creía que había sido un aborto.

—No, la niña llegó a nacer en el mes que le correspondía, pero hubo alguna complicación de última hora y cuando nació no respiraba.

La cabeza me iba muy lentamente, me costaba relacionar una cosa con otra. Mi padre vino a sentarse en el sofá junto a mí. Se aseguró las gafas con un dedo.

—Aún no estábamos casados y a mí el parto me pilló de viaje.

Se quitó las gafas. Sin gafas sus ojos resultaban muy lejanos, perdidos en alguna parte.

—¿Con el taxi?

Se las volvió a poner y volvió a pegarle un largo trago a la lata. Movió negativamente la cabeza como si tuviese ocho años y hubiese roto algo.

—Mis padres insistieron en que les acompañara a Roma, querían ver el Vaticano. Les hacía mucha ilusión que lo viésemos los cuatro juntos, ellos, Rafa y yo.

Mi padre, que en cuanto salía de los límites de nuestra comunidad autónoma nos relataba los viajes con toda clase de detalles, nunca había hablado de éste; le traería el mal recuerdo de su hija muerta y también de su primo Rafael, un ser al parecer adorable que no pudo salir de la droga y que debía de andar malviviendo y enfermo en alguna parte del mundo.

—Fue un regalo que mis padres querían hacerme y llevaron también a Rafa para que me divirtiese más. Lamentablemente, no podían haber elegido peor fecha. Nos alojamos cerca de la Fontana di Trevi y comíamos y cenábamos en *trattorias*, y después siempre veíamos algún espectáculo, y después del espectáculo Rafa y yo nos íbamos a bailar. Casi me olvidé de Betty, no tenía tiempo ni de llamarla por teléfono. No quería usar el de la habitación porque en los hoteles te clavan con las llamadas y en cuanto estaba en la calle o no encontraba cabina o me distraía con cualquier cosa. No tenía miedo, ¿comprendes? No veía los peligros que no se veían. La vida era alegre, y cuando volviera de este viaje, una auténtica oportunidad de que mi padre se rascara el bolsillo a lo grande, de pegarme la vidorra, cuando regresara, Betty se pondría de parto y nacería la niña y nos casaríamos y todo seguiría su curso, ¿comprendes?

No contesté; entendía lo que me contaba, pero no entendía lo que había pasado. Según él, mi madre se puso de parto mientras él estaba en Roma. Con los dolores y la dilatación no sería fácil dedicarse a localizarle. Mis abuelos maternos vivían en Alicante y no llegaron a tiempo. Se encontró sola. Mi madre tuvo que resistir sola el golpe de que le dijeran que su hija había muerto. Ingresó en la clínica a las cuatro y media de la madrugada y dio a luz a las once de la mañana.

—Cuando llegué a los dos días ya había ocurrido todo. Estaba tan deprimida, tan derrotada que no quiso llamarme. Me dijo que ya daba todo igual. Insistí en que nos casáramos enseguida y a los dos años aproximadamente naciste tú. Esta vez estuve a su lado todo el tiempo, rezando para que no hubiese sorpresas de ningún tipo, para que sucediese lo que debía suceder.

Como mi padre predijo, apenas dormí. A las cuatro terminó de abrir latas de cerveza y de contarme la desgraciada historia de mi madre y su hija muerta. Mi madre, después de nacer yo, empezó a darle vueltas a la cabeza y a hacer preguntas a los médicos sobre las causas por las que un bebé puede morir en el parto, y no llegaba a entender por qué conmigo todo había salido perfecto y con Laura tan mal si los dos embarazos habían sido completamente normales y los análisis y las ecografías daban bien. Por lo visto, cuando me oía llorar le recordaba el llanto de Laura, lo que no parecía probable porque la sedaron en el último tramo del parto. Aun así, ella estaba segura de haberlo oído. Quizá en sueños, pero lo había oído. Además, nunca llegó a ver el cuerpo, no quisieron enseñárselo para no traumatizarla. Y decía que sólo tenía que mirarme a mí para saber que su otra hija estaba viva y que se la habían robado, como si fuera un coche, una cartera con dinero, una joya. Así que, según yo creía, la certeza de que Laura no había muerto se fortalecía. El nacimiento de mi hermano fue como la seda. El doctor que atendió su parto y el mío dijo que mi madre estaba en condiciones óptimas de tener más hijos si quería, que sus embarazos eran muy buenos y que debió de ocurrir algún desgraciado accidente fuera de lo normal en el nacimiento de Laura.

Cuando me desperté a las nueve, los ronquidos de mi padre se oían desde el pasillo. A partir de las diez los médicos pasaban visita en las habitaciones. Procuraba estar allí para que me dijeran cómo iba la anemia de mi madre. A veces deseaba con todo mi ser que ya estuviera en condiciones de que la operaran y que acabara esta pesadilla, pero otras veces quería que continuara un poco más para que no la llevaran al quirófano porque así estaba bien, vigilada y sobre todo viva.

No le desperté. Se merecía descansar. Debía de haberle liberado el compartir conmigo el gran secreto de la familia o por lo menos no tener que ocultármelo. Ahora sabía que llevarse los secretos a la tumba destroza los nervios. La foto de Laura me había intrigado tanto que desde que la descubrí, el mundo se había vuelto más engañoso, menos de fiar, como si detrás de cualquier cosa siempre hubiese otra y otra y otra. Detrás de mis padres descubrí que había otra Betty y otro Daniel. Y puede que yo ocultase a otra Verónica que asomaría en cualquier momento. El mismo Ángel estaría ya creando esos otros Ángeles que le empujarían en la vida. Ahora podía hablar con mi padre de la hermana muerta, pero no me atrevía a decirle nada a mi madre. No sabía cómo se lo tomaría. Podría decirle: tranquila, papá me lo ha contado todo. ¿Y qué conseguiría con eso? Mi madre estaba acostumbrada a creer que no me enteraba de nada.

Desayuné observando la foto del fantasma de esta casa, encerrado en el mundo plano de la cartera de piel de cocodrilo. Si existía, si era real, ¿le habría afectado en algo la angustia que habían sentido mis padres y la que indirectamente había sentido yo y todavía más indirectamente Ángel? ¿Habría llegado a sentir nuestros corazones como una vibración remota en el universo?, ¿o no sabría nada? De parecerse a alguien, se parecía a mi padre aunque no se apreciaba si tenía los ojos marrones como mi madre, Ángel y yo o azules como mi padre. Laura, en la foto, los estaba guiñando hacia el sol. Parecía entre feliz y triste, como si estuviera decidiendo qué clase de persona sería en el futuro. El pelo era castaño claro y parecía fino y suave.

Por lo menos logré sacarle a mi padre que mi madre, en contra de su opinión, había contratado a un detective, que logró localizar el colegio al que iba Laura. La foto estaba hecha en el recreo, en el patio, pero la investigación se detuvo ahí porque mis padres no tenían dinero para seguir. Era una agencia de detectives del barrio. Estaba varias calles detrás de la nuestra y para descubrirla había que ir mirando la fachada a la altura del segundo piso. Ya sabía cuál era. Muchas veces me había fijado en ese cartel como algo completamente extraño a la calle y a la gente que pasábamos por allí. Y resulta que mi madre había entrado, había subido al segundo piso y podría haberse visto su cabeza desde abajo mientras contaba la historia más triste del mundo a un desconocido. Acababa de caer en la cuenta de que quizá había ahorrado el millón escondido en el bolsillo del abrigo de visón para dárselo al detective y que siguiera buscando. Con toda seguridad también habría tratado de buscarla ella misma cuando mi padre estaba trabajando y nosotros en el colegio, y después, con la venta puerta, a puerta habría tenido una oportunidad de oro para entrar en las casas. Lo que no sabía era hasta dónde había llegado, quizá mi padre tampoco lo sabía. Ahora me venían a la mente algunas situaciones extrañas.

Una tarde de invierno. Yo tenía diez años. Y a esa edad, menos cuando estaba distraída, lo veía todo, y todo lo que veía se me grababa en el cerebro como si el cerebro estuviese hecho de barro blando. Entonces no supe lo que estaba viendo, entonces ni siquiera me detuve a analizar la situación. Ahora, sí. Aunque lo normal era que volviese sola a casa con mi hermano porque el colegio estaba al final de la calle, a veces mi madre se ponía sombría y se empeñaba en ir a buscarnos. Decía que no quería cargarme con la responsabilidad de mi hermano, pero ahora comprendía que debía de ser difícil vencer la aprensión de que alguien se nos llevase a Ángel y a mí. Aquella tarde en concreto estaba esperándonos en la puerta cuando salimos. Dijo que íbamos a dar una vuelta. Tomamos el metro. Ángel estaba cansado y se sentó en el suelo encima de la mochila. A mí el metro me gustaba, un chico con coleta tocaba la guitarra junto a las escaleras metálicas y en un momento podía ver cómo iban vestidas unas doscientas chicas mayores. Lo que menos me importaba es lo que tuviese que hacer mi madre tan lejos de casa. Por entonces, en aquella larga infancia en que la situación cambiaba mucho de un año para otro, incluso de un mes para otro, siempre tenía miedo de que nos ocurriera algo.

Mi hermano llevaba un anorak azul marino con capucha y yo un abrigo de cuadros grandes blancos y negros. Nuestra madre iba envuelta en un plumas que le llegaba a las rodillas, por lo que parecía más gorda de lo que era. Iba de pie, cogida a la barra, su mano a unos milímetros de la de una mujer con un abrigo beis con cinturón marrón y las solapas subidas y guantes de piel tan fina que se le marcaban hasta las venas. Me habría gustado que fuese tan elegante como ella y que no se hubiese puesto ese gorro de lana de hacía cinco años que no llegaba a romperse nunca. Me habría gustado que mi madre atrajera el interés de alguien como la señora del abrigo beis atraía el mío. Dirigía la mirada a la oscuridad que pasaba pegada a las ventanas.

No sé dónde bajamos, en algún lugar frío y oscuro con árboles y luces en ventanas y en unas pocas farolas. Mi hermano dijo que tenía hambre y mi madre de pronto recordó que había echado dos bocadillos en el bolso. Mi hermano cogió uno y desenvolvió el papel de plata, pero yo no quería sacar las manos de los bolsillos, no tenía tanta hambre como para eso. Llegamos a lo que parecían las instalaciones de un colegio. Entramos y nos paramos ante una cancha de baloncesto donde jugaban unas niñas algo mayores que yo. Mi madre nos dijo que nos sentáramos en un banco porque ella tenía que darle un recado a alguien. Entró y salió del edificio y luego se dedicó a contemplar el partido. Como me la quedé mirando perpleja, me explicó que tenía que hablar con alguien de por allí. Ángel se terminó el bocadillo sentado en el banco y después se tiró en la tierra a jugar. Le encantaba andar revolcándose por el suelo, no le daba asco nada de lo que pudiera encontrarse por la tierra de este sitio ni por las sucias baldosas de un supermercado. O corría de un lado para otro o se tiraba al suelo.

—¿Qué estás mirando? —le pregunté a mi madre, un poco impaciente por marcharme de allí—. Tengo que hacer los deberes.

—Hazlos en el banco. Ahora nos vamos.

No me veía capaz de sacar allí los libros, sólo los sacaba encima de la mesa del roble magullado de la cocina. No soportaba hacer nada que no encajara con el sitio ni la situación, y esto no encajaba. Mi madre no encajaba entre el resto de la gente que contemplaba lo que ocurría en la cancha echándose vaho en las manos, pero no estaba dispuesta a despegarse de la barandilla de hierro.

—¡Os pido por favor un poco de paciencia! —dijo enfadada cuando mi hermano se acercó lloriqueando porque se aburría, sin separar la mirada de lo que ocurría en la zona iluminada. La luz caía sobre aquellas chicas que saltaban y corrían y sobre el árbitro que se lo tomaba como si fuera un partido de la NBA.

Como no quería que mi madre se enfadara, le dije a Ángel que íbamos a jugar al veo-veo. Fue una pesadez. Hasta que por fin nuestra madre se giró hacia nosotros, nos miró con los ojos con que nos miraba cuando nos decía que nos quería más que a nada en el mundo y dijo que nos íbamos. Ángel echó a correr delante de nosotras, y ella se quitó el gorro y movió la melena con fuerza en la neblina que despedían los pinos.

—Me han encargado darle un recado a alguien que no ha venido. Nos han hecho perder la tarde. Para compensaros nos vamos a ir a Burger King a tomarnos una hamburguesa.

A Ángel le hizo mucha ilusión porque con la hamburguesa siempre daban un coche pequeño de plástico. Yo cogí a mi madre de la mano y mi madre me apretó, y luego las dos manos cogidas las movimos hacia delante y hacia atrás hasta que llegamos al metro.

Cuando al final aterrizamos en casa, mi padre abrió la puerta antes de que mi madre pudiera meter la llave. Estaba preocupado, pero al vernos tan animados se subió un poco las gafas con la punta del dedo y dijo que en esta casa todos hacíamos lo que nos daba la gana. Examinó a mi madre de reojo. Tenía la cara enrojecida, los ojos brillantes, el pelo oscurecido por el frío. En cuanto se quitó el plumas negro dejó al descubierto un jersey azul ajustado que la hizo diez veces más guapa. Ya no parecía la mujer aturdida del metro, sino Betty. Se acercó a mi padre y le dio un beso en los labios.

—Nosotros ya hemos cenado —dijo ella.

—Una hamburguesa —dijo Ángel.

—Me parece muy bien, y yo, a palo seco —dijo mi padre serio por fuera y muy contento por dentro, lo que hacía la situación el doble de agradable.

Puede que esa tarde hubiésemos estado viendo a Laura sin saberlo. No me fijé en ninguna niña en particular, estaba más pendiente de mi madre, de Ángel y de lo anormal de la situación. Éramos como esos objetos que se encuentran los arqueólogos fuera del tiempo que les corresponde: una bombilla en el paleolítico, un hacha de madera y hierro fosilizada de doscientos mil años, Ángel, mi madre y yo en un colegio que no era el nuestro.

11

La madre de Verónica o el caracol de Betty

Habían sentado a mi madre en el sillón, sobre una sábana blanca con ribetes azules, y se le veían los tobillos y los pies flacos. Sonrió al verme. Hasta para sonreír tenía que hacer un gran esfuerzo. Tenía los ojos demasiado grandes.

Nunca había sido delgada. Yo me parecía a ella. Éramos anchas, de apariencia fuerte, ni altas ni bajas. La gente nunca nos echaba una mano porque parecía que no necesitábamos nada. El pelo, cuando no se hacía una coleta, se lo peinaba con la raya al lado izquierdo y la mata negra y rizada le caía sobre el derecho. Ahora ni siquiera lo tenía rizado y desde que se teñía las canas, no era ni rubio ni negro. Tenía cuarenta y dos años.

Mi padre nunca prestaba atención a las mujeres que puede llevarse el viento, aunque fuesen supermodelos. Le gustaban con peso específico y era de suponer que, cuando se conocieron, mi madre sería alegre, simpática, valiente. Él la admiraba porque, cuando se quedó embarazada de Laura en ningún momento pensó en el matrimonio ni en formalizar nada; no le asustaba el futuro y por eso mi padre jamás habría puesto los ojos en ninguna otra mujer, a pesar de que sus padres estaban empeñados en que se merecía algo mejor. Cuando mi padre me hizo esta confidencia la noche anterior, sin pena y sin ninguna emoción especial, con seriedad y la cerveza en la mano, se me pasaron por la cabeza esas veces en que mi madre cantaba a pleno pulmón o se reía de algo o cogía a mi hermano pequeño de los brazos y giraba haciéndolo volar por los aires, cuando corría con nosotros por la playa y cuando dejaba que la enterráramos en la arena y que encima le hiciéramos unos enormes pechos con unos enormes pezones, cuando le hacía cosquillas a mi padre y él lloraba de risa, cuando se olvidaba de que no era una mujer normal, cuando se olvidaba de que le había ocurrido una de esas cosas que sólo ocurren a las personas trágicas. Cuando se compraba un vestido nuevo y se dejaba el pelo suelto y se maquillaba y salía con su marido, el marido más guapo de todos los maridos, al cine o a cenar por ahí. Cuando lograba quitarse un par de kilos y que los vaqueros le bailaran y nos íbamos las dos de compras. Entonces yo era feliz, casi dramáticamente, sin saber que siempre tendría que haber sido así, que podría haber sido así si aquella criatura hubiese vivido.

Me senté en el borde de la cama y me quedé mirando a mi madre intensamente, intentando que me contestase sin preguntarle. Dime todo lo que sepas de Laura. Maldita sea, tú no tienes la culpa ni nosotros tampoco y menos ella, y a todos nos ha jodido la vida. Cuando te pongas bien la buscaremos juntas y la encontraremos. Vendrá a vivir con nosotros o por lo menos te tranquilizará ver que está bien y que no la has perdido. Ésa iba a ser mi meta.

—¿Te ha pasado algo? ¿Te has matriculado? ¿Está bien Ángel? —dijo incorporándose un poco en el sillón.

Afirmé con la cabeza.

—Por los resultados no tienes que preocuparte. Ellos saben lo que hacen.

Se refería a los médicos. Ahora era consciente de los pasos en falso que había dado mi madre en la ocultación del secreto de Laura. Casi no lo había ocultado, pero yo no había sabido comprenderlo del todo porque nunca quise ser un objeto fuera de tiempo y de lugar. Le cogí la mano de doscientos años. Habría dado cualquier cosa por que entendiera que lo sabía todo y que no me daba igual, que lo consideraba una prueba del destino y que lucharía por ella.

—Por lo menos me han metido aquí antes de que empiece el curso, no quiero que pierdas ni un día de clase.

—No te preocupes, seguro que para esas fechas ya estarás en casa.

Los médicos dijeron que aún no era prudente operar, lo que en el fondo fue un alivio. Un poco más de tiempo.

Bajé a comprarle unas revistas y a la hora me marché. Le dije que tenía que sacar unos libros de la biblioteca y arreglar la casa, cosas que ella consideraba ineludibles. Me pidió que le llevara la agenda de clientes: no quería dejar colgada a la empresa ni a Ana, que tanto confiaban en ella. Y entonces caí en la cuenta de que Ana no tenía ni idea de que estaba en el hospital y que quizá debería decírselo para que fuese a verla y la animara.

En cuanto a mí, iba a encontrar a Laura y se la iba a llevar a mi madre a la habitación del hospital, y aunque probablemente eso no daría el mismo resultado que una válvula nueva, su mente se apaciguaría y se calmaría, y después de veinte años se acabaría el tormento. Sentada en el autobús fui preparando el que consideraba un programa de actuación.

Desde la parada a casa fui andando despacio bordeando el polideportivo. Se oían raquetazos, los pájaros, el griterío de los chavales; llegaba el olor a hierba cortada. La gente andaba con parsimonia por la calle, los árboles nos salpicaban con su sombra. Podría dejarme llevar y ser feliz en este momento. La casa se me cayó encima. Abrí todas las ventanas que mamá solía dejar entornadas y con las persianas bajas, y puse música en la radio. Tararée todo lo alto que pude mientras sacaba de los cajones del escritorio la agenda que me había pedido, las carpetas y varios montones de papeles. Me los llevé a la mesa de caoba y empecé a examinarlos. Había una relación de productos que tenía que servir en unas cuantas casas periódicamente. A los indecisos los tenía aparte. Había pedidos, ofertas, algunas devoluciones. Más o menos estaba todo ordenado, aunque de algunas anotaciones, fechas y círculos sólo ella tenía la clave.

Mamá, ayúdame, ¿por dónde empiezo?, ¿por el psiquiatra?, ¿el que hubiese abierto la agenda por la eme y me encontrase con él de bruces significaría algo? Doctor Montalvo. También el psiquiatra había supuesto una sangría para nuestra economía, sobre todo en la época en que mi madre no trabajaba. Por algún sitio había que empezar. Así sabría de boca de una persona autorizada si era bueno encontrar a mi hermana, en caso de que estuviese viva, o si la postura de mi padre era la mejor.

Creo que mi madre estuvo yendo al psiquiatra dos años. Al principio iba más a menudo, luego una vez al mes, siempre los jueves por las tardes cuando llegábamos del colegio, a veces nos cuidaba la hija del vecino, que tenía dos o tres años más que yo. Se arreglaba y antes de salir de casa se miraba por última vez en el espejo, como recordando todo lo malo que tenía que contarle al doctor, y le cambiaba la cara.

Llamé a la consulta sin pensarlo más, con la esperanza, la súplica, de que hubiese vuelto de vacaciones. Había vuelto, pero no tenía hueco hasta dentro de dos meses y no había manera de convencer a la insensible recepcionista de que era un asunto muy urgente. Dos meses. Normalmente es un plazo corto, en el caso de mi madre podría ser toda una vida. No pensaba dejar que nadie me impusiera su ritmo. Mi madre se refería al doctor Montalvo como ese hombre que sabe lo que es la vida, hasta que dejó de ir seguramente por problemas de dinero y ya no volvió a mencionarlo.

Esa misma tarde, a las cuatro, antes de que empezaran a llegar los pacientes, me presenté allí. En ese momento caía del cielo un sol brillante y cálido. La consulta estaba en la calle General Díaz Porlier, en un piso con parqué barnizado hasta la extenuación que crujía al pisar. No se oía un ruido, ni una respiración, solamente el rumor de las hojas de una revista que leía la recepcionista. Le dije que necesitaba darle un recado urgente al doctor, y ella me miró maliciosamente: la de cosas que se inventan para hablar con él sin pedir cita. Le dije que yo la había pedido y que me era de todo punto imposible esperar dos meses. Por un oído le entraba y por otro le salía. Estaba acostumbrada a la desesperación de la gente, pero yo había tenido que tomar un autobús y hacer dos trasbordos de metro y no estaba dispuesta a irme.

—Por lo menos podría decirle que estoy aquí. Soy la hija de Roberta Morales.

Mi madre no le sonaba de nada y aunque le hubiese sonado le habría dado igual.

—El doctor no está aún y cuando llegue no podrá atenderla. En noviembre, sí.

—Está bien —dije—. Entonces deme hora.

—A finales.

—Fenomenal —concluí con mi mejor sonrisa cuando me tendió la tarjeta de visita—. ¿El baño?

—Al fondo.

El pasillo, además de crujir como si se estuviera rompiendo a mi paso, era muy largo, con vueltas y esquinas, por lo que el baño debía de estar al otro lado de la manzana. Cuando anduve lo suficiente para que la recepcionista no se mosqueara, lo desanduve y esperé en las proximidades de la recepción hasta que un hombre de unos setenta y cinco años, con sombrero de entretiempo en la mano y bigote gris, saludó y fue saludado por el ser insensible.

—¿Qué tal, doctor? ¿Preparado para una larga tarde?

—Como todos los días, Judit. Dame diez minutos y que entre el primero.

—Los expedientes están sobre la mesa.

Me metí detrás de él en el despacho.

—Disculpe, Judit me ha dicho que podía pasar.

—Pero si ni siquiera me he puesto la bata —dijo cogiendo el teléfono.

—Espere, por favor, serán dos minutos. Puede ponerse la bata delante de mí. Mire, no sé si recordará a mi madre. Se llama Roberta Morales.

Noté que la recordaba.

—¿Qué le ocurre? Interrumpió las visitas de repente.

Se había quedado en una camisa de rayas rosas y blancas y una corbata morada. Con la bata sólo se le veía la corbata. Se sentó detrás de la mesa y se reclinó en el sillón.

—Mi madre siempre decía que para saber lo que es la vida había que hablar con usted.

Una ligera media sonrisa que le contrajo los músculos alrededor de los labios mostró su complacencia por el halago y esperó a que yo dijera algo más.

—Acabo de enterarme hace poco de la tragedia de mi madre. No sé si se acordará, de lo de la hija muerta que ella cree que está viva. Ahora mi madre está enferma en el hospital, grave, pero hasta este momento la ha estado buscando sin cesar.

Según yo iba hablando él se iba estirando dentro de la bata. Fue cuestión de segundos, pero en la mente eran más que minutos porque daba tiempo para ver cómo su cara cambiaba de color.

—¿Y la ha encontrado?

Negué con la cabeza. Entonces dio un golpe con la mano abierta en la mesa.

—Le dije que dejara ese asunto en paz. Se lo dije incluso a tu padre. ¿Es que estamos locos? En casos como el de tu madre es lo peor que puede hacerse. El paciente se mete en un estado caracol y así es muy difícil ayudarle. No entiendo por qué no me hizo caso. Tú tienes que convencerla de que lo deje. Si le dijeron que había muerto sería porque había muerto, lo demás no tiene sentido, no tiene lógica.

—¿Cree que lo de que la niña está viva son fantasías?

—Pues claro que son fantasías. Es un signo de inmadurez no saber superar los golpes adversos.

El doctor se había acalorado y hablaba alto. Por lo menos mi madre le preocupaba y sentí que hubiese interrumpido las visitas: quizá si hubiese insistido en el tratamiento habría logrado ser más feliz. Le iba a decir que quizá seguiría su consejo cuando entró Judit completamente destemplada.

—Lo sabía —dijo mirándome con odio—. Al ver que no regresaba del baño me he imaginado la faena. Se ha colado, doctor.

—No importa. Ha sido mejor así.

Le di las gracias, recogí la mochila que usaba como bolso y me dirigí a la salida pensando que mi padre y el doctor Montalvo eran de la misma opinión, pero la voz de Judit me hizo retroceder. Me llamaba.

—La visita son…

Traeré el dinero en noviembre, le dije alejándome hacia la puerta y bajando rápidamente las escaleras. A mi madre le había ocurrido algo muy doloroso en la vida y todo el mundo le sacaba dinero por ese dolor. Me imaginé la ira de Judit. Me la imaginé haciendo crujir la madera hasta el despacho del doctor y poniéndome a parir. También me imaginé al doctor escuchándola sin hacerle caso y comprendiendo la situación de mi familia.

No era uno de esos loqueros impasibles de las películas, él de alguna forma también sentía las heridas de sus pacientes.

Por lo que decía el doctor, hacía bien en no confesarle a mi madre que sabía su secreto, sería como meterme yo también en su caracol. Aunque la realidad era que ya estaba en el caracol, no podía dar carpetazo, cada vez sabía más. Si mi hermana estaba viva, la encontraría. Mientras andaba hacia el centro buscando las aceras sombreadas, mirando los escaparates sin verlos de verdad, mientras la vida me traspasaba por todos los poros sin poder remediarlo, trataba de recordar el camino que hicimos mi madre, mi hermano y yo aquella tarde de invierno en que fuimos a mirar cómo jugaban unas niñas en una cancha de baloncesto.

Se lo recordé al día siguiente cuando fui a verla.

—Olvídate de eso —dijo—, fue una tontería. Me habían hablado de aquel colegio y quería ver cómo era.

Le pregunté el nombre y la dirección. Pero ella se reclinó en la almohada: estaba cansada.

—Ya no me acuerdo, Verónica. Hace mucho tiempo.

Dijo lo de hace mucho tiempo de una manera tan lejana, como algo perdido y olvidado, que me asaltó la idea de que quizá ya no le importase, de que había salido del caracol y que lo que yo pensaba hacer era un acto sin sentido. Y, sin embargo, yo no podía dejar de indagar un poco más.

Me pidió que llamase a un par de clientes y que repartiese los pedidos que estaban en casa. Me fastidiaba que hubiese enfermado ahora que tenía ese trabajo que podía competir con la obsesión por Laura.

Le dije que yo podía seguir atendiendo a sus clientes hasta que empezasen las clases en la facultad. De pronto me había acordado de mi desastrosa vida. No quería mentirle a mi madre y fingir que era una universitaria cuando no lo era, pero la verdad la habría acongojado. Por eso existen las mentiras y los mentirosos.

Me explicó lo que debía hacer. Me emocionaba verla tan animada pensando que todo continuaba como debía continuar. Me indicó los teléfonos a los que tendría que llamar y me rogó que prestara mucha atención y que no me equivocara para que los clientes no protestaran y en la empresa no notaran el cambio. Su trabajo le importaba mucho y lo había organizado bien. Tenía mucha fe en sí misma y sabía que lo que hacía no se podía hacer mejor. Estaba triste, enfadada, pero no trastornada. Me devolvió la agenda.

—Aquí está todo. Ten mucho cuidado con ella. No la pierdas por nada del mundo. Nunca la lleves en la mano, sino en el bolso, en la mochila, lo que estés acostumbrada a llevar contigo, lo que echarías de menos inmediatamente si lo olvidaras en cualquier parte.

Mi madre nunca olvidaba nada, ni siquiera las llaves de casa, ni un libro en la mesa de una cafetería. Lo tenía todo en la cabeza. No era olvidadiza ni despistada. No sé por qué había dudado de ella.

—Mamá, ¿recuerdas a aquel psiquiatra al que ibas cuando yo era pequeña?

Me interrogó con los ojos, ¿por qué le hacía esa pregunta?

—¿Por qué te decidiste a ir, por qué lo necesitabas?

Sus manos tendrían doscientos años, pero sus ojos habían retrocedido a los cinco. Todo lo que miraban quedaba cubierto por una capa de inocencia.

—Cosas de la vida. Es mejor ir a un loquero que amargar la vida a la gente que quieres.

—¿Y por qué lo dejaste?

—Por una cuestión de tiempo y de dinero y porque dejé de confiar en él.

—Son como confesores. Hablar siempre ayuda.

—No sé qué decirte. Era su actitud, no me ayudaba.

—A lo mejor es que no te decía lo que querías oír.

—También llegué a pensarlo, pero si le hacía caso, la angustia iba a más, así que decidí cortar.

Sus ojos de cinco años me sonrieron.

—Tú no lo necesitas.

—Es pura curiosidad —dije.

Se recostó y dejó rodar la cabeza por el respaldo buscando acomodo.

—No sé qué habrá sido de ese hombre, siempre con su sombrero en la mano.

Le di un beso de despedida. Últimamente la besaba en la frente para no pegarle ningún microbio.

No podía visitar ni la mitad de clientes que mi madre porque debía moverme en transporte público. Ojalá que se pusiera bien para empezar a preparar el carné de conducir y examinarme; hasta entonces no quería pensar en mi futuro, sólo en el de ella. Casi toda la clientela tenía en común un cierto aire juvenil y de curiosidad por las novedades, independientemente de la edad y del lugar donde viviesen. Iba de norte a sur y de este a oeste, de chalés de superlujo a pisos de cincuenta metros cuadrados, de deportistas de veinte años a veteranos de ochenta. Había muchas mujeres de mediana edad que me decían que habían encontrado en mi madre a una amiga, a una guía en el mundo de las algas y la soja. Al principio no me dejaban pasar de la puerta, cogían el pedido y me firmaban el recibo con cara de decepción por no ver a Betty. Pero en cuanto les decía que era su hija y que (tal como me había aconsejado mi madre) les traía la nueva línea de cosmética basada en las propiedades del té, me pedían que pasara al salón y yo les decía que Betty estaba haciendo un curso de especialización en Japón y que debían tener un poco de paciencia porque cuando volviese sus vidas iban a cambiar. Entonces decían ¡qué maravilla!, pasándose la mano por la piel.

Con todos los salones que vi podría escribir un libro sobre sofás, mesas bajas de centro, televisores, equipos de música, libros o nada de libros, cortinas, persianas, y los olores que se escapan al abrir el tarro de las esencias de un hogar. También podría escribir otro libro sobre las vestimentas de andar por casa. Desde hombres y mujeres vestidos como si de un momento a otro fueran a llegar príncipes y princesas, hasta los que me atendían prácticamente desnudos como la cosa más natural del mundo.

Mi madre los conocía al dedillo. Le encantaba que le contara todos los detalles de mis visitas. La casa de los horrores, La Vampiresa, El palacio de cristal, La casa fuerte, El desván, El Guarro. Estábamos más unidas que nunca. Ahora yo era su vida fuera, sus ojos y su lengua. Me aleccionaba sobre el rollo que tenía que meterles a los clientes para que se quedaran satisfechos. Los productos son la mitad de lo que compran, la otra mitad es una vida mejor y sentirse del grupo de los adelantados, decía. Nadie quiere pertenecer al pelotón de los torpes. Hay que hablarles de lo último que ha salido, de lo que aún es imposible encontrar en España y que en cambio lleva tiempo pegando fuerte en los Emiratos Árabes.

Los médicos del hospital me decían que iba mejorando muy lentamente y que el estado de ánimo y la esperanza suponían la mitad de su mejoría.

La verdad era que la mitad de la vida, la mitad de la salud, de las cremas de extractos del fondo marino, de la belleza, de la alegría y de la desesperación, la mitad de todo no era real, era pura ilusión, como el humo de las varitas de incienso que regalaba al superar las cien mil pesetas de compra.

También me ponía sobre aviso de clientes pesados y con los que no merecía la pena insistir. Algunos estaban aburridos y dejaban que los visitaras para pasar el rato. Era el caso de Greta Valero, la Ladrona. No quiso explicarme qué había robado. Dijo que eso daba igual. Aléjate de ella. Tendría que haberla borrado de la agenda, pero se me olvidó. Pide las cosas más caras y no paga. Por nada del mundo quiero que vayas allí, dijo. Mi madre la había encerrado en un círculo rojo repasado varias veces, un gran círculo que traspasaba el papel, por lo que enseguida recordaría que ésa no nos interesaba.

12
Laura y
Madame Nicoletta

Aquel mediodía, de hacía ya tres años, a la salida del examen nos esperaba Madame Nicoletta con un vestido de verano hasta los pies, un chal extralargo para combatir cualquier corriente de aire y un pañuelo envolviéndole la cabeza. Varios collares, varias pulseras, anillos. Con todo lo que llevaba se podría montar una tienda de artesanía. Nos habíamos presentado cuatro de sus discípulas para pasar a estudiar en la cantera del Ballet Nacional. Yo era la mayor de todas porque Nicoletta había estado esperando hasta verme preparada, momento que nunca llegaba del todo. Si me había presentado finalmente había sido por exigencias de Lilí, que dudaba de que la profesora estuviera siendo justa conmigo. Lilí se moría de ganas de decirle a sus amigos, a la clientela de la zapatería y a cualquiera que quisiera escucharla que su nieta se estaba formando para ser bailarina del Ballet Nacional.

Lo pasé realmente mal, e imagino que Nicoletta, peor. Salí pálida por el esfuerzo sin sentido que acababa de hacer ante un tribunal que me despidió antes de tiempo. Estuve a punto de tirar la toalla en medio del ejercicio porque sabía que mis compañeras lo habrían hecho mucho mejor y que no tenía ninguna posibilidad. Nicoletta trató de no mirarme a los ojos.

—Bueno, ya ha pasado todo —nos dijo a las cuatro, aunque yo sabía que el peso de la frase recaía en mí.

Mi abuela llegó corriendo, enfadada porque no había podido salir de la tienda antes y por haberse perdido el ambiente desde el principio. Le brillaban los ojos. Lo primero que miró fue la medallita que se empeñó en que me pusiera porque la había llevado ella de niña. Me apretó contra su blusa blanca. Le llegaba al hombro y olí las gotas de perfume que siempre se ponía en el cuello. Se me revolvió el estómago y sentí ganas de llorar. Qué desastre. Iba a decirle que se marchara, que no asistiera a la humillación que íbamos a vivir de un momento a otro.

—¿Qué tal ha ido? —le preguntó a la profesora, tan ilusionada que me daban ganas de morirme.

—Bien —dijo secamente Madame Nicoletta. Luego me cogió por los hombros, me metió entre sus pañuelos y pulseras y por un momento me sentí segura y en paz—. Lo importante es el esfuerzo que han hecho durante estos años. Va en beneficio de ellas y eso es lo que de verdad les quedará de por vida.

Lilí torció el gesto, la mirada, el brillo de los ojos y el de las mejillas. Sacó un pañuelo y se limpió el sudor con golpecitos para no arrastrar el maquillaje. Empezaba a intuir que sus sueños se iban al traste.

Permaneció seria y con los brazos cruzados hasta que colgaron una nota en la puerta del aula. Se acercaron Lilí, Nicoletta y las otras chicas y sus madres. Mi nombre era el único que no aparecía.

Mi abuela estaba destrozada, no miraba a nadie. No pude felicitar a mis compañeras porque me fui detrás de ella. La profesora me siguió con la mirada mientras atendía a las radiantes madres de las brillantes bailarinas.

—Por eso no quería presentarte —dijo Lilí mientras nos poníamos los cinturones de seguridad en el coche—, para meter a sus preferidas.

—Ellas son mejores, abuela. Son más flexibles y melódicas.

—No vuelvas a decir eso, ¿me oyes? Esto ha sido un amaño. —Conducía sin prestar atención—. Tantos años de sacrificio, de traerte y llevarte, de tutús, zapatillas, ilusiones, y ahora esto.

—Abuela, por favor, lo intentaré el año próximo.

—Ya eres demasiado mayor, no te dejarán. Estás fuera, se acabó. Y no me llames abuela —dijo volviendo la cabeza hacia mí de una forma que hizo que deseara que nos pegáramos contra un árbol y que el suplicio terminase para siempre.

13

Verónica
y la Vampiresa

Más de una vez se me había pasado por la cabeza llamar
a Ana la del perro para contarle lo de mi madre y que le
hiciese alguna visita, eso la alegraría. Sería una forma de
repartirnos la mitad de su mejoría entre ella, mi padre y
yo porque mis abuelos estaban excluidos, mi madre no
quería verlos. Pero no fue necesario que hiciera el esfuerzo: una noche a eso de las once, cuando mi padre y
yo estábamos recogiendo los platos de la mesita de centro, donde habíamos cenado mirando la pantalla con
profunda intensidad, como si quisiéramos romperla, llamó Ana por teléfono. Eran los peores momentos del día,
¿qué hacíamos nosotros aquí y mi madre en el hospital,
cuando lo normal sería que estuviera aquí, sentada al
lado de mi padre, hablando y levantándose cada dos por
tres? A veces doblaba la ropa seca mientras veía una serie y regañaba a mi padre por tirar migas encima de la
alfombra. Lo primero que hacía al llegar a casa era cambiarse de ropa. En invierno se ponía unos vaqueros viejos y una camiseta y se recogía la mata de pelo en una
coleta, y en verano, unos pantalones cortos y otra camiseta y también se recogía el pelo y eso era todo, no se parecía en nada a la Vampiresa, que me abría la puerta con
un batín de seda de pavos reales, que se le escurría por el
hombro, por la piernas al sentarse, por todo un cuerpo
desnudo que amenazaba con quedarse al aire en cual-

quier momento. Siempre parecía, fueses a la hora que fueses, que acababa de dejar a alguien en la cama para salir a abrir la puerta. A veces se oían ruidos más allá del llamado salón, donde había un loro en una jaula entre muebles lacados en negro. Yo procuraba ser rápida con la información para que volviese a sus quehaceres, pero ella no hacía caso de los ruidos. Una vez incluso se empeñó en que tomásemos el té. Lo trajo en una bandeja lacada también en negro y tuve que asistir a la ceremonia del escanciado entre amenazantes resbalones de la bata. Mi madre ya me había advertido de que era una compradora extraordinaria. No miraba el precio ni hacía cálculos; le llenaba la mesa de potingues que tardaría diez años en gastar y que debía de guardar en alguna parte con las toneladas de varitas de incienso que mi madre le había regalado y que yo también le regalaba. Un día, al resbalársele la bata, le vi un moratón en la espalda. Desvié enseguida la vista, quizá no era lo que parecía; dentro se oyó un carraspeo que pareció de hombre, pero ella no tenía prisa. Me preguntó qué tal le iba a mi madre el curso, estaba deseando que le contara cosas de Japón. Estuve a punto de decirle la verdad, una idea absurda porque a nadie le serviría para nada y yo traicionaría la confianza de mi madre, así que me mordí la lengua, recogí mis cosas y me marché. Afuera el resplandor me cerró los ojos de golpe. Nadie se salva del todo, me dijo el resplandor en el lenguaje de los resplandores.

Fue un alivio oír la voz de Ana. Me preguntó por mi madre y yo le expliqué la situación con todo tipo de detalles. Hablé por los codos. Ella escuchaba en silencio. Sólo me interrumpió para decirle a *Gus* que se callara. Le dije que estaba sustituyendo a mi madre en el trabajo y que esperaba que a la empresa no le importara, puesto que era algo temporal y además algunos clientes estaban aún de vacaciones. También supo que Ángel pasaba una temporada con los abuelos de Alicante y que mi padre se encontraba perdido y que a mí se me había olvidado matricularme en la universidad.

—No te preocupes —dijo—, no tienen por qué enterarse. En la empresa lo que importan son los resultados, y Betty es una de las mejores comerciales.

Su voz sonó dura, envejecida, como si tuviera más años de los que parecía, como si se hubiese descuidado y no la hubiera controlado.

—Iré a verla y también me pasaré por tu casa. Llámame para cualquier cosa.

Le di las gracias y, según colgaba, me fui arrepintiendo de no haberme contenido. En el fondo necesitábamos consuelo, pero no ayuda. Nos las estábamos arreglando y mi madre no tenía más remedio que resignarse a estar en manos de los médicos.

Ana cumplió su promesa. Al día siguiente, cuando fui a ver a mi madre, me dijo que había estado allí. No sé dónde habrá dejado el perro, dijo. Está muy sola, ¿no te parece que está muy sola? Le he dicho que saliera a fumar porque la he visto nerviosa. Esto mío le ha afectado.

Desde que estaba en el hospital mi madre no se enfadaba como antes y sentía compasión por los demás. Había llegado a un punto en que el propio dolor de verse enferma compensaba el dolor que sentía por la pérdida de Laura. Fue entonces cuando pensé que estaría bien hablar con Ana sobre si pasar o no pasar página con Laura, tener una tercera opinión aparte de la de mi padre y el doctor Montalvo. Por lo menos ella sabía que yo lo sabía y no tendría que explicarle absolutamente todo.

Desde luego, Ana era mejor amiga de mi madre de lo que imaginaba: no sólo le hizo compañía en el hospital, sino que cuando llegué a casa por la noche me encontré, al entrar en el salón, la mesa de caoba preparada con dos platos, una fuente de ensalada y dos hamburguesas.

También había una botella de vino, que no era nuestra. De la cocina venían voces de mujer y de hombre. De mi padre y de alguien más. De mi padre y de Ana con la voz joven, no la voz de hierro oxidado con que me había hablado por teléfono. Recorrí el pasillo y entré en la cocina. Mi padre estaba sentado con los codos apoyados en la mesa de roble y Ana terminaba de fregar los platos. No se había quitado la pulsera de oro de pequeños colgantes de la suerte, que goteaban espuma, ni los anillos de los dedos meñique y anular, por lo que el estropajo en su mano no parecía un estropajo.

—Os he hecho algo de cena —dijo nada más verme—, seguro que con el disgusto no os acordáis de comer.

Llevaba una falda de ante color cámel hasta la rodilla que se le ajustaba al culo y a los muslos como un guante. También llevaba una camisa azul clara anudada a la cintura. Y el ir descalza —debía de haber dejado los zapatos en el vestíbulo— la envolvía en una sensación de desnudez total. El pelo le había crecido un poco y le caía sobre la frente y las orejas; las hebras plateadas bajo el fluorescente de la cocina daban la impresión de redecilla de plata auténtica. Se había pintado los labios del rojo mate que usaban las actrices antiguas cuando no se había inventado el brillo en el carmín. Daban ganas de querer parecerse a ella.

Le pedimos que se quedara con nosotros, ella también tendría que cenar, pero declinó la invitación: había dejado solo a *Gus* y, sobre todo, se notaba que quería dejarnos solos para que habláramos de nuestras cosas sin una intrusa delante. Recta, sin inclinar la espalda siquiera, metió los pies en los zapatos, cogió el bolso y se subió el cuello de la camisa por la parte de la nuca, lo que la hacía más alta, más esbelta, más elegante. Mi padre y yo nos quedamos mirando cómo abría la puerta y se marchaba.

Nos sentamos a cenar. Mi padre se había traído su cerveza de la cocina y ninguno hicimos el más mínimo gesto de abrir la botella de vino de Ana. Mi padre miró la etiqueta, frunció los labios en señal de aprobación y la guardó en el aparador.

—La abriremos cuando salga Betty.

Luego comentamos lo buena gente que era Ana mientras masticábamos despacio, sin gana, aunque había que reconocer que la ensalada estaba rica y la hamburguesa tierna y sabrosa. Había traído un vinagre especial en una botella muy bonita, con una rama de tomillo dentro, y la había dejado en la cocina, lo que me producía una sensación agridulce.

Yo solía ir a ver a mi madre al mediodía, cuando los clientes estaban comiendo en su casa o en la oficina, dependía de dónde pasaran la vida, o me acercaba por la mañana temprano para hablar con los médicos. Me pasaba los días subiendo y bajando las escaleras del metro y subiendo y bajando en ascensores. Mi madre me dijo que estaba más delgada y más guapa. Todo va bien, mamá, le contestaba. ¿Por qué le diría que todo iba bien? Todo iba como iba y nada más. Mi padre la veía cuando terminaba su jornada, a veces a las ocho, a veces a las nueve. Consideramos que así tenía más o menos dos visitas a las que esperar. Ahora con Ana seríamos tres. Pero no le habíamos contado a Ana el programa que nos habíamos trazado y, dos o tres días después de que nos preparara la cena, mi padre y ella coincidieron en el hospital y luego regresaron juntos en el taxi a casa. Cuando llegué, mi padre se estaba tomando un aperitivo en el porche mientras ella aliñaba la ensalada con el vinagre bueno y servía en los platos unos espaguetis que olían de maravilla, a algo que mi madre nunca había puesto en los espaguetis, y los cogía con unas pinzas de diseño que nunca había visto en nuestra cocina.

—Llegas a tiempo —dijo Ana—. Betty ha mejorado, ¿no te parece?

No me parecía. Estaba como siempre, pero en lugar de hablar de mi madre le pregunté por *Gus*. *Gus* era el único ser vivo que podíamos relacionar con ella. No tenía hijos, no tenía marido, alguna vez mencionaba a un hermano que vivía en el extranjero, en Indonesia, creo que había dicho.

—No puedo llevarlo al hospital. Le sacaré a dar una vuelta cuando regrese a casa.

No hizo falta que la invitara a quedarse: hoy era algo que se daba por supuesto. Había traído otra botella de vino, que abrió sin que nos diera tiempo a disuadirla. Mi padre y yo nos miramos con pesadumbre. Una cosa era que mi padre se abriera dos o tres latas de cerveza, y otra, que nos tomáramos una botella gran reserva en la cena mientras mi madre...

—Venga —dijo ella sorprendiendo nuestras miradas y sosteniendo la botella en vilo—. La pasta hay que regarla con un poco de vino, si se toma con agua se hace una bola en el estómago. Betty me daría la razón.

Empezó a servir las copas. Había sacado las del aparador, las reservadas para las grandes ocasiones. Alzó la suya a la altura de los ojos para observar mejor el color y lo probó. Esperó unos segundos y asintió.

—Familia —dijo—, bebamos agua o vino, el ecocardiograma de Betty no va a cambiar.

Yo no lo probé y mi padre se mojó los labios por cortesía. Nos quedamos mudos. Ana se sirvió otra copa. Los espaguetis estaban tan buenos que tuve remordimientos mientras los saboreaba. Tampoco habíamos vuelto a cenar en el porche desde lo de mi madre. Ni se nos había ocurrido buscar el aire fresco y la luna y las estrellas y el olor a mojado de los jardines de la urbanización.

Mi padre y yo insistimos en recoger los platos mientras ella se fumaba un cigarrillo apoyada en una columna del porche. Yo quería que se marchara ya para que acabara la buena vida sin mi madre, y por otra parte deseaba que no nos dejase solos a mi padre y a mí con toda nuestra soledad.

Mientras mi padre desorganizaba todo en la cocina y metía los platos en el lavavajillas, aproveché para apoyarme en la otra columna. Le pedí un cigarrillo a Ana.

—No sabía que fumases.

—Sólo algunas veces, cuando estoy nerviosa.

—Bueno, es normal en estas circunstancias, pero ten cuidado, es difícil dejarlo.

—Estoy nerviosa porque quiero preguntarte algo y tiene que ser rápido porque no quiero que me oiga mi padre.

Las dos miramos en dirección al pasillo.

—Conoces a mi madre desde antes de nacer yo y necesito saber lo que piensas de verdad, de verdad de la buena. ¿Mi hermana está viva? ¿Murió o no murió al nacer?

Se pasó la mano de los anillos por el pelo. Era un pelo cortado para pasar la mano, para que le diera el viento, para no peinarlo. Cuando la sacó, unos pequeños bucles le cayeron en la frente.

—No te tortures. Murió. Lo sé. Betty ha alimentado una ilusión completamente infundada. Olvídalo, ahora lo único importante es que se ponga bien.

Me puso en el hombro la misma mano que se había pasado por el pelo. La miré. Tenía una piel muy cuidada, y los anillos la iluminaban ligeramente.

—No pierdas el tiempo. No cometas el mismo error que Betty. La vida da una de cal y otra de arena a todo el mundo. Absolutamente a todo el mundo.

—El otro día fui a ver al doctor Montalvo, el psiquiatra que la trató, y me dijo lo mismo que tú.

Lo dije pensativamente, reflexionando sobre este hecho al mismo tiempo que hablaba. Ella se colocó completamente frente a mí y me pareció muy alta y yo más baja de lo que creía ser. La sentí elevada, sin problemas, independiente, libre, rica. Me cogió la barbilla con las yemas de sus dedos perfectos.

—Eres muy joven. Tienes que vivir la vida.

—Tienes razón —dijo mi padre sobresaltándonos a las dos.

Había llegado a nuestra altura sin hacer ruido, descalzo, como acostumbrábamos a andar por casa toda la familia en verano.

—Este trago no le corresponde a ella —dijo mi padre que sólo debía de haber oído la última frase de la conversación—. Tendría que estar con las amigas, salir con chicos.

Los dos me miraron con conmiseración desde ese mundo suyo de los cuarenta y tantos. Cuando Ana se fue, le dije a mi padre que no se preocupara por mí porque todo el mundo estaba aún por ahí y no tenía a nadie con quien salir.

Tras los exámenes de Selectividad en junio, la desbandada fue general y rápida y nadie se acordaría de volver a la vida normal hasta octubre.

El miércoles mi madre se encontraba desfondada: aún no había operación y no quería estar allí encerrada. Entonces, no sé por qué, le hablé del moratón de la Vampiresa y de todas las especulaciones que se me habían pasado por la cabeza, y eso la sacó de sus preocupaciones y la animó. Nunca había llegado a comprender a la Vampiresa, y ahora se daba cuenta de que lo único que quería aquella mujer era hablar. Hablar de infusiones, de cremas o de lo que fuese antes que volver adentro, a las habitaciones del piso superior. Pobre mujer. Había alguien que a mi madre y a mí en este momento nos daba más pena que nosotras mismas, alguien capaz de arrancar nuestra compasión cuando lo teníamos todo en contra, y entonces le agradecí a la Vampiresa con todo mi corazón que existiese, que estuviera en nuestras vidas y que fuese así de desgraciada porque suponía el cincuenta por ciento de nuestra esperanza.

Esa noche llegué a casa a las ocho. Mi padre acababa de ducharse. Le había estado haciendo compañía a mi madre hasta que le llevaron la bandeja con la cena y empezó a anochecer. Entonces mi madre le dijo que se marchara porque tenía que descansar y ella también. Ninguno mencionamos a Ana, no queríamos que se hiciese imprescindible en nuestras vidas y, sin embargo, de vez en cuando echábamos un vistazo al vestíbulo como si fuese a atravesar la puerta. Esperamos un rato absurdo para cenar. Así que cuando sonó el teléfono ambos nos precipitamos hacia él, no corriendo, pero sí con paso rápido. Yo llegué primero, afortunadamente, porque la llamada era para mí. Era Judit, la ayudante del doctor Montalvo. Tuvo que repetirme el nombre. Me costó encajar la consulta de General Díaz Porlier, a unos veinte kilómetros de aquí, en nuestra urbanización, y a la estúpida Judit en mi casa frente a las estanterías con toda la colección de clásicos. Debía encajar el manotazo en la mesa del doctor mientras mi padre me miraba desde los cristales brillantes de las gafas. Le hice una seña con la mano que significaba que no era Ana, ni el hospital, ni nada que debiera interesarle. Se fue hacia el cuarto de Ángel. Desde que estaba en Alicante con los abuelos, mi padre dormía allí porque en la cama de matrimonio tenía pesadillas, no podía soportar lo grande que era. Por supuesto no pensaba informar de este detalle a Ángel porque le habría venido a la cabeza todo lo que escondía en sus instalaciones y le habría mortificado que su padre pudiera encontrarlo, cuando en realidad nuestro padre estaba tan aturdido que sólo sería capaz de ver los pósters de motos.

No podía imaginarme qué iba a decirme el doctor Montalvo hasta que recordé el dinero pendiente de pagar de la consulta y todo cuadró. Esperé unos segundos a que una sospechosamente amable Judit, que no mencionó el dinero, se retirase de la línea y apareciese la voz del doctor, que separada de su cuerpo resultaba más varonil y profunda.

—Buenas noches, Verónica. Disculpa que llame tan tarde, pero hasta ahora no he terminado la consulta.

Balbucí que no se preocupara. Tampoco quería darle alas.

—¿Qué tal se encuentra Betty? Me dejaste muy preocupado el otro día.

Me congració con él que se interesara por mi madre y le conté cómo iban las cosas, muy despacio.

—Quizá conozca a alguien del equipo de cardiología de ese hospital y pueda hablar con él.

Se lo agradecí. Aunque el caso de mi madre parecía bastante claro, el que otro médico se preocupara por ella podría ser bueno.

—También quería decirte que puedes recurrir a mí siempre que quieras, sólo tienes que decírselo a Judit.

Me quedé en silencio.

—No te cobraría la consulta —añadió enseguida— porque no sería una consulta, sería una visita.

Le di las gracias muy sinceramente e iba a colgar cuando su voz, un poco más grave que antes, me detuvo.

—Otra cosa: no es buena idea que asumas la obsesión de tu madre por encontrar a aquella niña. No es bueno para ti ni para ella. Hazme caso, ella acabaría notándote algo, se te escaparía algún comentario. Es muy sensible a esa cuestión y detectaría que lo sabes y se alteraría, empeoraría. Debes dejar que se recupere, dedicarte a animarla y, cuando esté mejor, volvemos a hablar. Por favor, no hagas nada sin consultarme.

Le di las gracias de nuevo y le dije que no se preocupara, que me había quedado muy claro.

Cuando colgué, mi padre había frito unos huevos. Ni

él ni yo nos habíamos encargado de comprar nada más. En el fondo confiábamos en los exquisitos manjares de Ana. Mi padre dio por hecho que había hablado con alguna clienta y me dijo que no tenía por qué trabajar tanto, que no estábamos muriéndonos de hambre.

Nos los tomamos en el porche con lo que quedaba del vino de hacía dos días. Parecía que gracias a Ana íbamos venciendo los escrúpulos de vivir. En la cocina tuve que buscar sitio para el vinagre y las sofisticadas pinzas de los espaguetis, y mi padre se puso a leer el periódico como hacía mucho que no hacía. Le preocupaba la deuda del país. La economía era un desastre. Los políticos, unos vividores. El mundo iba a la quiebra.

—No sé cuánto va a durar esto —dijo doblándolo y dejándolo caer sobre la mesa, con los ojos llenos de lágrimas.

Esa noche soñé con la niña de la foto tal como la vi la primera vez. Llevaba el pelo cortado en una melenita recta a la altura de las orejas. El cuello, al girarlo, dio la impresión de que iba a rompérsele. Se parecía al pie de una lámpara de alabastro que había en el salón junto al teléfono. Era muy delgada y estrecha. Observé cómo cogía unos pantalones de algodón grises del respaldo de una silla y se los ponía. A continuación sacó del cajón de un armario empotrado una camiseta con la cara de Madonna y se la metió por la cabeza. Después se me quedó mirando con sus grandes ojos grises e intentó decirme algo que yo no fui capaz de comprender. Me produjo tal impresión que me desperté con el corazón acelerado, como si hubiese estado corriendo. Más que un sueño había sido una visión y mi mente debió de hacer un gran esfuerzo para que resultara tan verdadera. El doctor Montalvo diría que mi madre me había transferido su obsesión y que esta niña se había instalado en mi imaginación como si fuera real.

Me levanté a beber agua y mi padre me preguntó si me pasaba algo. Estábamos en vilo de noche y de día. Le pedí que se durmiera porque si no dormíamos nos volveríamos locos. El doctor tenía razón. No debía buscar a la Laura viva porque lo más razonable era pensar que murió al nacer y que aquello le causó un grave trastorno a mi madre. Así que por su bien y por el mío debía encontrar pruebas de que estaba muerta. Ya no tenía que llevársela viva, como un regalo del destino, sino que le llevaría las pruebas concluyentes de la desgracia. Al día siguiente lo primero que haría sería buscar a Ana porque era la única persona a la que podía contarle ciertas cosas sin que pareciera que nos habíamos vuelto todos locos.

Me puse manos a la obra para localizar a Ana. Necesitaba hablarle de la llamada del doctor Montalvo y saber qué opinaba de él, si pensaba que había tratado bien el problema de mi madre, aunque puede que lo que quisiera fuera que no saliera de nuestras vidas una de las pocas personas que conocían bien a mi madre. No sabía dónde vivía, ni creía que mi madre hubiese estado nunca en su casa. Si hubiese estado, habría mencionado alguna vez cómo la tenía montada, si era grande o pequeña, si estaba en una buena zona. Seguramente estaría llena de detalles como las pinzas que había traído para coger los espaguetis y mi madre se habría fijado, los habría mencionado. Pero nada. No sabíamos gran cosa de ella. Se materializaba en nuestra vida, y nosotros nunca en la suya, como si al dejar de verla Ana y su mundo se desintegraran en el vacío. Cogí la agenda para buscar su número, y de nuevo aparecieron los círculos rojos, como ese en que estaba encerrado el nombre de Greta Valero, la clienta a la que no debía acercarme. Junto a otros nombres había un cuadrado, una flecha, un punto que significaban pedido servido, pedido pendiente, no interesa, pagado, no pagado, pero en otros casos el significado era indescifrable.

Junto al número de teléfono de Ana no había ninguna señal. Llamé y contestó una voz joven de mujer, que parecía ser una empleada, y a continuación se puso ella con la voz de hierro oxidado de la vez anterior como si por teléfono fuera una tubería medio hundida en un pantano. Le pregunté si le ocurría algo porque hacía unos cuantos días que no venía por casa. Dijo que había tenido trabajo, había tenido que viajar. Me preguntó por mamá. Todo sigue igual, dije. Por la tarde iría a verla y luego se acercaría por nuestra casa. Le dije que si no estábamos en ese momento ni mi padre ni yo que le pidiera la llave al vecino, y nada más decirlo me arrepentí porque no sabía si le gustaría a mi madre que Ana estuviera sola en nuestra casa. Procuraría que no se enterase.

14

Laura,
¡a trabajar!

Hace dos años la Selectividad me quedó para septiembre.
La verdad es que saqué el bachillerato a trancas y barrancas porque el ballet me quitaba mucho tiempo para estudiar hasta que suspendí el acceso a la cantera del Ballet
Nacional y Lilí perdió interés y podía hacer lo que quisiera, pero el mal ya estaba hecho y no llegué a reengachar-
me bien. Madame Nicoletta me obligó a terminar los cursos del conservatorio para que cuando ella se retirase
pudiera sustituirla. Yo siempre sería su alumna favorita
porque de todas las que habían pasado por su aula yo era
la que más amaba el baile y a la gente, y formar bailarines
era mucho más interesante y duradero que los escenarios.
Tenía muchas ganas de regresar a su país, Rumanía, y
nada más estaba esperando poder cobrar la pensión de ju-
bilación. Pero no quería dejar su clase en manos de cualquiera y no me permitió titubear, desfallecer, cortar con el
baile. Cuando me veía desganada me decía que es muy
importante saber hacer algo bien en la vida, cocinar, bailar, cantar, cortar el pelo, poner ladrillos. El que sabe hacer algo bien no se muere de hambre, te lo aseguro, decía.
Casi al mismo tiempo que suspendía la Selectividad
me entregaron mi diploma de danza clásica en el conservatorio. Cuando se lo enseñé a Lilí, casi no lo miró. Incluso le dolió que le recordara mi fracaso en el Ballet
Nacional.

—Greta y yo hemos estado pensando en tu futuro —dijo—. Ya tienes diecisiete años y debes ir cogiendo experiencia en el trabajo. Si hubieses aprobado la Selectividad ni se nos habría pasado por la cabeza, pero, según están las cosas, lo mejor es que empieces a familiarizarte con la tienda. Quiero que te hagas cargo de ella mientras tu madre viaja. Yo ya no soy la que era, necesito refuerzos.

Ya había ayudado muchas veces a mi abuela en Navidades, verano y fines de semana. Quizá por eso mis amigas se habían ido alejando de mí, porque siempre tenía algo que hacer y no podía perder el tiempo como la mayoría de la gente de mi edad.

—Madame Nicoletta me ha ofrecido su puesto en el conservatorio.

—Eso no es trabajo. Como distracción, vale, pero no es un trabajo, trabajo. Empezarás mañana a las nueve. Bajas y que Paloma vaya explicándote lo que hay que hacer hasta que abramos a las diez.

No me examiné en septiembre. Estaba absorbida por la zapatería, y Nicoletta se llevó un disgusto cuando dije que sólo podría hacerme cargo de sus alumnas de ocho a diez de la noche y algún domingo por la mañana. Cualquier otra habría dicho que me fuese a tomar viento, pero ella habló con la directora y la convenció de que aceptara mis condiciones.

—No dejes que nadie te quite esto. Lo que tú sabes hacer no es fácil.

Creía a la profesora, tenía fe en ella. Sabía que todo lo hacía por mi bien, como si supiese más sobre mi vida que yo y como si le interesara más que a mí misma.

No podía quejarme: mamá y Lilí me habían dado la oportunidad de estudiar y yo la había echado por la borda, y ahora me ofrecían el negocio familiar para que me abriera camino. No podía quejarme.

15

Verónica y el
padre de Juanita

Le llevé a mi madre una de sus batas de estar por casa, era
de tela de algodón con flores y un cinturón largo de la
misma tela. Le hice un lazo para que no le arrastrara por
el suelo al sentarse en el sillón. Intenté dar un paseo con
ella por el pasillo, pero se cansaba. Así que la peiné y,
como de pasada, le pregunté si había estado alguna vez en
casa de Ana. No había estado, dijo casi sorprendida de no
haber estado y no haberse dado cuenta. Aunque tenía
una excusa. Ana había cambiado bastantes veces de domicilio, había roto no sabía cuántas relaciones, no llevaba
la cuenta, Ana era inconstante, no quería ataduras. Últimamente era difícil saber dónde paraba. Era ella la que
acudía a nuestra casa y a mi madre siempre le había sorprendido que no se olvidara de ella como había hecho
otra mucha gente que simplemente con el paso del tiempo, la distancia, el cambio de circunstancias, aunque
guardasen un buen recuerdo, iban alejándose y desapare-
ciendo. Ana, no. Ana daba señales de vida como mínimo
en Navidades, en los cumpleaños y cuando sentía nostalgia del pasado y de la amistad. Se conocieron cuando am-
bas trabajaban en un centro comercial vendiendo ropa.
Mientras ordenaban los mostradores y doblaban la ropa
que descolocaban las clientas —las furias, como ellas las
llamaban— hablaban de sus cosas. Para Ana era algo pu-
ramente temporal, le gustaba viajar y conocer mundo, y

en cuanto ahorrara lo suficiente mandaba la tienda a la mierda y se marchaba a Tailandia, su sueño dorado. Unos cuantos meses más tarde mi madre se quedó embarazada y aquí se cortó la conversación sobre Ana. Se le acabaron las palabras. El episodio de su embarazo de Laura y todo lo que ocurrió estaba encerrado en un cofre que yo aún no podía abrir. Si yo no hubiese sabido lo que sabía le habría preguntado, pero el ser consciente de las cosas le hace a uno muy discreto, paciente, callado.

—Total —dijo—, Ana nunca ha parado en un sitio fijo. Menuda vida se pega.

La verdad era que hasta ahora me gustaba que fuera así. Ana aparecía de pronto con su aire mundano, entraba en la casa como cuando se abre la puerta y entra alguna hoja, algún papel o el caniche del vecino, y luego se marchaba, ¿para qué más?

—Nos ha hecho la cena un par de veces.

A mi madre le extrañó. Abrió los ojos un poco más de lo normal y alzó las cejas.

—No me lo ha dicho…, no quiere que le deba nada. ¿Qué tal cocina?

—No está mal.

—No le diré nada para que no se sienta incómoda. Me tranquiliza que una adulta os eche un ojo y os obligue a comer. Estás más delgada. Por lo menos tu hermano estará comiéndose esas paellas tan horribles de tu abuela.

Siempre decía tu abuela, casi nunca mi madre o mamá. Tampoco papá. Los trataba más como unos parientes lejanos que como auténticos padres, y en nuestra casa la mayoría de las veces los llamaba por sus nombres, Marita y Fernando.

—¿Ángel llama por teléfono?

—De vez en cuando. La abuela dice que está negro como un tizón.

Movió la cabeza y cerró los ojos un segundo.

—Quizá he sido muy dura con ella.

Sabía perfectamente que era por algo de Laura, por algo que no podía perdonarle a su madre.

—Creo que le gustaría venir a verte.

—Bueno, ya hablaremos de eso otro día. Lo importante es que Ángel está en buenas manos y así no tienes que encargarte de él.

Aunque traté de llegar a casa antes que Ana, fue inútil. El vecino me dijo que le había entregado las llaves hacía dos horas a una señora alta, delgada, simpática pero sin pasarse, elegante y que olía muy bien, lo que él entendía por una señora. Se llama Ana, le dije.

—El nombre no le hace justicia —replicó—, tendría que llamarse Penélope. Ha traído un perro.

Eso quería decir que venía con tiempo.

Me sorprendió que en todo este rato no hubiese preparado nada de cena. No sé por qué al decirme el vecino lo de las dos horas imaginé que la entrada de nuestra casa estaría inundada de un maravilloso olor a horno. No es que tuviera hambre ni lo deseara, es que no sabía para qué llegaba tan pronto si no era para eso.

Al abrir la puerta, *Gus* se me echó encima. Ana no había dejado cerrado el jardín, y noté cómo sus patas arañaban el parqué. Mientras le acariciaba el lomo y me dejaba lamer, apareció Ana por el pasillo. Venía del fondo, donde estaban nuestros dormitorios y los baños.

—Vengo del baño —dijo sin que le preguntara—. *Gus*, vete al jardín.

Me quité los zapatos, colgué el bolso en el armarito de la entrada, me desabroché los pantalones y, mientras caminaba hacia mi cuarto, grité:

—Dice el vecino que tendrías que llamarte Penélope.

—Vaya —dijo—, qué ojo tiene. Siento haber venido tan pronto. He calculado mal el tiempo.

Me duché rápidamente esperando encontrarme con la mesa puesta al salir. Pero todo seguía igual, ni siquiera había pasado por la cocina. No había visto el lugar de honor que yo le había dado a las pinzas de los espaguetis y al vinagre.

—Hoy —dijo— os tengo preparada una sorpresa. Todos estamos cansados.

La sorpresa consistía en ir a cenar fuera. Un amigo suyo tenía un restaurante con dos estrellas Michelin y ella quería invitarnos allí. Era lo más cómodo y lo más saludable, cambiar un poco de ambiente.

Mi padre dijo que estaba cansado, que la mayoría de los clientes pedían el aire acondicionado y le dolía un poco la garganta.

—Necesitas distraerte; por que nos quedemos aquí encerrados Betty no va a mejorar, pero si cuando vamos a verla estamos de buen humor y contentos ella se anima. He reservado mesa. A las once estamos de vuelta.

Mi padre se duchó y se cambió de ropa, y cuando regresó al salón, Ana, al verle, durante unos segundos reaccionó como las vecinas, las profesoras y como las madres de mis compañeras de clase: no podían evitarlo. Mi padre no se daba cuenta de nada, simplemente se había duchado y se había puesto unos vaqueros y una camisa blanca. Para apartar los ojos de él, Ana me miró.

—Tú te pareces más a Betty.

Durante toda la cena, mi padre y yo sentimos que estábamos traicionando a mi pobre madre. El dueño del restaurante era amigo de Ana y no sabía cómo complacernos. Y ella estaba en su salsa: se olvidó de su amiga, de que nosotros no estábamos para fiestas, de que cuanto más espléndidos eran los platos más nos mortificaba, y de que éramos incapaces de disfrutar de aquello. Se bebió una botella de champán francés ella sola y miraba a mi padre sin ningún disimulo, directamente a los ojos, como si estuvieran solos. Hasta que a las once menos cuarto mi padre dijo que a las once en punto debíamos estar en casa. Habíamos ido en el coche de ella y de vuelta condujo mi padre. Por cortesía insistió en llevarla a casa, pero ella no le dejó. Dijo que también él había bebido y que si le pillaban le quitarían la licencia, mientras que ella estaba perfectamente y que al llegar llamaría para tranquilizarnos. Mi padre se sentó a esperar la llamada con remordimientos por haber consentido que se marchara en este estado, mientras yo, sin remordimiento alguno, fui a ponerme lo que llamábamos pijama, unos pantalones cortos y una camiseta. El sitio de la camiseta era el respaldo del sillón que me había comprado mi madre para que no se me desviara la columna. Era de oficina y se podía graduar en todos los sentidos. A mí ahora me servía principalmente para dejar la camiseta. Y fue al cogerla cuando me dio la impresión de que los libros en mi escritorio no estaban como debían estar. Alguien los había movido. La asistenta no vendría hasta dentro de quince días —de hecho en los rincones había pelusa—, y a mi padre no se le ocurriría entrar en mi cuarto. Por mi parte, no había tocado el escritorio ni para quitarle el polvo desde que me examiné, y recordaba perfectamente que el libro de filosofía estaba encima del de francés a la izquierda, y a la derecha los apuntes de lengua, los de historia del arte, los de latín y sobre ellos una novela de Galdós. Ahora el orden había cambiado y los cajones estaban perfectamente encajados cuando yo siempre los dejaba unos milímetros abiertos para que no se escurrieran los folios al fondo.

No me imaginaba a Ana haciendo algo así, no le pegaba. No pegaba con sus faldas de ante, las camisas de cuello subido, los anillos. Podría ser que el viento hubiese tirado los apuntes y ella los hubiese recogido y hubiese tratado de dejarlo todo lo mejor posible. Vagué por la casa en silencio, en un silencio más pesado que el aire, como el agua de las piscinas. En ese estado en que parece que unas manos te oprimen ligeramente se piensa mejor, se ve mejor, se adivina mejor. Fui al dormitorio de mis padres. No controlaba los cajones de la cómoda tanto como los míos, pero también me daba la impresión de que habían sido tocados, los calcetines de mi padre revueltos. En el joyero no faltaba nada. No se había llevado nada. En el armario, al abrirlo, creí notar el suave perfume de Ana, y las perchas no estaban en estricto orden, tal como los ordenados de mis padres las colocaban, juntas, pero no pegadas. En ese momento el estómago me dio un vuelco. Levanté nerviosa la funda de tela blanca del abrigo de visón y metí la mano en el bolsillo donde había guardado el saquito de raso con el dinero. No estaba allí. Estaba en el otro. Lo abrí y lo conté. No faltaba nada. Sin embargo, podría jurar que no había dejado el dinero en este bolsillo.

Tampoco estaba segura al cien por cien. A veces se actúa automáticamente y se hace una cosa creyendo que se hace otra. Ana debió de estar curioseando por la casa y por eso nos compensó con una gran cena. Me parecía mal que traicionara la confianza de su amiga, pero no se había llevado nada. La gente no es perfecta, las personas nos decepcionamos constantemente unas a otras. Hoy por hoy, mi madre no tenía otra amiga que se preocupara por ella. Se había centrado excesivamente en su familia y en sus obsesiones, y se había olvidado de que más allá también hay vida. No le haría ningún favor a mi madre poniéndome exigente con todo el mundo. No era momento de exigir, sino de hacer las cosas lo mejor posible, y Ana trataba de hacernos la vida mejor. Y casi me arrepentí de no haber disfrutado de la gran cena. Los sacrificios tontos no ayudaban a mi madre ni a nadie. Aun así, continuaba sin gustarme que hubiese registrado nuestra casa.

No se lo dije a mi padre, que dijo ¡por fin! cuando sonó el teléfono y pudo irse a la cama y, según pasaban los minutos, peor iba sentándome el comportamiento de Ana. Tiré el vinagre de lujo y las pinzas de diseño de los espaguetis a la basura, y pensé que si tuviese que dar una explicación diría que no los encontraba, y ¿por qué tendría que darle una explicación en mi propia casa a Ana?

La siguiente vez en que Ana y mi padre se vieron yo no estaba delante. Habían coincidido en el hospital y después fueron a tomar algo por allí cerca. Mi padre casi no tenía gana de cenar porque con las cervezas les pusieron unas tapas.

—Ana siempre se sale con la suya —dijo—. Te juro que no tenía ganas de estar por ahí.

No supe qué decir porque había sido testigo de cómo se empeñaba en que nos distrajésemos.

—Mañana voy a hacerle una visita al detective. ¿Crees que me cobrará algo? —dije como la cosa más natural del mundo.

—¿Qué quieres decir? —dijo ajustándose las gafas.

Habría sido redundante contestar porque él sabía perfectamente que íbamos a hablar de su esposa, mi madre, la mujer del hospital y probablemente de su hija muerta.

—No sé lo que le ocurrió a esa niña, papá, y quiero saberlo. Necesito que mamá pueda dormir con la conciencia tranquila. Da igual que ella esté o no esté equivocada, sufre y ha enfermado por no saber.

Dudé si no estaría enredándome en la obsesión de mi madre para olvidarme de su enfermedad. La Verónica que había detrás de mí, la que no estaba a simple vista, empezaba a actuar. Mi padre se enfadó y sacó del aparador una botella de whisky y se sirvió tres dedos en un vaso y luego otros dos dedos. Me dijo, sin levantar la vista del vaso, que ya había pasado por esto con mi madre y que él también era humano y que también tenía algo que decir y lo que decía era que si Laura realmente no había muerto al nacer tendría una vida y que a lo mejor no quería saber lo que íbamos a contarle. ¿Qué me proponía? ¿A quién pensaba que iba a ayudar? Había sido una desgracia y no había solución, ninguna solución era buena en un caso así.

Le dije que no bebiera tanto o terminaría pareciéndose al padre de Juanita.

Mi padre me miró dolido y dejó la lata de cerveza de un golpe en la mesa. Nuestra familia estaba hecha polvo. O nos aguantábamos y no decíamos lo que sentíamos o lo decíamos y nos hacíamos daño.

—¿Como el padre de Juanita? ¿Quién es el padre de Juanita?

Como mi padre estaba con el taxi siempre por ahí, no había llegado a fijarse en mi amiga Juanita. Íbamos a la misma clase, éramos vecinas, se le hacían dos hoyos junto a la boca cuando se reía, que me daban mucha envidia, y fingía que no conocía a su padre cuando lo veíamos salir de los bares del centro comercial tambaleándose.

16

Laura, guarda esa foto

De pronto, en una de las mesitas del salón apareció una foto mía de hacía una eternidad, de cuando iba a mi primer colegio, Esfera. Tenía doce años y ahora diecinueve. En aquel centro no llevábamos uniforme como con las monjas del Santa Marta y teníamos un entrenador de baloncesto que se llamaba Olof. Recordaba todos los detalles de su cara como si lo estuviese viendo ahora mismo. Cuanto más joven se es, más especiales resultan las caras, las pecas, las pestañas, alguna pequeña verruga, la forma de los dedos: se perciben de una forma extraordinariamente clara y definida. De aquella época se me clavaron de por vida los olores de mis compañeros y las voces de los profesores, los desconchados de la cancha… Pero no recordaba que nadie me hubiese hecho una foto. Esa foto. Tampoco la había visto en los álbumes. Suponía una completa novedad.

Eran las diez y media y acababa de llegar del conservatorio. Lilí ya estaba metida en su pijama de seda blanca, que le marcaba los pechos y los muslos como si fuera una escultura, y mamá se estaba preparando para salir un rato con unos amigos. A mí a estas horas me apetecía cenar viendo la televisión mientras oía abajo el tráfico de un mundo al que por hoy acababa de cerrar la puerta. Ya no me importaban los pitidos, ni los derrapes, ni la música de salsa que se escapaba de alguna ventanilla.

—¿De dónde habéis sacado esta foto?

Recordaba que el peto que llevaba en la foto, junto con otra ropa que se me había ido quedando pequeña, lo habíamos entregado en la parroquia de la esquina. El balón estaría en el trastero. De los doce a los diecinueve años hay mil años.

—Toma, esto lo ha dejado Ana para ti —dijo mamá dándome una polvera de Dior—. Dice que estos polvos son de tu tono de piel y que te taparán los granos que te salen con la regla.

Estaban casi enteros y había un espejo en la tapa.

—¿Ha traído ella la foto?

—Ha debido de encontrarla por su casa. Guárdala por ahí.

Me acosté temprano, después de darle a Lilí un masaje en los pies y ver la serie en la que salía mi prima Carol. Mi abuela la contemplaba como si fuese ella misma la que estaba actuando, y le sabía a poco cuando terminaba, y cuando Carol no aparecía más de cinco minutos se indignaba y se marchaba cabreada a la cama.

—No aprecian su talento —decía—. Es como echar margaritas a los cerdos.

17

Verónica
quiere saber

Era una oficina pequeña con separaciones de pladur, pintada de gris y blanco. En la mesa de la secretaria había una flor de pascua sobre un plato de cerámica con algo de agua. En una mesita auxiliar, una cafetera y tazas; al lado un archivador metálico con la llave puesta. Algunas fotos de la propia secretaria encima del archivador. El detective jefe se llamaba Martunis y era difícil que pudiera verlo sin cita previa. Le pregunté si ella era su secretaria. María, su ayudante, dijo.

Podía contarle de qué se trataba y me llamarían.

Le dije que me llamaba Verónica y que era la hija de Roberta Morales y que sólo quería saludar al detective. Me escuchaba sin dejar de trabajar en el ordenador con unas manos grandes y fuertes. Quizá estaba consultando la ficha de mi madre.

—¿Saludarle?

—Sí, me gustaría conocerle.

Se me quedó mirando abiertamente por primera vez con unos ojos que no se sabía si eran pardos, verdes o azules. No eran feos, pero tampoco me atrevería a decir que bonitos.

—Bueno, siéntate ahí un momento —dijo señalando un par de silloncitos grises junto a la pared—. Voy a ver qué puedo hacer.

Delante había una mesa baja con revistas, lo que significaba que los clientes a veces tendrían que esperar y quizás les resultaría incómodo encontrarse con un conocido en un sitio así. En el otro sillón había un hombre con dos montoncitos de pelo a los lados de la cabeza. Iba metido en un polo granate y por las mangas salían unos brazos blancos y gordezuelos, sin apenas vello. Llevaba un reloj como un puño de grande, y los vaqueros indicaban que hoy era un día de ocio para él. Llevaba anillo de casado. Las revistas eran tan atrasadas que incluso mi madre podría haberlas hojeado años atrás mientras repasaba lo que le diría al detective o a la ayudante.

Llamó por teléfono y habló tan bajo que era imposible entender lo que decía. No le hacía falta taparse la boca con la mano. Cuando colgó, salió de detrás de la mesa y vino hacia mí con unos zapatos de tiras plateadas y tacón fino que se hundía en la moqueta, vaqueros elásticos ajustados y algo encima rojo medio abierto por la espalda, por el costado y por el pecho. Andaba muy derecha y parecía encantada de que el pelo largo, negro y liso se le echara al andar sobre un hombro, sobre la cara, se le enredara con el tirante del sujetador. Como si luchara contra esa fuerza de la naturaleza que era parte de sí misma.

Creo que yo la seguía con la boca abierta y una revista en las manos en el silloncito gris cuando llegó a mi altura. Se me quedó mirando con las piernas separadas sobre los tacones plateados como si fuese a pegarme un tiro. Seguro que sus grandes manos habían empuñado más de una pistola y que sabía disparar, y seguro que se acordaba de mi madre.

—Estará aquí en media hora. Puedes irte y volver.

—Creo que esperaré —dije.

Se llevó el pelo hacia la derecha y le hizo un nudo sedoso. Le quedaba mejor suelto que recogido, le hacía la cara más pequeña y le ocultaba un poco la mandíbula.

—Quizá sea más de media hora —añadió—. Vas a aburrirte.

—Tengo mucho en que pensar —dije sinceramente. Necesitaba estar en un lugar que no me recordara nada y en el que la mente hiciera su trabajo sin distracciones.

—Como quieras —dijo y se marchó a su mesa deshaciendo el nudo y dejando que la melena flotara sobre la espalda. Estaba orgullosa de su cuerpo y juraría que cuando no estaba allí estaba en el gimnasio o contemplándose en un espejo.

Mis padres se conocieron en la playa por casualidad, nunca se habían visto antes. Sus vidas no tenían nada en común. Mi padre estudiaba Turismo y mi madre era dependienta en unos grandes almacenes. Sus familias eran de lugares muy distintos. La de mi padre de Canarias, la de mi madre de Levante. Cuántas cosas tuvieron que encajar en el universo para que ellos existieran y luego se encontraran y naciéramos mi hermano y yo. Cuántos millones de ojos, de bocas, de huesos, de células, cuántos miles de millones de personas fueron necesarios para que viniéramos al mundo, y antes de ellos, cuántos miles de millones de animales, de bacterias, de años, de tinieblas… y de esperar que llegásemos. ¿Qué sentido podía tener entonces la muerte de Laura?

Nada de divagaciones. Con esta ayudante y llamándose Martunis me había formado la idea de que el detective sería fuerte, con acento del Este y brazos tatuados. Nunca había hablado con alguien así, por lo que debía ser muy exacta con mis palabras. Frases cortas y claras, nada de mezclar la tragedia y la pena, mis sentimientos con la información objetiva. El hombre que esperaba a mi lado se levantó.

—Les he prometido a mis hijos llevarlos al zoo. Se me hace tarde. Volveré mañana —dijo pasándose las manos por los montoncitos de pelo.

En cuanto salió, María me hizo una señal y pasamos al otro lado del panel, que debía de ser el despacho del jefe. No soporto a los hombres celosos, dijo, y me pidió que le hablase como si ella fuese el mismísimo Martunis porque él no regresaría hasta dentro de quince días.

—Creo que mi madre os contrató para buscar a mi hermana.

Se cogió una mano con la otra dando sensación de fuerza y confianza en sí misma. Las manos eran el alma de su cuerpo como en otros los ojos o la boca.

—Mi hermana Laura —dije.

—Me parece que tu madre no sabe que has venido.

Negué con la cabeza. María llevaba una buena capa de maquillaje cubriendo las huellas de antiguos granos.

—Sólo quería preguntar si mi hermana murió al nacer o está viva. ¿Lo sabe el señor Martunis?

—¿Por qué no se lo preguntas a tu madre?

—Cree que no me he enterado de nada. Lo descubrí por casualidad. Por lo que sé, a día de hoy solamente ella, ni siquiera mi padre, está convencida de que vive y que se la arrebataron al nacer.

—Es un asunto familiar, de confianza entre padres e hijos, entre marido y mujer. No puedo meterme en eso. Nuestro cometido es recopilar información y entregarla.

—¿Le entregasteis a mi madre la foto de una niña de unos doce años con un balón en las manos?

Se estaba impacientando.

—Mi madre está en el hospital. Van a operarla del corazón, a vida o muerte. Necesito ayudarla. Si su hija murió querría abrirle los ojos con alguna prueba y que vaya al quirófano tranquila.

—Mucho cuidado —dijo—, la intuición de una madre es casi un dato objetivo y yo, con lo que sé, diría que Laura está más viva que muerta. Lamentablemente no pudimos continuar indagando. Estiramos el dinero todo lo que pudimos, pero esto es un negocio. Y cuando digo negocio no me refiero a un gran negocio, nos da para lo justo.

—No lo puedo afirmar con rotundidad —siguió—,

pero creo que logramos dar con el colegio de la supuesta Laura.

—Y le hicisteis la foto.

—No, se la hizo tu madre. Se pasaba el día merodeando por el colegio, observándola en el recreo, preguntando a los profesores, hasta que alguien hizo saltar la alarma y sacaron de allí a la niña de un día para otro, lo que nos confirmó que no íbamos desencaminados. Podríamos haber seguido investigando, pero tu madre nos pidió que paráramos, no podía costear los gastos y además estaba emocionalmente hecha polvo, como si no supiese qué hacer con la verdad.

—¿Cómo se llama el colegio? —pregunté con miedo.

Alzó la vista hacia el techo buscando respuesta.

—No lo recuerdo. Tendría que leer el expediente.

Se levantó y se miró en la muñeca un relojito con una cadena muy fina de oro. Sacudió la cabeza, era más tarde de lo que creía.

Le di las gracias con el hueso de melocotón atravesado en la garganta.

—Sabéis más de mi madre que yo. Creo que habéis tenido más fe en ella que mi propio padre.

—No te confundas, sé cosas increíbles de mucha gente. Cosas que no podrías imaginarte, pero conocer a una persona es mucho más difícil. Se la conoce en el corazón, no en la cabeza —dijo sentándose en su sitio de ayudante.

Agradecí su franqueza y que fuera ligeramente sentimental. Tuve que ir al baño a orinar, a refrescarme la cara y a mirarme en el espejo para volver a mí de alguna manera. Bordeé su mesa camino de la salida. Estaba hablando por teléfono y le dije adiós con la mano, pero entonces la alargó y me cogió por la muñeca sin dejar de hablar. Comprobé la fuerza de su mano.

Le dio un segundo de descanso a quienquiera que estuviese al otro lado de la línea.

—El colegio se llama Esfera. Ésta es la dirección.

Y siguió con la conversación.

Ya no me escuchaba cuando le di las gracias.

Esfera debía de ser el colegio al que nos llevó mi madre aquella tarde de invierno, posiblemente de enero, de hacía siete años. Ni Ángel ni yo sabíamos qué pintábamos allí. Mi madre estuvo contemplando la cancha de baloncesto durante una hora como en trance. Fue una tarde extraña, una de esas situaciones que ocupan un lugar en la mente para siempre porque no se parecen a ninguna otra. Una locura, que ahora tenía todo el sentido del mundo. Cuántos locos y locuras habrá que con sólo una sencilla explicación pasarían a ser normales. Busqué la calle en el mapa. Estaba situada detrás del parque San Juan Bautista, por lo que perfectamente podría ser el de aquella tarde. Entonces no me enteré del trayecto, únicamente de que lo hicimos, de que entramos en el metro cayendo la tarde y de que salimos de noche. Del metro al colegio mi madre andaba con una idea fija y nosotros íbamos a los lados como dos pequeños soldados, y el frío nos envolvía en este recuerdo.

Ahora estábamos en septiembre, los días pasaban y la temperatura era muy agradable, fresca por la noche, pero nada en comparación con el viento helado de aquella lejana noche. Sólo con recordarla, podía volver a sentir el frío triste que se mete en los huesos pequeños de los niños como agua, aunque ahora tuviese una piel más dura y pudiese combatirlo con toda mi grasa y músculos. Para emprender este viaje al pasado me puse una cazadora que me habían regalado mis padres los últimos Reyes. Era de un marrón envejecido, con hebilla y cremalleras en las mangas, que abiertas dejaban ver los brazos o las mangas de la camisa que llevara debajo. Me la ponía con deportivas y procuraba no usarla mucho para no estropearla. Fue una sorpresa fantástica porque era bastante cara. Mi madre me dijo que era lo que a mí me pegaba. Esas navidades trabajé envolviendo regalos en El Corte Inglés y con lo que gané les compré regalos a todos. Un frasco de Chanel n° 5 a mi madre, un cinturón a mi padre y una colección de libros de aventuras a Ángel. Mi madre dijo que no quería acostumbrarse a perfumes tan caros, pero descubrió que era una buena carta de presentación con las clientas y no dejaba de ponérselo siempre que salía. Aun así no se le había gastado.

¿Se acordaría Ángel de aquella tarde? Aún no quería contarle nada. Para qué complicarle la memoria y la vida. Ya era un chico bastante extraño sin saber esto. Parecía que lo estaba viendo en la ventanilla del metro y también a mí y a mi madre, con la mirada perdida en la oscuridad del túnel, sin poder imaginar que años después yo estaría buscando aquella imagen en un vagón parecido. Hice un trasbordo que reconocí vagamente en el recuerdo. Medio corríamos detrás de mamá, más Ángel que yo, con su correr cansino porque siempre le dolían las piernas.

Para mal o para bien, la infancia me había abandonado y sentía su falta, en este momento más que nunca. Los veraneos en Alicante, correr hacia algún lado sólo porque se puede correr. Reír y llorar por el puro gusto de reír y llorar. Quizá ya nunca volvería a vivir el presente y sólo el presente, ahora pensaba mucho en el futuro, en el de mi madre y en el de mi familia y en que iba a perder un curso de universidad. ¿Me saldría al paso un gran amor? A mis amigas les encantaban las películas románticas. A mí no, porque salía muy triste del cine. Me dolían mucho los besos que se daban los actores y sus miradas llenas de pasión, como si me las hubieran arrebatado a mí para toda la vida.

Cuando me quedaban dos paradas para bajar, un chico se acercó a mí y me dio una invitación para ir al concierto que daba su banda en un local. Se llamaba BJ3436, como un planeta recién descubierto. Me miraba sin parpadear y sin disimular, y me dijo que le gustaría mucho verme allí y que también le gustaría acompañarme un rato adondequiera que fuese en ese momento. Le dije que precisamente éste era un viaje muy especial y que prefería hacerlo sola, pero que si podía me acercaría a oírle tocar.

—No vas a ir —dijo sin desviar la vista de mis ojos.

—¿Por qué?

—Porque si ahora que estás haciendo un aburrido viaje en metro no quieres saber nada de mí, no vas a ir al culo del mundo a verme. Te olvidarás. Toma mi número —dijo cogiendo mi mano y un boli y apuntándomelo en el dorso.

Se bajó en mi parada.

—Si vas, llámame para buscarte después del concierto. Y si no vas, también llámame.

—¿No pides permiso para escribir en las manos?

—Cuando no hay tiempo, no.

Junto al número ponía Mateo.

Qué inoportuno. En otro momento de mi vida me habría gustado que fuera tan directo y que apareciera cuando precisamente estaba pensando en el amor imposible. Tenía el pelo casi tan largo como yo y revuelto, no llevaba pendientes en las orejas aunque sí un anillo con una cobra en el dedo anular derecho, grande, de plata ennegrecida. Y encima de los vaqueros pitillo caía una camiseta negra. No me hacía gracia la perilla, pero eso era algo que podía arreglarse. Lo más inquietante eran los ojos un poco somnolientos, de poeta, rasgados debajo de unos párpados que parecían querer cerrarlos. Nunca había estado con un artista, pero no era momento de pensar en eso.

Iba bordeando el parque despacio, como aquel día, aunque con luz. Puede que los olores fueran los mismos; sin embargo, yo era muy diferente y todo había cambiado en mí. Aquella noche cualquier olor, cualquier ruido era más grande que yo. En cambio ahora yo era un gigante que iba hacia el pasado con un 38 de pie y pasos de un metro. Pero había algo que me decía que éste era el sitio y ésta la verja de entrada del colegio. Era una impresión en la memoria hecha de multitud de pequeños detalles. Sobre la fachada de ladrillo aparecía el nombre del centro con alambre negro. En la zona del polideportivo estaba poniéndose el sol y, como entonces, había chicos y chicas jugando al baloncesto y al tenis. La barandilla sobre la que se apoyaba mi madre para mirar era la misma que la de mi impresión, aunque no recordara bien el color. Ésta era verde.

Me senté en el banco de piedra. Un grupo de niñas se pusieron los pantalones del chándal sobre los pantalones cortos de baloncesto, se metieron las camisetas por la cabeza, se colgaron las bolsas de deporte al hombro y desfilaron ante mí riéndose. Yo también había sido alguna vez completamente feliz. Alguna de esas veces en que había logrado olvidarme de todo. Crucé el cemento rojo hacia el pabellón central: aún había movimiento en Secretaría.

Una mujer de unos cincuenta años con el pelo teñido de platino y un largo flequillo sobre el lado derecho de las gafas de aro dorado, estaba muy ajetreada guardando unas carpetas bajo llave. Se marchaba ya. Me recordaba a mi profesora de biología, que sobrellevó abrumada un cargo directivo hasta que un día empezó a romperlo todo y tuvieron que ingresarla en una clínica.

Al hablarle volvió la cabeza hacia mí asustada pensando que no había manera de cerrar y marcharse.

Le dije que buscaba a una antigua alumna de hacía unos siete u ocho años, y que era un caso de vida o muerte porque su madre estaba muy enferma y no podía localizarla. Hizo un gesto de desesperación. ¿Y tenía que buscarla precisamente ahora cuando ya se marchaba a casa?

—Los administrativos llegan a las nueve de la mañana. Les diré que te echen una mano. Yo soy la secretaria del centro. Hace ocho años no estaba aquí.

Volví por el mismo camino y, aunque andaba a buen paso, se me hizo interminable el viaje en metro. Regresaba al presente.

Pasé a ver a mi madre. Le dije que tenía mucho trabajo, que la facultad de Medicina ya había empezado las clases, y que no había tenido tiempo de visitarla antes. Me miró con ojos ilusionados, le gustaba sentir que me estaba construyendo una vida. Levantó la mano de doscientos años y me retiró el pelo de la cara.

—Qué guapa eres.

Nunca le había dado valor al hecho de que mi madre me considerara guapa. Era mi madre, yo su hija, sangre de su sangre. Pero hoy era como si me iluminara con la luz profunda y misteriosa con la que me estaba mirando. Me estaba bendiciendo, otorgándome un don. Me estaba haciendo ser guapa y todo lo que ella quisiera.

—¿Cómo te va en la universidad? ¿Es difícil?

Le conté lo que me imaginaba que me ocurriría si de verdad asistiese a las clases. Le hablé de los compañeros y los profesores y de la clase de biología. Estaba avergonzada. Me dolía fingir y mentirle, pero no tenía otra opción. La verdad era decepcionante, y no quería preocuparla con mi persona. Algún día haría lo que debería estar haciendo ahora; simplemente me estaba anticipando a los acontecimientos.

—Estoy muy contenta, mamá. Todo va a ir bien.

Suspiró. Parte de su trabajo, yo, estaba encarrilado.

El sábado por la noche le dije a mi padre que me marchaba a un concierto y que volvería tarde. Él dijo que iría a cenar con Betty, que se quedaría con ella hasta que le llevaran el zumo de las once y que el domingo estaría allí toda la mañana leyendo con ella los periódicos y los suplementos dominicales. También le llevaría revistas y un par de novelas de bolsillo. Se encontraba más tranquilo viéndola en el hospital que aquí sentado en el sofá preguntándose cómo estaría y dándole vueltas a la cabeza. Me tranquilizaba que mi padre estuviera junto a mi madre. Si estaba a su lado, mirándola y hablándole, no podía ocurrir nada malo.

Me vestí como la tarde en que Mateo me salió al encuentro en el metro cuando iba camino del colegio Esfera. También me puse el minipendiente de la nariz y me pinté los ojos con kohl, y me di uno de los rímeles usados de Dior que me regalaba Ana. Podía decirse que iba cargada con lo mejor que tenía.

Para llegar al local donde iba a actuar BJ3436 había que cruzar todo Madrid. Más o menos tardé una hora. En la puerta había gente parecida a mí y otros radicalmente punks. Olía intensamente a porro. Un chico con las uñas negras me rompió la entrada. Puedes pedir una lata de cerveza, dijo. Me la pedí en un mostrador de chapa, rozándome con hombros y brazos más sudorosos de la cuenta. En el escenario, Mateo ensayaba unos acordes con tres músicos más. Llevaba la misma camiseta, le quedaba muy bien. Una de las veces en que miró al frente me pareció que me había visto, pero luego devolvió la mirada a su guitarra. El local iba llenándose de crestas, espaldas tatuadas y otros personajes más clásicos. Mi madre estaba en otro mundo, mi padre también. Para llegar aquí, además de la ciudad, había cruzado nuestras vidas. Me senté hasta que empezaron a tocar. No lo hacían mal. Tocaron temas propios. En el segundo tema Mateo se quitó la camiseta y perdió un poco de atractivo, pero cantó una canción de amor bastante bonita. A mi alrededor casi todo el mundo se conocía. Debían de ser asiduos de estos conciertos, amigos del grupo. ¿Por qué era yo mayor que todos ellos? No podía llegar a entusiasmarme del todo, no podía olvidarme de todo. Hubo un descanso y salí a fumarme un pitillo. Alguien me pasó un porro. ¿Por quién vienes?, me preguntó. Era un chico alto y delgado como una estaca. Por Mateo, dije.

—¡Ah! —dijo—. Yo también. —Dimos unas cuantas caladas más. Iba encontrándome mejor—. Hay que apoyarle a muerte —dijo.

Yo aún llevaba su número de teléfono y el nombre escritos en el dorso de la mano aunque la tinta se había descolorido y parecía un tatuaje.

Los ojos oblicuos del chico se dirigieron hacia allí.

—¿Cuánto hace que lo conoces?

Le pegué otra calada al porro y me metí para adentro. Le dejé con la palabra en la boca, no tenía ganas de dar explicaciones.

Cuando Mateo y los otros volvieron al escenario los aplaudimos, les silbamos, hicimos ruido para que se encontraran cómodos. Esta segunda parte se me hizo un poco larga. En algún momento miré hacia atrás y vi a la Estaca observándome en la penumbra. Llevaba el pelo largo dividido por la raya en medio, y sólo se le veía la mitad de los ojos, la nariz y la boca, pero yo sabía que me miraba. Sentía curiosidad por saber quién era yo. Tras los últimos aplausos y pitidos y gritos la banda bajó del escenario y fue acercándose a la barra entre sus fans. Yo también me acerqué, iba hacia Mateo hasta que una princesa punk se interpuso en mi camino. Tenía un pelo rubio precioso, corto, terminado en una ligera cresta. La piel era traslúcida y los ojos azules, como si acabara de salir de una probeta, como si nunca le hubiese tocado un rayo de sol, como un ser formado en algún útero de oro. Las largas piernas iban enfundadas en mallas negras que acababan dentro de unas botas militares. Una de las piernas de la Princesa rodeó una de las piernas de Mateo. Y él la besó en unos labios hechos de fresones. A pesar de semejante espectáculo no retrocedí. Avancé hasta casi tocar las punteras de sus botas con mis deportivas desgastadas. No miré a la Princesa. Fue él quien me asaltó en el metro, quien me invitó, quien me incitó a venir hasta aquí a invertir dos horas de mi tiempo en escuchar su música inmadura.

Se quedó paralizado, ¿no me reconocía?

—Has venido —dijo.

—Tocáis bien —dije— y hay mucha gente.

Se desanudó de la Princesa y la señaló.

—Ésta es Patricia —dijo.

—Verónica —dije yo, que no recordaba haberle dicho mi nombre.

Patricia y yo no teníamos ninguna gana de conocernos, y ella se arrimó más a Mateo, lo cogió por la cintura. La princesa de la cresta dorada me estaba señalando, como bien podía, la puerta de salida.

—Oye —dije para que ella lo oyera bien—, no creo que el otro día me abordases en el vagón del metro, me dijeras que irías conmigo al fin del mundo y me invitases a venir aquí para tenerme ahora de pie mirándote la cara de gilipollas que tienes.

Ella le miró y me miró. Yo sólo le miraba a él, él nada más me miraba a mí.

—Creía que ibas a llamarme —dijo llevándose una lata de cerveza a la boca.

—Llamarte, venir, hablar contigo… Me pides mucho, ¿no?

Entonces él asintió con la cabeza y me cogió de la mano.

—Ven conmigo.

No lo dudé porque en estas circunstancias era mejor que ocurriera algo a que no ocurriera nada. La Estaca y gente que no conocía nos observó pasar hacia la calle.

—Espera —dijo—, me he dejado la gabardina.

—No puedo esperar. La gabardina o yo.

Dudó un segundo y anduvo rápido hacia una moto. Sacó un par de cascos y sin decir palabra nos subimos. Condujo unos diez minutos y paró junto a un bar en una plaza más bien fea. Cuando me quité el casco, sin tiempo para reaccionar, me besó. De pronto me encontré con la suavidad de sus labios, de su lengua. Sentía su cuerpo, la hebilla del cinturón con una calavera de metal en mi estómago. Notaba sus manos debajo de la cazadora y estuvimos así hasta que la plaza empezó a girar por el universo muy lentamente. Y cuando Mateo me propuso entrar en el bar a tomar algo, todo había cambiado, nosotros habíamos cambiado. Él me abrazaba por los hombros y yo le dije que sentía que estuviese pasando frío en la moto por no dejarle ir a buscar la gabardina. Me confesó que esa gabardina era uno de los pocos recuerdos que tenía de su padre y que la llevaba encima casi como un talismán, así que podía imaginarme lo mucho que yo le importaba al arriesgarse a perderla. En el bar había una luz muy fuerte y nos sentamos junto a unas cristaleras desde donde se veía la semioscuridad de la plaza. Nuestra oscuridad, nuestra plaza, nuestro bar. El camarero dijo que cerraba dentro de media hora. Nos pedimos dos cañas sin parar de mirarnos.

—Algún día podré decirte todo lo que me haces sentir, ahora no puedo —dijo quitándome un mechón de la cara como solía hacer mi madre.

Le comprendía, yo tampoco podía decirle cuánto me gustaba estar con él. Hacía sólo una hora no lo sabía, ni lo imaginaba, aún no existía el mundo de nosotros dos.

—¿Por qué me has traído a este sitio?

—No sé —dijo—, quería mirarte. No podía esperar.

Nos tomamos otra caña más y tuvimos que marcharnos. El camarero al salir nos dijo: Gracias, pareja.

En la puerta tratamos de atisbar otro local abierto,

pero no había ninguno. No quería marcharme a casa. No, aún no.

—Estoy como borracho contigo. No me importa nada.

Debía de referirse a la Princesa, a la gabardina, al concierto y a todo lo que yo no sabía de él.

—Y yo.

Nos montamos otra vez en la moto buscando algún sitio donde poder seguir mirándonos y besándonos. Paramos junto a unas luces verdes. Era un pub destinado a hombres principalmente. Nos tomamos otras dos cervezas ajenos a todo.

—Si hoy te hubieses marchado, la vida habría continuado igual, igual.

—Y si tú no te hubieses acercado a mí en el metro no estaríamos aquí, en este sitio tan raro.

Casi toda la conversación giraba en torno a nosotros a partir del momento en que nos conocimos, lo anterior no contaba. Era como si hubiésemos venido al mundo en aquel vagón de metro y hubiésemos vivido sólo desde entonces hasta este momento.

—¿Cuándo podremos vernos?

—Te llamaré —dije—. Esta vez te llamaré.

Insistió en llevarme a casa en la moto a pesar de que le expliqué lo lejos que vivía.

—Pero te morirás de frío —dije sintiéndome cada vez más idiota por no haberle dejado volver por su gabardina.

—No importa —dijo cogiendo de un respaldo una chaqueta de hombre azul marino con botones de ancla. Si puede pagar esos copazos, podrá comprarse otra —dijo en la puerta.

Le estaba enorme, pero gracias a ella pudo llevarme a casa por una carretera de nuestra noche entre las sombras de los árboles y la palidez de la luna. Yo, cogida a su espalda, sintiendo el olor de la chaqueta de aquel otro ser, un hombre corpulento, que sin saberlo nos ayudaba a estar juntos un poco más.

Nos bajamos de la moto y nos costaba trabajo separarnos. Teníamos miedo de que la próxima vez ya no fuera igual, de que el hechizo acabase. Me miraba un poco asustado metido en la gran chaqueta.

—Ahora eres mi chica. No voy a dejarte escapar.

No le dije nada, me quedé muda, porque ya estaba junto a mi casa. Mi padre ya habría vuelto del hospital, la vida de antes del vagón de metro volvía a aplastarme como un tanque. No le dije que no tenía tiempo de ser la chica de nadie, no podría seguirle en sus conciertos, ni esperar a que me llamara. Lo intentaría, pero de antemano sabía que no podría cumplir esa tarea.

No dejé de pensar en él ni dormida ni despierta. Su presencia estaba pegada a mí como una segunda piel, como una segunda sombra, como una segunda vida. Ni siquiera tenía que pensar en él, estaba cuando me tomaba el café e iba a ver a los clientes. Pensé que me vendría muy bien una moto como la de Mateo: todo me resultaría más fácil y podría hacer tantas cosas que incluso podría ser su chica, pero sabía que no podría ni mencionarlo. Mi madre era totalmente contraria a que mi hermano y yo nos motorizásemos, y mi padre no se perdonaría actuar a sus espaldas y que me ocurriera algo mientras ella estaba como estaba. Así que no tenía más remedio que ir cargada con los productos y dividirme geográficamente las visitas. Hoy me tocaba la urbanización de lujo, de las vallas altas, los perros furiosos, las calles silenciosas. Las casas parecían conventos tras los muros, por donde asomaban las puntas de los pinos. Siempre dejaba para el final a la Vampiresa porque era una venta segura, era como un buen postre detrás de una comida corriente.

No fallaba. La Vampiresa preguntó por el videoportero quién era y me abrió. Me encontré la puerta de la entrada abierta. Dejé en el vestíbulo, sobre las losas de mármol, el maletín con los productos que no eran para ella y busqué el salón con el otro maletín. Del vestíbulo partían unas escaleras también de mármol que sólo había visto en las casas de las películas de los años cuarenta. Miré hacia arriba: había habitaciones bordeando la barandilla del mismo caoba que la mesa de nuestro comedor. Avancé tímidamente en busca del salón. No deseaba por nada del mundo abrir una puerta que no fuese y ver algo que no quería ver.

Por fin oí su voz.

—Pasa, por favor.

Por primera vez la vi vestida, sin esas batas de seda que se le caían por todas partes. Hablaba en voz baja y fumaba.

—¿Qué me has traído hoy? No te esperaba.

—Si quiere, vuelvo en otro momento. No quiero molestar.

—Qué mona eres —dijo—. Tu madre debe de estar muy contenta.

Saqué una crema con partículas de oro que costaba una fortuna. Ella la cogió con una mano terminada en manicura francesa. Debía de tener entre cincuenta y sesenta años, pero aparentaba cuarenta como mucho. Sesenta años de masajes y cremas y suelos de mármol.

—Cuando yo tenía tu edad no hacía nada de provecho. No estudiaba, no trabajaba. Me habría gustado ser peluquera o dedicarme a la cosmética como tú. Me arrepiento mucho. No sé hacer nada.

No creí conveniente preguntarle cómo pagaba su estilo de vida.

—O a la moda —dije—, tiene mucho gusto, mucho estilo.

Me miró con una sonrisa pasada por unas cuantas amarguras.

—Me la quedo.

—Su ingrediente principal es el oro…

—Está bien. Me hace falta. ¿Qué más tienes?

Le vendí en cinco minutos quinientas mil pesetas.

—Espera. Voy por el dinero.

Apagó el cigarrillo en un cenicero de plata tan limpio y reluciente que dolía como si estuviera aplastándolo en un brazo. Nunca la había visto sin la bata y ahora sus formas quedaban más claras bajo los pantalones y la blusa. Era delgada pero con formas. Muslos, pecho, culo. Quizá hacía natación o gimnasia. Tardó bastante en regresar. Al principio me inquietaba que no encontrase el dinero para pagarme porque mi madre me había advertido que no aceptase talones. Al cuarto de hora me llamaron la atención unos ruidos, como el quejido de un hombre. ¿Sería el hombre de siempre? Y luego golpes de muebles como si tiraran cajones al suelo. Caminé intranquila de un lado a otro del enorme salón sobre alfombras persas que daba pena pisar. Había un mueble bar con multitud de botellas y copas. Había mesas junto a las paredes llenas de jarrones de cristal con flores naturales. Había muchas fotos enmarcadas sobre la repisa de la chimenea, casi todas de la Vampiresa y de una niña que puede que fuese ella misma. Había cortinas venecianas en las ventanas bastante bajadas y por las rendijas se veía el verdor del jardín. Debía de necesitarse un ejército de empleados para tener en orden aquella casa y que no hubiese una sola huella en tanto cristal y, sin embargo, no se veía a nadie.

Llegó un poco sudorosa y se encendió un pitillo con manos temblorosas. No se le apreciaba ningún moratón en los brazos. Llevaba una blusa sin mangas y ligeramente escotada. Pegó una calada y luego respiró haciendo un círculo con el cigarrillo en la mano. Se sacó el dinero del bolsillo del pantalón y se sentó.

—Perdona, no me acordaba de dónde había puesto el dinero.

Me pagó en billetes de dos mil. Y le extendí la correspondiente factura.

—Con este lote está surtida para una temporada.

No oyó lo que le decía, estaba pensando en otra cosa. Señaló la factura con el cigarrillo.

—Pon la hora de la venta. Así tus jefes sabrán que no pierdes el tiempo.

No tenía sentido lo que me pedía porque a la empresa lo único que le importaba era la facturación y le daba igual que la consiguiera en diez minutos o en diez horas. Así que no pensaba poner la hora hasta que le vi los ojos clavados en la factura. En la factura y en mí, en mí y en la factura. Escribí: hora de la venta, 12 horas. Suspiró aliviada. Le di una copia, que dobló y guardó en el bolso. Me llamó la atención que no la metiera en un cajón.

—Voy al centro —dijo—. No traes coche, ¿verdad? ¿Quieres que te lleve? Puedo dejarte donde me digas. Me encanta conducir.

Todo en la Vampiresa me sonaba confuso, turbio. Me parecía que me estaba metiendo en algún lío, pero para llegar al colegio Esfera habría tardado como mínimo una hora, cargada con los maletines.

Le di la dirección.

—Tengo que hacer un recado en ese colegio.

La Vampiresa tiró en los asientos traseros la chaqueta que había sacado de un armario fantasma del vestíbulo. Puso música. Tenía un Mercedes con la tapicería de piel beis. Nunca la había visto tan relajada. Ahora las manos en el volante no le temblaban. Estiró sobre ellas los brazos firmes, satinados; seguramente se había dado la crema con polvo de perlas. Era tan cara que generalmente se usaba para las noches de boda.

—No deberías cargar con tanto peso —dijo—. Vas a machacarte la espalda.

—Será por poco tiempo —dije—. Dentro de tres meses cumpliré los dieciocho y podré conducir.

—Eres un encanto. Yo ni siquiera he tenido hijos. Sólo hombres.

Mi madre me había dicho que las clientas siempre tienen ganas de hablar y que debía escuchar, no hablar aunque también me apeteciera.

—¿Tienes novio? —preguntó.

—Algo parecido. No lo sé, sólo he estado una vez con él.

—Ahora los jóvenes sabéis vivir. En mis tiempos el amor era mentira.

Me quedé mirándola fijamente. No se había hecho arreglos en la cara, gracias a nuestros productos tenía una piel suave y aterciopelada.

—¿Nunca se ha enamorado? —dije rompiendo la regla de toda buena vendedora.

—He sido una esclava del amor. Ahora —dijo poniendo la música más alta— me siento libre. Se acabó.

Me sobrecogió su manera de hablar, su tranquilidad, su felicidad. No tenía nada que ver con la mujer de las batas de seda.

—¿Está casada?

—No, guapa. He vivido en pecado toda mi vida.

Me alegré de llegar al colegio y no seguir preguntando. ¿Qué habría sucedido en las habitaciones de arriba hacía un momento?

Me dijo que podía esperarme. Tenía una cita a las dos y media para comer y nada que hacer hasta entonces.

—Mientras te espero, no gastaré dinero —dijo.

Era una maravilla no tener que cargar con los maletines y poder contemplar el colegio a plena luz del día. Parecía más grande y más nuevo. En la cancha de baloncesto brillaba el pavimento rojo por algunas partes. Crucé el patio hasta el edificio principal. Los chicos estaban en las clases, salvo algunos que andaban de aquí para allá como atontados. Me recordaba a mi instituto en lo fundamental y por tanto la vida de Laura no habría sido tan distinta a la mía. Qué más daba que hubiese vivido con una u otra familia, la vida en el fondo sería la misma. Ir y venir del colegio o del instituto, comer, dormir, hablar con los padres, engañarles en lo importante, quererles, soñar y no soñar, una tragedia y a veces aburrimiento y a veces diversión. Pero para mi madre no era lo mismo y seguramente tampoco para mi padre aunque quisiera pasar página.

Le pregunté a un administrativo por la Secretaría. Le dije que había estado hablando con la secretaria del centro y le conté lo mismo que a ella, que una madre enferma estaba buscando a su hija. Me miró sin comprender nada y sin querer comprender. Le dije que se llamaba Laura y que había estado escolarizada allí hasta los doce años, hacía siete.

—No tenemos informatizados los datos de hace siete años. Y sin apellidos, completamente imposible.

Tenía una mirada neutra y facciones indiferentes sin imantar. Había decidido que no quería complicarse la vida con los problemas de los demás. Quería tener en orden los expedientes, el papeleo, cumplir, y al salir de allí irse con los amigos o con su novia y vivir de verdad. Ésta era la no vida y yo formaba parte de ella.

—Quizá haya algún profesor de aquella época y así no tengamos que remover expedientes. Seguro que alguno se acordará.

Sonrió levemente para protegerse de cualquier tipo de empatía.

—No sé quién queda de aquella época.

—Habrá profesores nuevos y profesores antiguos. Me gustaría hablar con alguno antiguo.

—No es tan fácil. No puedo darte esa información.

Le di las gracias, no quería tenerlo en contra, aunque la facilidad con que se deshizo de mí lo dejó en un peligroso estado de recelo. Fingí que me marchaba, y en cuanto agachó la cabeza me adentré por el pasillo en busca de la sala de profesores. Abrí y di los buenos días. Dos cabezas, la de un hombre y la de una mujer, se irguieron desde unos folios al mismo tiempo para mirarme. Aunque me dirigí a los dos, me concentré más en el hombre, el mayor de ambos. Tenía una abundante mata de pelo canoso peinado a la ligera, bigote espeso y gafas y ropa intemporales. Podía imaginármelo sentado en este mismo sitio siete años atrás.

—Disculpen la intromisión. La secretaria del centro me ha dado permiso para entrar y preguntarles si hace diez años conocieron a una niña de nueve años que se llamaba Laura. Estuvo aquí hasta los doce.

—¡Uf! —dijo la joven profesora tal como me esperaba—, hace diez años ni siquiera había terminado la carrera. Tengo clase, adiós.

Se marchó abrazada a los folios, con sus zapatos planos y una falda fruncida que le llegaba a la mitad de la pantorrilla. Delgadita como una muñeca.

—¿Laura? —preguntó el profesor—. Me suena. ¿Qué le ha ocurrido?

—Eso quisiéramos saber. Después de abandonar este centro, por una serie de circunstancias familiares que no vienen al caso, la separaron de su madre. Ahora su madre está entre la vida y la muerte y la busca, necesita despedirse de ella.

Mientras le hablaba, el profesor había estado haciendo memoria. El memorión de los profesores que se acuerdan de detalles increíbles.

—¿Tenía una abuela con mucha personalidad y el pelo blanco azulado?

No podía decirle que no lo sabía así que asentí.

—¿Cómo se llamaba? —se preguntó a sí mismo—. Cuando venía a verme tenía que sujetarme bien los pantalones.

—Precisamente esa abuela la separó de su madre. Asuntos legales, cosas de familia…

—Creo recordar que se marchó sin acabar el curso.

—¿Y podría saber su dirección? Ella ya es mayor y tiene derecho a conocer ciertos aspectos de su vida.

Me miró detenidamente. Del mismo modo que yo había visto muchos profesores como él a lo largo de mi vida, él había visto muchas alumnas como yo a lo largo de la suya. En cierto modo, éramos viejos conocidos. Iba a preguntarme quién era yo.

—Cuido a su madre. Ha sufrido mucho perdiéndola y buscándola y se merece poder darle un beso. Es una buena persona, créame.

—Esa información debería autorizarla el director. Como comprenderás, no soy quién para revelar los datos de los alumnos.

—Los dos sabemos que el director se va a negar, no querrá complicaciones. Nadie las quiere y por eso hay tantas injusticias en el mundo.

Ahora iba a preguntarme cómo me llamaba.

—Mi nombre es Verónica. ¿Recuerda los apellidos de Laura?

Alarma en los ojos enterrados bajo gruesas cejas.

—¿No sabes cómo se apellida?

—Seguramente son falsos.

—¡Por Dios! Mira que he visto cosas raras… Ya tengo bastante con soportar a estos mendrugos.

Habíamos llegado al momento exacto en que sería contraproducente presionarle. Me levanté de la silla donde me había sentado, sin darme cuenta, en algún momento de la conversación y le tendí la mano. Él no me la dio, se limitó a mirarme fijamente y se encogió de hombros.

—Dame tu teléfono. Te llamaré en cuanto sepa algo.

Había un rayo de esperanza en medio de la sensación de que estaba deshaciéndose de mí. Casi me había olvidado de que la Vampiresa me esperaba y crucé rápidamente el vestíbulo y el patio.

Estaba fuera del Mercedes fumándose un pitillo y tenía puestas las gafas de sol, como una actriz venida a menos. No me habló, pero no parecía enfadada, parecía que había llorado. Quizá había tenido tiempo de darle vueltas a su vida.

—Lo siento —dije—. La gestión ha sido más lenta de lo que creía.

—¿Qué sitio es éste? No entiendo nada.

Hablaba para sí, se hablaba de sí misma, y me asombraba que yo la comprendiese tan bien.

—Todo tiene que ver con el amor. El amor es nuestra maldición. Nos hace felices, nos esclaviza, nos corrompe, nos enseña a odiar. Todo se hace o no se hace por amor. Parece algo bueno, pero de verdad te digo que si no existiese el amor no habría guerras.

Se quitó con una uña perfectamente esmaltada una lágrima debajo de las gafas.

Ahora sí que seguí las indicaciones de mi madre y no dije nada.

Me dejó en el centro con los dos maletines y me dijo adiós desde las gafas negras por la ventanilla. Sentí algo dentro, como si la conociese de toda la vida y no fuese a verla más.

—Siento dejarte —dijo—, pero a las dos tengo hora en la peluquería.

Primero me había dicho que tenía una cita para comer y ahora para la peluquería, ¿adónde iría? A ningún sitio importante. Aparcaría el coche en algún centro comercial y se dedicaría a hacer compras y a olvidar lo que tuviese que olvidar.

Me quedé paralizada ante la cartera de piel de cocodrilo. No podía ser. La foto de Laura no estaba. Metí la mano por todos los recovecos varias veces, después volví al armario y saqué la manta en que estaba envuelta. La sacudí encima de la colcha de flores y pasé la mano por la colcha por si estaba camuflada entre los pétalos y las hojas. Tenía ganas de llorar, tenía un hueso de melocotón en la garganta que no me dejaba tragar saliva. ¿Qué pasaba con la foto de Laura? Fui a buscar la escalera para poder meter la cabeza en el último estante del armario. Entonces tuve la esperanza de que se hubiese caído donde estaban colocados los zapatos. Los saqué todos y aproveché para limpiar con una bayeta el fondo y volví a colocarlos. Me encontraba exhausta porque llevaba casi una hora de rodillas en el suelo con zapatos planos, de tacón, de medio tacón, botas y los mocasines de mi padre, con cordones, deportivas, y recordando a mi madre con los blancos, los negros y los últimos que se había comprado rojos. Mi madre no tiraba nada y mucho menos los zapatos, que conservaba prácticamente nuevos, dando lugar a que los antiguos volviesen a ponerse de moda. Me levanté tambaleándome. No tenía fuerza para seguir buscando, se me acababa de ocurrir que quizá la foto podría haber ido a parar debajo de la cama, pero si me agachaba para mirar ya no podría con mi alma, tendría que retirar las pesadas cajas con libros y ropa y luego meterlas otra vez. Así que me limité a subir ligeramente la colcha y echar un vistazo por los pies de la cama. No había nada, y me tumbé a descansar sobre aquel vergel de pétalos y hojas al que sólo le faltaba oler. Sentí una inmensa paz. De debajo de la almohada llegaba el perfume del camisón de mi madre. La hermosa vida era muy injusta, y cerré los ojos; qué bien me encontraba así, respirando y sintiendo esta calma en este momento de mi única vida. Se me cerraron los ojos lentamente y sentí que me hundía en un colchón de hojas. Aunque era muy agradable dejarme caer sin ninguna resistencia ni obstáculo, el hecho de hundirme no me parecía una buena señal, había algo dentro de mi sueño que me alertaba en contra, y me desperté para no seguir cayendo.

Miré el reloj de la mesilla. Había pasado casi una hora desde que me había dormido y sólo recordaba cómo debajo de mí no había somier, ni cajas con libros y ropa, ni suelo, sólo la oscuridad del universo que me llevaba hacia algún lugar. Estaba fría como una muerta, y tenía que ir a ver a mi madre. Tenía que cruzar al otro lado del mundo, tenía que entrar en el vestíbulo del hospital, caminar hasta los ascensores del fondo, subir en uno, pulsar el botón de cuarto piso, salir y tomar el pasillo de la derecha hasta la habitación. Atravesar el olor a antibióticos y desinfectante y atravesar la mirada de la gente que esperaba en el pasillo, atravesar su impaciencia y su angustia. Y en ese momento, precisamente en ese momento en que puse los pies en el frío suelo y vi como en una película a Ana la del perro buscando la cartera de cocodrilo aquella tarde en que tuvo la casa para ella sola, en el momento en que la vi de puntillas pasando la mano por el último estante y tirando de la manta hacia ella, en ese momento sonó el teléfono y fui al salón a contestar. Era Mateo.

—No dejo de pensar en ti y en la otra noche. No he podido esperar a que me llamases.

Sentí una inmensa alegría y remordimientos por sentirla, y mordisqueé algunas palabras completamente decepcionantes para él y para mí misma.

—¿Qué te pasa?, ¿estás arrepentida de estar loca por mí?

No podía ni imaginarse lo inocente y normal que era. Creía que por llevar una calavera en la hebilla y una cobra en el dedo, por colocarse con la princesa de oro en los conciertos, por besar bien, por tener más años que yo y por haberme echado literalmente en sus brazos estaba seguro conmigo.

—Necesito verte.

Muchas veces, al despertarme por la mañana, me quedaba un rato en la cama con las manos bajo la cabeza mirando al techo e imaginándome que un chico como Mateo me decía lo que él estaba diciéndome ahora. Era algo que les ocurría a muchas chicas, sobre todo en las películas, y que a mí podría ocurrirme algún día, y ese día había llegado, pero en mal momento.

—Me gustó mucho que me trajeras a casa en la moto y... todo lo demás. ¿Has devuelto la chaqueta?

—Olvídate de la chaqueta. La tiré en un contenedor. Iba a guardarla como recuerdo, pero me ocupaba todo el armario.

Me reí con una risa un poco tonta.

—¿Qué vas a hacer ahora?

—Tengo trabajo. Iba a salir ahora mismo para allá.

—¿Y mañana?

—Te llamaré. Te lo prometo.

Me quedé callada un segundo deseando decirle que aún no me creía lo que me había pasado con él y que si por mí fuera no me separaría de su camiseta negra ni un minuto. Le seguiría a los conciertos y me abrazaría a él mientras estábamos en grupo todos juntos, como antes había hecho la Princesa, y no pensaría en nada que no fuera mirarle una y otra vez, una y otra vez hasta agotarme. Le diría que me gustaba de él incluso lo que no me gustaba, como la perilla.

—¿Te ocurre algo? —preguntó.

—No es nada, es que tengo prisa. Cuanto antes termine, antes podré llamarte. —Bajé la voz un poco—. Tengo muchas ganas de que nos veamos.

No dije ganas de verte, sino de que nos veamos. Me parecía menos comprometido.

Colgué el teléfono con la sensación de que había estado demasiado fría y que lo había estropeado todo, cualquier cosa antes que contarle que ahora iba al hospital a ver a mi madre y que buscaba a una hermana fantasma. Para mí, Mateo estaba unido a la música, a los chicos de su banda, a la moto y a las ganas de besar a una chica como yo en una plaza oscura, y yo quería estar unida a los sueños que se hubiese creado sobre mí. No quería sacarle de ellos tan pronto. No quería pasarle, como si fuera un porro, los problemas de mi vida porque entonces ya no me trataría igual y no podría sentir la alegría que sentía ahora camino de la habitación 407. Necesito verte, me dijo. Tenía la voz casi dulce, casi áspera, puede que este tono le hubiese llevado a querer cantar.

Al llegar a la puerta oí voces conocidas. Me dio alegría y rechazo. Eran de mi padre y Ana la del perro. No sabía si sería capaz de mirarla a la cara con lo que sospechaba de ella y la cartera de cocodrilo.

Me abalancé a besar a mi madre para no tener que saludar a Ana. Me incliné sobre ella y estuve así interminables minutos hasta que mi padre me llamó la atención.

—Está aquí Ana.

Mi padre era idiota, ¿qué importaba Ana?, la única que importaba era mi madre.

—Ya —dije sin poder disimular mi desagrado y sin mirarla apenas.

—Bueno, tengo que irme —dijo Ana—. Me alegra encontrarte mejor.

Notaba su mirada desconcertada, quizá preguntándose si ya habría descubierto que no estaba la foto de Laura en la cartera. Mi padre dijo que ya que había llegado yo se marchaba igualmente, y salió detrás de Ana. Detrás del vestido de punto verde perfectamente adaptado a su figura. Mi padre le tocó ligeramente la espalda para ayudarla a salir, ese gesto caballeroso sin sentido que hacen los hombres. Ella llevaba un pañuelo largo morado colgando del brazo y un bolso del mismo color.

Parecía recortada de una revista. Y en ese momento mi cabeza me ordenó salir al pasillo.

—¡Ana! —Ella se volvió—. ¿Qué tal *Gus*? ¿Dónde lo has dejado?

Sonrió aliviada. O tal vez eran imaginaciones mías.

Seguramente no hay ningún hijo en el mundo que no haya pensado alguna vez sus padres no son muy listos, que pueden equivocarse y juzgar mal, y eso es lo que me ocurrió a mí con mi padre. Empezó a cabrearme que no creyera la historia de mi madre y empezó a desilusionarme que no se diera cuenta de nada. Él sólo deseaba que todo fuese normal, que su mujer no estuviera enferma, que Laura fuera una ilusión, que Ángel se robusteciera en Alicante y que yo fuera madurando suavemente. Pero a mí no se me iba de la cabeza la visión de Ana robando la foto de Laura. Me estaba volviendo recelosa. No me quitaba de la cabeza el vestido verde ajustado sobre su espalda recta y la mano de mi padre allí mientras salían de la habitación del hospital. Así que esa misma noche al volver a casa le dije que había desaparecido la foto y que sospechaba de Ana porque había estado toda una tarde sola en la casa y era la única que podría habérsela llevado.

Estábamos cenando frente al televisor encendido. Yo no tenía hambre, había comprado unas croquetas hechas y unos sándwiches para no irme directa a la cama y por lo menos conservar el ritual de la cena y, sobre todo, para comentarle lo que había descubierto. Mi padre había traído un pack de cervezas del súper de la esquina. Yo no quise. Ya bebía él por los dos.

—Es increíble que pienses esas cosas de Ana. Es uno de los pocos apoyos que tenemos. A Betty le alegra mucho verla. Hoy se ha puesto muy contenta.

Una madeja enredada de pensamientos. Lo bueno,

lo malo, las sospechas, la realidad, la verdad, la mentira.

—Papá, no hay otra explicación.

Empezaba a ponerse nervioso. La vida ya no estaba siendo como él quería.

—Se habrá caído. No puedo imaginarme a Ana —señaló con el brazo el centro del salón—, a esa Ana rebuscando por la casa. ¿Para qué quiere ella la foto?

—No tengo ni idea, pero ha sido ella.

—Estoy harto de la foto de las narices. Estoy harto de que hayamos tirado nuestra vida por la borda porque un día ocurrió algo que no pudimos controlar entonces y que no podemos controlar ahora.

—A todo el mundo le ocurren cosas que no quieren que les ocurran. No somos los únicos y lo mejor es hacerles frente y que dejen de ser fantasmas. Sólo te pido que tengas cuidado con Ana. No le cuentes nada, no confíes en ella.

—Hoy mismo Betty le ha pedido que no se olvide de nosotros. Le ha pedido que te eche una mano y que me lleve de vez en cuando al cine.

Tenía la voz temblorosa y para hablar tenía que tomarse un trago de la lata. Le puse un sándwich en la mano.

—Anda, come. No te vayas a la cama con el estómago vacío.

—Ana no quiere para nada esa foto. Siempre ha sabido que Betty deliraba con eso de que Laura está viva. Siempre ha conocido esa historia.

—Pero no sabía que mamá tenía una foto hasta el día en que se la enseñó. Yo vi cómo abría la cartera delante de ella.

—Vas a volverte loca. ¿Qué pretendes, seguir con esto o ayudar a tu madre?

—Quiero ayudarla —dije con el hueso de melocotón en la garganta.

—La ayudas mucho haciendo su trabajo para que no

lo pierda. Le gusta mucho. Pero no la ayudas enemistándonos con su mejor amiga.

Permanecí un poco más delante de la televisión viendo imágenes pasar. La luna por la ventana también pasaba. A pesar de que mi padre no quería aceptarlo Ana había cogido la foto. No era de fiar, aunque aún no supiese por qué. De todos modos, registraría el dormitorio de mis padres de nuevo y ojalá yo estuviese equivocada, y me estuviese pasando de lista, ojalá volviese a creer que mi padre era el gran protector.

Mi padre. Entre millones y millones de hombres, uno era mi padre. Y por ser mi padre yo daba por hecho que debía ser noble, inteligente, valiente, generoso, honrado, fuerte y cariñoso, simpático. Le faltaba fortaleza y ánimo, se ponía nervioso en los momentos críticos. Ana le había llamado al mediodía para que la llevase a Santander. Podría haber tomado cualquier taxi, pero prefirió darle a él una carrera tan sabrosa. El dinero nos venía bien, no sabíamos qué cuidados iba a necesitar mi madre. Había que reconocer que Ana hacía mucho por nosotros, que siempre pensaba en nosotros. Le había buscado trabajo a mi madre y si tenía que ir en taxi a Santander llamaba a mi padre. Y a mi madre todo lo que hiciera Ana le parecía bien. Era yo, únicamente yo, la que no podía evitar verla al lado de mi padre en el taxi, con su vestido verde y sus perfectas rodillas, encendiéndole un cigarrillo y pasándoselo a él en los labios. Sólo yo le había descubierto un brillo en los ojos, cuando le miraba, muy distinto a su brillo normal. Un brillo alegre y codicioso, como si se hubiese encontrado por la calle un millón de pesetas. Y ese brillo tenía muchísimos más vatios que el bien que nos hacía. Procuré no pensar en ella y en que iba a pasar la noche en Santander con mi padre, que era el marido de su amiga

Betty, enferma en el hospital y con una hija desaparecida. Ahora la creía capaz de cualquier cosa, y al mismo tiempo esperaba con toda mi alma que mi padre tuviese razón.

Al día siguiente me esperaban cuatro visitas a clientes para las que no tenía que estar muy en forma: con tres o cuatro horas que durmiese me bastaba. Así que me duché. Eran las ocho de la noche, y llamé a Mateo. Podía acercarme a verle ensayar y luego podíamos ir a nuestra plaza. Hoy no tenía prisa. Todo el tiempo era para mí y toda la casa. Podría decirle que entrara un rato. Me palpitaba el corazón, también me palpitaba a veces cuando iba acercándome al hospital, pero ahora era de alegría, felicidad, y sentía remordimientos por sentir algo así en un momento tan amargo. Mateo era otro objeto fuera de tiempo y de lugar, y resultaba imposible encajarle con mi madre y con el misterio de Laura. Según marcaba los números, la cabeza se me iba llenando de su voz, y esa voz imaginada mitad suave, mitad áspera, me daba ganas de correr y volar. Esperé un rato, una llamada, dos, tres, cuatro, cinco... y colgué. Puede que estuviese en la ducha, así que volví a llamar, y... nada. Nada.

Había sido demasiado fría con él, y él se había desilusionado y me había olvidado.

En un minuto el sol me había iluminado y calentado y en otro minuto se había enfriado y apagado. Maldita sea.

Me vestí rápidamente para dar unas cuantas vueltas por el parque a paso rápido, para que me diera el fresco en la cara y descargarme de melancolía y tristeza y rabia antes de irme a la cama. Pero, cuando me vi en la calle, en lugar de dirigirme al parque fui hacia el metro. Bajé al andén y me encontré yendo rumbo al local donde ensayaba Mateo. Lo más probable es que estuviera allí y lo más probable era que se alegrara de verme. Al fin y al cabo era lo que quería, que estuviésemos juntos y que yo le siguiera de concierto en concierto.

Me veía en las ventanas del vagón y me asombraba que mecánicamente me hubiese vestido igual que cuando conocí a Mateo en el metro. De cara a las clientas solía llevar una ropa más clásica, de oficina: blusas, camisas, pantalones de traje, faldas. Mateo no me hubiese reconocido así. Ahora llevaba la cazadora, los pantalones ajustados, deportivas y el pelo suelto. Seguramente en ningún momento desistí de la idea de verle.

La Estaca y otro se apoyaban en la puerta fumando. Me miraron como a una aparición, pero no por nada en especial, sino porque vivían deslumbrados.

Dije hola y pasé.

Sonaban unos acordes, una voz. No era la de Mateo. No estaba en el escenario. Puede que se tratara de otro grupo. Me quedé de pie, algunos de los sentados me echaron un vistazo y luego siguieron a lo suyo. Había poca gente, amigos y novias principalmente. ¿Dónde estaba Mateo? Se lo preguntaría a la Estaca, así que me dirigía hacia la salida cuando se me cruzó una ráfaga dorada.

—Hola —dijo—. ¿Buscas a Mateo?

—¿Dónde está?

Era la Princesa. Estaba ante mí, más alta que yo, observándome de arriba abajo con unos ojos azules tan azules que no parecían reales.

—Hace días que no viene por aquí.

—Y —dije resistiéndome a marcharme—, ¿no sabes nada de él?

—No creo que quiera volver a verte.

Sentí que el estómago me bajaba a los pies. Tuve que meter las manos en los bolsillos para sujetarme a algo.

—¿Por qué?

—Si no te lo ha contado es que no eres muy amiga suya.

—No soy exactamente una amiga. ¿Por qué me has dicho eso?

Ya había visto ese brillo especial en otros ojos. Incluso entre las sombras del local me llegó esa mirada en que parece que dentro del cerebro ha habido un cortocircuito, y yo estaba atrapada en sus reflejos.

Se pasó la mano por la barriga.

—Algo ha cambiado. Mateo va a ser padre. Vamos a comprarnos una caravana para vivir juntos. Él seguirá con la música y hará trabajos por encargo para su padre. Yo le ayudaré, soy muy buena manejando programas de ordenador. Soy muy feliz —dijo abriendo los brazos—. A lo mejor nos casamos. No creo que Mateo tenga la cabeza para hablar contigo. He venido para buscar su gabardina, se la dejó aquí la otra noche.

Yo no paraba de mirarla, cada vez era más alta. Sus hijos serían bellos, igual que ángeles.

Me parecía inútil pedirle la dirección de Mateo, jamás me la daría.

—De todos modos, me gustaría que le dijeras que he venido a verle y que querría hablar con él.

—Claro —dijo.

Salí vacía por dentro. Por la tarde había sentido mucho y ahora no sentía absolutamente nada. Lo importante era mi madre y el trabajo de mañana. Y resultaba completamente absurdo este largo viaje de regreso a casa. Lento, interminable. Abrí la puerta, agotada. Deseché de la mente la idea de hacía unas horas de haber entrado aquí con el antiguo Mateo, de habernos tomado una cerveza o incluso un whisky del mueble bar de espejos del salón. La vi pasar, la idea, como una mosca, y me puse algo de cenar.

Mi padre llamó desde Santander y habría preferido no oírle ni oír a Ana detrás de él diciéndole no sé qué. Continué masticando sin gana, pero con fuerza, triturando la lechuga, las aceitunas y el huevo cocido como si las muelas fueran de piedra.

¿Hay alguien que sepa cómo apagar la conciencia

sin tener que morir? Me metí en la cama con uno de los libros que tendría que estar estudiando. Era muy interesante, y mi vida podría haber estado llena de futuro.

No tenía que pensar en el amor, ni en Mateo. Después de la decepción de la otra noche, Mateo había quedado fuera de mi vida. Era como si sólo me hubiese mojado los pies en la orilla del mar por la parte más fina de la ola. No esperaba saber nada más de él, que fuese muy feliz con su nueva vida en la caravana. Y cuando, en algún momento de distracción, me venía a la cabeza, también venía la princesa de oro que lo tapaba completamente. Me puse en las orejas unas perlas de mi madre y me recogí el pelo. Elegí una blusa blanca y me di un poco de la crema con micropartículas de nácar. Había comprobado que con un aspecto pulcro y saludable me compraban mucho más. Siempre le decía a la clienta que me ponía la crema que teníamos delante y casi siempre picaba. Ordené los productos en los maletines y revisé la agenda. Plano en mano, ordené las direcciones y dejé para el final la más próxima al hospital. Procuraba ir por la tarde para hacer el paripé de que dedicaba las mañanas a la universidad, pero hoy le diría a mi madre que empezaba al mediodía la ronda de visitas.

Ya iba a salir cuando sonó el teléfono. Y esta llamada me la habría esperado incluso menos que la de Mateo.

Era el profesor del colegio de Laura.

Empezó diciendo que no sabía por qué me hacía caso y que el colegio estaba obligado a velar por la privacidad de los alumnos y sus familias, por lo que siempre negaría que la información que iba a darme había salido de él y del colegio. Sería su palabra contra la mía.

La niña se llamaba Laura Valero Rivera. Su domicilio siete años atrás era calle de los Ríos, número 24, El Olivar, Madrid. También me dio el teléfono. El Olivar era una zona residencial bastante cara a unos quince kilómetros al norte. Se había ido construyendo alrededor de un casco urbano de quinientos habitantes, y con el tiempo sus chalés con piscina habían dejado de usarse sólo los fines de semana para convertirse en vivienda habitual.

Me pidió que hiciera buen uso de esta información.

—Llevo en la enseñanza cuarenta años y creo que sé distinguir entre la mala y la buena gente. Creo que te mereces que confíe en ti.

Traté de tranquilizarle y le di las gracias. La verdad es que no me parecía que entrañara tanto riesgo facilitarme estos detalles.

Me apresuré a llamar al número que me había dado.

—¿Laura Valero?

—¿Cómo dice? Ya no vive aquí —contestó una mujer de mediana edad—. Los antiguos inquilinos se llamaban así, dejaron la casa hace siete años y entonces la alquilé yo.

Durante bastante tiempo les habían seguido mandando allí la correspondencia. Iban a buscar las cartas de vez en cuando hasta que dejaron de ir y ella se las devolvía al cartero. No sabía nada más, no sabía dónde vivían ahora.

La mujer tenía ganas de hablar y no se quedó con el gusanillo de preguntarme qué quería de aquella familia. Le dije que era compañera del colegio de Laura y que me habían entrado muchas ganas de localizarla.

—Quizá la dueña de la casa sepa algo.

Me hizo esperar un buen rato y al final me dio el teléfono y el nombre.

Tanto sermonearme el profesor para nada. Esta vía no me servía de gran cosa; de todos modos, algo era algo. Sería tan fácil preguntarle a mi madre qué sabía de Laura y empezar donde ella lo dejó…

La dueña de la antigua casa de Laura en la calle de los Ríos estaba medio sorda y era muy difícil entenderse con ella. Le pregunté si podría verla y aceptó encantada. Parecía que los habitantes de El Olivar estaban deseando descolgar el teléfono y abrir la puerta. Vivía en la misma zona, en un chalé que ella misma calificó de grande y a continuación de mansión, para que no me hiciera un lío.

No me llevé los maletines, sino que cogí un cuaderno de notas. Era una pena no tener la foto de Laura para poder enseñarla. Los planes habían cambiado completamente, iría primero a ver a mamá, luego comería algo y de allí me marcharía a Chamartín. Llegaría sobre las cuatro y media a El Olivar, una hora prudencial para hacer visitas.

Nada más bajar del tren de cercanías se hizo el silencio. La gente no debía de estar o estaría dormida. Sólo se oían los pájaros y algún aspersor. Los muros y las puertas metálicas sepultaban las casas tras los pinos. Era muy difícil ver algo, lo único que llegaba a las estrechas calles eran racimos de colgantes florecillas y olor a tierra mojada que anunciaba una lluvia lejana, como si uno oliese a perfume horas antes de ponérselo.

La señora vivía en Rododendro número tres y, en efecto, casi se había quedado corta al decirme que era una mansión porque su muro de piedra rosácea se alargaba hasta la mitad de la calle. Por la puerta podía pasar un ejército con elefantes. Y nada más acercarme a ella el perro de la casa y los del vecindario, todos a una, se tiraron contra las puertas. La urbanización tembló.

—Pase. No hacen nada —dijo una criada con uniforme de cuadritos rosas.

A los perros, dos döberman negros, les goteaban los colmillos. Pero enseguida comprendieron que me daban igual. Ellos estaban en su sitio y yo en el mío. Mi madre siempre decía que bastante tenía con lo que tenía encima como para, además, sacar el perro a mear, así que nunca habíamos tenido uno. Me había limitado a jugar con alguno en el parque, acariciar los de los vecinos, a *Gus*, y nada más.

—Vamos a respetarnos —les dije.

La de los cuadritos rosas me echó una ojeada, los dos perros iban pegados a mí medio gruñendo.

—Ya te he dicho que no hacen nada —dijo.

Por un momento me imaginé a esta buena mujer pasándolas putas con estos mismos perros hasta lograr que se familiarizasen con ella. Y algo en su interior la inducía a comprobar si al resto de los mortales les pasaba igual.

—Si ahora les diera por atacar a alguien no sería a mí. Saben que no les deseo ningún mal y que tampoco me dan miedo.

—¿Es que hablas con los animales?

Su voz sonó irónica y ligeramente amargada.

—No hace falta. Ellos, en lugar de ver ojos, boca y orejas, ven miedo, cobardía, valentía, bondad, maldad. Tienen un cerebro diferente.

Se quedó con ganas de añadir algo de lo que la consumía por dentro ya que salió a nuestro encuentro la señora de la casa con un mantón de ganchillo sobre la espalda que la envolvía completamente. Llevaba mucho colorete, como si se hubiese maquillado a oscuras.

—Tú eres…

—Sí —dije—. Hablamos por teléfono…

—Ya. Pasa. —Miró a los canes—. ¿Te molestan?

—Tranquila. No me dan miedo.

—Pues deberían. Para eso están.

Hablaba muy alto y me obligaba a hablar así. Nuestras voces retumbaban en el techo abovedado del vestíbulo. Le dije que tenía una casa muy bonita.

—Pero si no la has visto —dijo, y comprendí que con esta mujer debería ser muy precisa, casi científica en mis observaciones.

Entramos en un salón que daba a una parte del jardín con tanto césped y follaje que hacía que la tapicería, los jarrones y los muebles fueran un poco verdes. Era muy agradable, muy hermoso y muy solitario. Nos sentamos en un sofá de cuero mullido que prácticamente me succionó. Si no fuese por el tono estruendoso de la voz de la mujer y porque hacía fresco entre aquellos muros me habría quedado dormida.

Tenía el pelo muy negro y ahuecado en lo alto de la cabeza. Me quedé mirándola somnolienta. Los perros también.

—Esa de ahí —dijo señalando la chimenea— soy yo cuando era joven, bella y fuerte.

Sobre el verdoso mármol de la chimenea colgaba el retrato enorme de una bailarina de ballet clásico.

Dije que realmente era joven, bella y fuerte para no pecar de menos ni de más en los halagos. Asintió y dirigió la cara hacia la puerta.

—¡Mari! —gritó de una manera que nos despertó a los perros y a mí.

Mari vino al rato con una bandeja de plata, juego de té de plata y tazas de porcelana. Se notaba que todo el juego pesaba una burrada y al dejarlo en la mesa suspiró aliviada.

Creía que el salón más lujoso que había visto en mi vida era el de la Vampiresa, pero al lado de éste el suyo parecía un chamizo. Me fastidió haberme dejado las cremas en casa. Estaba segura de haber podido venderle la de diamante y la de oro.

—Necesita hidratarse y nutrirse la piel —dije aventurándome a que me echara de su soledad. Pero no, se pasó la mano por la cara y dijo que llega una edad en que con la piel mejor o peor no se deja de ser vieja.

Aproveché la palabra vieja para mencionar a la abuela de Laura.

—Sí, la casita que les alquilé está a tres calles de aquí.

De esto hace casi veinte años. De la niña no me acuerdo bien, era una niña normal, modosita, no daba guerra. La abuela era gruesa, tenía la piel muy blanca y el pelo azulado, muchas señoras mayores de entonces lo llevaban así o rosa. La madre de la niña sólo vino una vez. Era una medio hippy de ésas. Estaba requemada por el sol y tenía el pelo largo y enredado, un espanto.

¿Y no sabía dónde vivían ahora?

Negó con la cabeza. En el salón hacía fresco y la buena mujer se recolocaba el mantón grande, negro, brillante que le llegaba casi a los pies, pero yo no quería hacer ningún gesto que le hiciera pensar que quería irme.

Acarició la cabeza de uno de los perros.

—Pagaban religiosamente. Solía acercarse la abuela con la nieta y me daba el dinero en mano. A mí me venía muy bien porque así no tenía que sacar del banco. Y un día se marcharon y ya no volvieron más.

—No recuerdo los nombres de la abuela ni de la madre —dije como si hiciera memoria.

—La abuela se llamaba Lilí, doña Lilí, ¿qué te parece? Y la madre de la niña tenía nombre de actriz antigua. A veces la nombraba con ese nombre de actriz, pero no puedo recordarlo.

—¿Y el padre?, ¿no lo vio nunca?

Me dirigió una mirada recelosa, esa pregunta se salía de la idea que se había hecho sobre mí.

—A ningún niño le gusta ser diferente a los demás, y la hippy era madre soltera, de eso sí me acuerdo.

Salí contenta, con algo: una melena azul, un nombre y una promesa de nombre. Crucé tres calles más allá en busca de la casita alquilada, como la llamaba la señora de la toquilla de largos flecos. Al no llevar los maletines de productos me sentía ligera como una pluma. Estaba haciendo algo que nadie me había pedido que hiciera pero que debía hacer. En el fondo temía que mi madre tuviese razón y que Laura estuviese por ahí, perdida en algún lugar. Esta posibilidad debía de asustarles mucho a mi padre, a mis abuelos, a Ana y a todos los que durante este tiempo se habían ido alejando de su lado.

Tejado de pizarra, árboles de cinco metros, cenador, piscina, barbacoa de piedra. Era algo intermedio entre una mansión y una casita. También había perro, esta vez marrón y revoltoso.

Me abrió un hombre cansado, con barba de dos días, y me llevó junto a su mujer, a una zona acristalada del porche donde daba el sol de plano.

Era menuda y estaba metida en un esponjoso chándal rosa. Llevaba anillos de oro y finas cadenas en el cuello, y el pelo casi tan corto como la barba de su marido. Pasaba lentamente las páginas del *Hola*.

A ella sí le gustó que le dijera que tenía una casa muy bonita. Aunque echaba en falta una fuente entre la verja y el porche, lo que para ella parecía anular la belleza del conjunto.

—Tráele algo de beber a la chica —le dijo a su marido.

Le rogué que no lo hiciera. Le conté que acababa de estar en la mansión de la dueña y que me había tomado unas cuantas tazas de té.

—Una mujer antipática, pero fue bailarina y tiene… —hizo el gesto con los dedos de tener mucho dinero.

—Sólo quería darle las gracias por haberme atendido por teléfono.

—No te preocupes. Aquí los días se hacen muy largos, dan para mucho.

Era una mujer llena de energía, sin remilgos. El marido rondaba por allí como un fantasma gris.

—Mira, he encontrado un par de cosas que aquella familia se dejó aquí cuando ocupamos la casa.

Se levantó sin pereza, al principio cojeó un minuto y luego casi volaba entre los muebles.

Volvió con una caja roja hecha con escamas de papel maché. Se notaba la mano de un niño en el acabado. Al abrirla ponía «para mi mamá».

—Me daba no sé qué tirarla. Si quieres, llévatela y cuando la veas se la das. Le hará ilusión. Las cosas de la infancia siempre gustan.

—¿Recuerda a qué nombre venían las cartas?

—¡Uf! Hace mucho tiempo y creo que casi todas eran del colegio, dirigidas a los padres de Laura. El apellido era...

—¿Valero, quizá?

—Sí, algo así.

—¿Y nunca mencionaron dónde vivían?

Negó con la cabeza.

—Por el centro. Recuerdo que la abuela hablaba de lo difícil que era salir del centro de Madrid con el coche.

—Me parece que la madre de la niña tenía nombre de actriz antigua... —dije.

—Eran visitas muy rápidas, la verdad.

También salí contenta de allí con la caja roja en la mano, hecha quizá por mi hermana Laura o quizá por otro niño cualquiera, quién sabe. Con el pretexto de que era muy bonito di una vuelta por el jardín, donde podría haber jugado Laura, y miré si en algún tronco había grabado un nombre. No me extrañaba que mi padre no quisiera entrar en este juego de la esperanza, era enfermizo, y era fácil y angustioso imaginar a mi madre yendo, como yo ahora, de ilusión en ilusión y de desilusión en desilusión.

Colocaría la caja en mi cuarto. Ya era tarde. Tuve que esperar al cercanías más de media hora y entre pitos y flautas se habían hecho casi las nueve. Gracias a Dios no había llamadas en el contestador, lo que quería decir que en el hospital las cosas seguían igual. Sobre la mesa de la cocina llamaban la atención dos vasos con restos de vino. Se apreciaba movimiento de sillas y alguien había llevado hasta una esquina de la mesa un cenicero del salón. En la cocina nunca había cenicero para no mezclar el humo de los cigarrillos con la comida. En el cenicero se sostenía sin romperse la ceniza de un pitillo. Se me revolvió el estómago al sospechar que Ana había estado allí, aunque por lo menos también había estado mi padre y no habría podido dedicarse a registrar. Habían estado bebiendo, mi padre se volvía idiota con Ana, aunque seguramente a mi madre no le habría importado porque lo que hacía su amiga le parecía bien.

Tiré la ceniza y limpié los vasos.

En la mesa de caoba del salón había una nota con la letra de mi padre. Voy a dar una vuelta con Ana, no me esperes para cenar. Y de pronto sentí un impulso y fui al dormitorio. Abrí el armario y comprobé que se había puesto la chaqueta más bonita que tenía, una de mezcla de pana y terciopelo azul oscuro que le favorecía mucho. Mi madre se la había regalado el día de su cumpleaños y la guardaba para las ocasiones especiales. Me desmoronó pensar en mi padre con esa chaqueta y en la mano de doscientos años de mi madre. La vida era una mierda hecha de pequeñas mierdas que quería echar de mi cabeza.

Menos mal que hubo una llamada de Ángel y me tranquilicé. Su presencia apagaba cualquier fuego. Parecía que había venido a este mundo a observar y comprender a los terrícolas para llevarse un informe a su planeta hecho sin prejuicios ni malentendidos. ¿Cómo se podía ser así? Lo admiraba profundamente. No se parecía a nadie.

No le dio importancia a lo de Ana. Dijo que era mejor que papá se divirtiera porque así dormiría mejor y en el taxi no tendría distracciones. Por supuesto él no sabía lo de la foto, lo de Laura, no sabía que la manera de comportarse de nuestra madre no era fruto de su carácter sino de una amargura. Y tenía que morderme la lengua para no decirle nada porque estaba segura de que estos problemas y detalles malolientes que se pudrían en mi mente él sabría cómo encajarlos en el alma humana en general y en mi corazón en particular.

—¿Te habría gustado alguna vez tener un perro de esos marrones con el pelo brillante? —le pregunté.

Mi padre, como siempre, se levantó de madrugada. Oía la cafetera a lo lejos y el ruido del grifo del cuarto de baño. Cuando calculé que ya se habría vestido y estaría desayunando, fui a la cocina.

Le pregunté por Ana, y fue breve, huidizo, no esperaba verme tan temprano ni darme explicaciones.

—Vino a hacernos la cena y como no llegabas fuimos a dar una vuelta.

No tuve valor para decirle que cuando me acosté aún no había regresado. ¿Cómo podía preguntarle a mi padre si estaba liado con Ana? ¿Cómo podía pensar algo tan perverso? ¿Con qué derecho iba a volcar en mi padre lo más podrido de mis pensamientos?

—Ana me invitó a una copa y luego estuve tomando el aire por ahí solo, me crucé el parque dos veces. Betty y Ana hicieron algunos viajes juntas. Es increíble que tengan unas vidas tan distintas. Si no me hubiese cruzado en su camino, si no nos hubiésemos casado, viviría de otra manera y no estaría en el hospital.

—Si mamá fuese Ana yo no existiría, ni Ángel, ni… Laura.

—No empecemos —dijo—. Trataré de pasar la tarde en el hospital y de que tu madre no me salga con lo de la universidad, me cuesta mucho mantener esa mentira.

Cómo me alegré de no haberle dicho a mi padre ninguna burrada. Quería a mi madre y nos quería a nosotros, y Ana era un eslabón perdido en nuestras vidas. Ya no volví a acostarme. Me puse las mallas, los cascos y me fui a correr por el parque.

Vi salir el sol entre los árboles y a los primeros niños yendo al colegio, y no pude refrenar una alegría que estaba fuera de mí y que me dominaba, que no podía dejar de sentir como no podía evitar en la cara los rayos que bajaban del cielo. El cielo azul. ¿Cómo se le podría explicar a alguien que no lo haya visto nunca? No me cansaba y di varias vueltas más. Pasé por los enramados de lilas, por los columpios de los niños donde mi madre se había pasado las horas muertas mirándonos y vigilándonos. Casi nunca nos había dejado al cuidado de nadie como hacían otras madres, que se turnaban para estar más libres. Siempre decía que a nadie le iban a importar sus hijos más que a ella. Ahora entendía por qué le había obsesionado tanto nuestra seguridad. Olía a tierra mojada y a verde.

Mientras me duchaba me pareció oír el teléfono y saqué la cabeza por la cortina de plástico. Enseguida pensé en el hospital y salté corriendo de la bañera, dejando pisadas de agua por todo el pasillo y el salón, escurriéndome. El pelo me chorreaba por la espalda. Era el doctor Montalvo para preguntarme por mi madre y sentí un enorme alivio: significaba que a mi madre no le había ocurrido nada fuera de lo normal y que por tanto la vida no iba a peor. Luego me preguntó si ya se me habían quitado esas tonterías de la cabeza, porque no quería por nada del mundo que cayese en la misma enfermedad que Betty. La obsesión es un caracol, volvió a decir como el primer día, y si no se cura puede que nunca encuentres la salida, dijo preocupado de verdad. Y yo le dije que no estaba segura de que fuese solamente una obsesión y que cuando tuviese suficientes pruebas de que mi hermana seguía viva iría a verle. Sentí un escalofrío. Él dijo ¡uhm! y colgó.

No me quedé satisfecha con la conversación o, mejor dicho, me quedé intranquila. ¿Estaría volviéndome loca? Quizá fuese hereditario, una anomalía de familia, y él la estuviese detectando. El doctor Montalvo podría conocerme ya mejor que yo misma. Era el primer psiquiatra con quien hablaba y no tenía la menor idea de que se preocuparan tanto por los pacientes o quizá sólo por los que estaban en peligro. Me metí de nuevo en la ducha para calentarme. Notaba las piernas duras después de la carrera y me propuse no dejar de correr todos los días pasara lo que pasara porque tenía que estar fuerte y preparada para cualquier cosa. Todos me necesitaban, incluido mi padre.

Aunque los días pasaban rápido, cuando no se me ocurría cómo continuar buscando a Laura parecía que el planeta se paralizaba, la vida se paralizaba en mi pobre madre. Así que tenía que seguir adelante fuese como fuese, dando palos de ciego la mayoría de las veces. Por eso, sin una cita, ni una idea determinada de lo que le diría, me encaminé a ver al detective. Eran las once de la mañana y llevaba uno de los maletines con lo esencial para hacer tres visitas, que aun así pesaba como un demonio. Sabía que Martunis, de poder verle por fin, no me pondría buena cara porque no le había contratado, pero tenía la esperanza de que se le escapase alguna orientación, algún consejo. Sobre todo, necesitaba hablar con alguien que me comprendiera, al que no tuviese que contarle toda la historia, que no se sorprendiera, que no pensara que era un cuento chino, alguien que supiera por experiencia que hay gente capaz de todo en esta vida. A la ayudante de Martunis no le parecía absurdo que le hubiesen robado la niña a mi madre. Estaba acostumbrada a todo tipo de cosas raras y a que lo más increíble fuese normal.

Nada más entrar, me topé con ella, con sus manos grandes y su cabellera nerviosa. Acababa de llegar de la calle y soltó el bolso sobre la silla con ruedas al otro lado de la mesa. Sonó como si llevase chatarra dentro. Se sentó con un muslo sobre la mesa, en la tela vaquera se marcaron músculos alargados y otros más redondos. Con un giro de la cabeza, la melena se desplomó sobre su pecho izquierdo. Llevaba un suéter negro de cuello cisne completamente pegado a la piel. A su lado me sentía segura, mucho más que con mi padre, que era un hombre alto y fuerte. Ella era como los cirujanos, como los psiquiatras, como los astrónomos, que ven cosas que la gente normal no ve en su día a día.

—¿Has hecho algún avance? —dijo usando tono de profesora.

—No lo sé, por eso quería hablar con el señor Martunis.

Se puso de rodillas en la mesa y alargó el cuello por encima del panel. Me habría pasado todo el día observándola. Desde los pantalones absolutamente ajustados y los tacones como mondadientes a la espalda recta y prieta. Al levantar la cabeza, una cascada de cabello vino hacia mí.

—No sé cuándo vendrá —dijo dejándose caer en su asiento desde la mesa y arrancando a escribir a toda velocidad en el ordenador como si las teclas pensaran por sí solas.

—¿Sabes disparar? —le pregunté sorprendida de lo que estaba diciendo.

Levantó la vista un poco y su respuesta me dejó desconcertada.

—No creas todo lo que te cuentan.

Iba a decirle que nadie me contaba nada y que ése era el problema.

—Estás sola en esto, ¿verdad? Ten cuidado, no confíes en nadie, no sabes qué tipo de gente vas a encontrarte en el camino. La gente que ha hecho algo que no debería haber hecho y que puede ser descubierta lleva ventaja.

—Cuando era pequeña mi madre me repetía muchas veces que no confiara en nadie —dije dejándome caer en el silloncito que había ante su mesa.

—¿Y por qué crees que te lo decía?

—En aquel momento pensaba que eran aprensiones de persona mayor. Ahora creo que me lo decía por lo de mi…, por Laura. Si es verdad que le robaron una hija es que no se debe confiar en nadie.

—No puedes imaginarte todo lo que he visto sentada en esta silla —dijo quitándose el pendiente de la oreja derecha. Un grueso aro dorado que le debía molestar para hablar por teléfono—. La gente es capaz de cualquier cosa primero por dinero, después por odio y finalmente por amor, pero a veces aunque creamos que desconfiamos mucho no desconfiamos lo suficiente. En las pocas ocasiones en que tu madre vino por aquí me pareció una mujer con una herida muy grande y también algo ingenua. En el fondo le daba miedo la crueldad. Había descubierto que existía, pero no dónde estaba.

Con sinceridad, me habría gustado que me abrazara y que me dijera que ella se ocuparía de todo, de lo que yo no sabía hacer, de lo que mi madre no pudo hacer, de lo que le hicieron a ella, de unir los flecos sueltos de nuestras vidas, de que el planeta funcionara bien. En alguna parte deben de existir personas que lo arreglan todo.

—¿Y qué hago yo?

—Tú no eres tu madre. A ti no te ciega la pasión.

—Me gustaría enseñarle a Martunis la información que voy reuniendo, quizá él me diga cómo atajar y llegar antes a la verdad.

—Ay, la verdad, la verdad —dijo poniéndose el teléfono en la oreja sin pendiente—. Ya verás como llega un momento en que las piezas empiezan a encajar por sí solas, sin que fuerces las cosas. El agua siempre encuentra una salida por microscópica que sea. Cuantos más datos tengas, mejor, porque llegará un momento en que cada uno buscará su sitio y lo encontrará. Es lo que hacemos aquí, dejar que los detalles ocupen el lugar que les corresponde y que el agua nos conduzca al agujero. Piensas demasiado. Le diré que has venido.

Fue tiempo perdido. No había sacado nada en claro: María se había limitado a apartarme muy educadamente del camino de su jefe. ¿Por qué no les entregaba parte del millón de pesetas y dejaba que los profesionales se encargaran de encontrar a Laura? Me extrañaba que mi madre hubiese cortado con el detective teniendo tanto dinero ahorrado, lo que significaba que quería destinarlo a otra cosa.

Callajeé un rato, camino del metro. En el barrio, aún quedaban pequeños comercios que le daban un aire familiar, una carnicería, una frutería y una papelería. En el escaparate había unas plumas muy bonitas. Recordé una tarde, a los nueve años, en que, al salir del colegio, mi padre y yo le compramos a mi madre una postal que cuando se abría salía de dentro un ramo de rosas muy perfumado. Y luego, la de la papelería, siempre que entraba a comprar algo me preguntaba por mi padre.

No me metí en el metro, seguí andando hasta un bar y me dejé caer en una silla de madera maciza que se me clavaba en la espalda, pero que me permitía descansar del maletín. Con el café con leche añadieron unas pastas. Yo era su única clientela. Cada cinco minutos un camarero me preguntaba si quería algo más. Enfrente había una pequeña plaza con árboles y unos pedales junto a los bancos para hacer ejercicio. Dos ancianos pedaleaban, y los pájaros salían de las ramas de los árboles como si el aire, en un segundo, arrancara miles de hojas. No sabía qué hacer. Quizá estaba buscando a mi hermana fantasma para olvidarme del problema real: la vida de mi madre pendiente de un hilo. Y lo más monstruoso de todo era que yo podía disfrutar de la vida, y los ancianos que estaban pedaleando, también. Eso era lo más extraño de todo. Una señora entró canturreando con el carrito de la compra. La vida podía llegar a ser maravillosa.

Noté la presencia del camarero ante mí. ¿Por qué iba a ser Ana, la única persona que había conocido que había estado en Tailandia, la que cogiese la foto de Laura de la cartera de piel de cocodrilo?

—¿Quiere algo más? ¿Se encuentra bien?

Podría haber sido mi padre. Estaba harto de que alguien que no existía nos amargase la vida. Le echaría la culpa a la pobre Laura de que mi madre hubiese enfermado. Culpar a alguien de lo que nos ocurría era un alivio, y mi padre pensaría que parte de esa culpa la tenía la foto de las narices. Por eso él no dudaba de Ana.

Me pedí otro café. El trabajo que había estado haciendo el cerebro durante aquel rato me había dejado rendida. Por un instante el camarero debió de pensar que era una yonqui o una tía rara. Me había puesto el maletín entre las piernas, apoyado en el suelo, como me había aconsejado mi madre. Cuando vayas en el metro, cuando te tomes un café, cuando te pares a hablar con alguien, no pierdas el contacto con el maletín porque si te lo roban, te roban medio millón de pesetas. Así que para el camarero estaba somnolienta, un poco ida y sujetaba un maletín entre las piernas. Aunque no parecía peligrosa, le extrañaba. Estaba deseando que me largara de allí.

Pagué y fui a ver a tres clientes que ya me conocían y para los que me había vestido de punta en blanco. Despaché lecitina de soja, perlas de onagra, una crema de oro y varios tarros que pesaban un huevo. Me comí un sándwich en la habitación de mi madre. Le dije que hoy no había tenido clase y que la encontraba mejor, pero no era verdad. Estaba consumida.

—Tu padre está más delgado.

Le dije que no se preocupara, que comía bien.

—Ahora tú eres la que importa —dije—. No importa nadie más. Todos los demás —y aquí englobaba también a Laura aunque ella no lo supiese— estamos bien.

Me miró con unos ojos extraordinariamente agrandados por la delgadez.

—¿Tú crees?

—Estoy segura. El hecho de que no veas a cada segundo que estamos bien no quiere decir que no lo estemos.

Lo dije con total convicción, intentando que esta frase fuese como una inyección que llegase hasta el centro de su obsesión por Laura. Quería que comprendiera que Laura también estaba bien.

—Sí —dijo—, quizá es culpa mía. Mis ganas de controlar, de saber. —Pareció relajarse—. Cuánta razón tienes, la vida sigue su curso y no soy yo quien la hace funcionar. Nunca se sabe lo que es mejor para una persona. Tu padre tampoco tiene la culpa de que yo no lo sepa todo.

Asentí y le recoloqué las sábanas. Mi madre empezaba a pensar que quizá su hija fantasma tuviese una buena vida fuera de nosotros.

—Quién sabe —dijo.

No podemos sentirnos responsables de lo que no está en nuestra mano hacer. Se hace lo que se puede, dije también para mí misma.

Saqué una de las cremas del maletín y le di un masaje en la cara con ella. Apenas tenía piel sobre los huesos.

—¿Es la de diamante?

Se la dejé en el pequeño cajón de la mesilla.

—La vendo como churros.

Sonrió. Estaba orgullosa de mí. Continuó sonriendo hasta que salí por la puerta, no sé si después continuaría sonriendo un poco más.

Era terrible, pero iba acostumbrándome a estas idas y venidas, a mi nueva vida, a la casa sin mi madre. No era feliz, pero sobrevivía y me daba cuenta de que no podría salir de esta prisión hasta que me sintiera en paz. Así que cuando el domingo por la mañana llamaron a la puerta y era Mateo no me desmayé.

Mi padre acababa de desayunar y se marchaba al hospital. Era el segundo fin de semana que hacía esta misma rutina. En el quiosco del hospital compraría la prensa y unas revistas y pasaría el día leyéndolas con su mujer. Si él estaba allí yo me sentía tranquila y me olvidaba por un rato de todo. Mientras ponía la lavadora planeaba ir a correr al parque, hacerme unos quince kilómetros o más, hasta que las piernas se me doblaran. Entonces sonó el timbre. Mi padre se estaba guardando la cartera en el pantalón cuando abrió la puerta. Me quedé paralizada en el cuarto de la lavadora al oír aquella voz, que me disparó un millón de sensaciones. Me eché un vistazo mentalmente. Llevaba unos pantalones cortos y una camiseta, una coleta hecha sin mirar. Oí los pasos de mi padre.

—Dice que es un amigo, un tal…

—Ya sé quién es. Dile que espere en el salón.

Cuando mi padre salió, cerré la puerta de la cocina, por la que Mateo tendría que pasar irremediablemente para llegar al llamado salón, donde todo estaría tirado. Me parecía muy atrevido que se presentara así en mi casa, sin más. ¿Acaso había ido yo a la suya? Ni siquiera sabía dónde vivía. Me arreglé el pelo como pude, mirándome en una bandeja de aluminio, y me cambié la camiseta por otra del cesto de la ropa limpia. Me lavé la cara. ¿Y para qué me tomaba tantas molestias?

Al entrar en el salón vi que estaba mirando la colección de clásicos de las estanterías. Iba con su atuendo de siempre, la camiseta negra y la gabardina recuerdo de su padre en la mano para ir en la moto.

—Hola —dije.

Cuando se volvió me dieron ganas de sonreír, de ablandarme. Me alegraba verle, pero me contuve. Desde que vendía los cosméticos y productos dietéticos, sabía que no es bueno dejarse llevar y que no hay que perder de vista los objetivos por muy bien que caigan los clientes.

—¿Ése era tu padre? —dijo admirado, como todo el que lo veía por primera vez—. ¿Y tu madre?

—No está en este momento.

Se aproximó a mí y me cogió la cara con las manos. Sentí el frío del anillo. Me besó. Cerré los ojos para simular que era de noche como la primera vez, pero, aunque se cierren los ojos, siempre entra un poco de claridad por los párpados. No fue igual, estábamos en mi casa y no podía no pensar en nada.

—Me extraña que hayas venido. No sé qué decirte —dije mientras se me iba enfriando la saliva que me había dejado en los labios.

—Necesitaba verte. Pensé llamarte, pero de pronto me monté en la moto y aquí estoy. ¿Quieres que demos una vuelta por ahí?

—Está bien. Voy a cambiarme, y no me sigas, por favor.

No habría soportado verle en mi cuarto, aunque en el fondo me hubiera gustado meterme en la cama con él.

Fuimos en la moto hasta la Casa de Campo y paramos junto al lago. Era una mañana gris con posibilidad de lluvia. No había mucha gente. Las piraguas se deslizaban a toda velocidad con hombres dentro que parecía que sólo tenían tronco, y las carpas de los restaurantes tenían un aire decadente como de fuera de temporada. La cercanía de Mateo, su olor, me hacían inmensamente feliz. En este momento la vida era y no era maravillosa.

Nos sentamos lo más cerca posible del agua, en unas piedras. La Estaca le había contado que yo había ido por el local hacía unos días.

—He estado muy enfermo, con bronquitis aguda. Creo que la pillé cuando te traje a casa sin gabardina.

Le dije lo que me había contado la Princesa.

—Os vais a ir a vivir a una caravana.

Dijo que tenía mucha imaginación y que antes de conocerme quizá lo habría hecho, pero que ahora todo era distinto.

—Patricia es una manipuladora —dijo irritado—, casi me fastidia lo mejor que me ha pasado últimamente.

—Pero ¿y el niño? Me dijo que está embarazada.

—No te creas nada. Es capaz de cualquier cosa por retenerme. Estoy harto.

Me atrajo hacia sí y nos besamos. Ya era como aquella noche en aquella plazoleta. Era como si fuésemos sellando lugar tras lugar. Su lengua, sus labios, sus manos en mí. Demasiado maravilloso.

—¿Cómo puede decir algo así si no es verdad?

—Es una fantasiosa. Lleva un siglo con eso de la caravana. ¿Dónde vamos a instalar una caravana? Quiero que estemos juntos todo el día, hoy no tengo ensayo.

—Podemos comer por aquí si quieres y caminamos un poco. Después podríamos ir al cine.

Desde allí se veían los lejanos edificios de la plaza de España como fósiles.

—¿Por qué no vamos a tu casa, a tu habitación? —dijo enredando su cabeza con la mía, su pelo con el mío.

—Está mi hermano —dije pensando que Ángel estaba cada vez más instalado en Alicante.

—Podemos echar el cerrojo.

Me levanté. La piedra se me había clavado en el culo.

—Me gustaría, me gustaría mucho estar contigo pero no hay cerrojo en mi cuarto.

—Es por Patricia.

Le dije que no, pero acabamos discutiendo. Le pedí que me dejara en casa. Empezaba a lloviznar.

Me arrepentí de no haber llevado a Mateo a mi cama en cuanto le vi poner la moto en marcha y se subía las solapas de la gabardina. Empezaba a lloviznar y ya no se le veía. Me arrepentí durante las dos vueltas que di corriendo por el parque y mientras abría la verja y la puerta de la casa y sacaba la ropa de la lavadora y la tendía. ¿Por qué no? ¿Por qué no me había dejado a mí misma disfrutar de este momento?

No pude dejar de echar de menos lo inmensamente feliz que habría sido con Mateo, el chico que más me había gustado desde la guardería.

No sabía cómo consumir la rabia que sentía hacia mí misma y me puse a guisar; así tendríamos buena comida toda la semana. Sólo habría que descongelar o destapar los tupperware. Albóndigas en salsa, macarrones al horno. Fui al supermercado a buscar lo necesario para hacer un bacalao con pasas, verdura hervida, guisado de carne, croquetas. Cuando ya estuve cansada no estaba lo suficientemente cansada y ordené los productos de los maletines. Hice las cuentas concienzudamente y las pasé a limpio. Organicé mi armario como nunca jamás lo había estado en toda la existencia de este armario, y como no llegaba a estar tan agotada que pudiera descansar tumbada en el sofá, me duché y me vestí como la vez que conocí a Mateo en el metro, y emprendí el camino que llevaba al local de ensayo.

Lo había pensado mejor, ahora sí quería estar con él. Si ya no podía ser en mi cuarto, buscaríamos otro sitio; el suyo por ejemplo.

Llegué a la nave sobre las once. Se me había olvidado

cenar y en lugar de fatigada por todo el trabajo que había estado haciendo me sentía ligera, como si volara entre la gente de la puerta y entre las sombras de dentro. La música sonaba y siempre parecía la misma canción. La Estaca me trajo una cerveza. Te he visto afuera, dijo. Yo no miré a nadie para no sentirme mirada. Me habría gustado ser invisible para todos menos para Mateo. Le pregunté que cuándo terminaría de tocar Mateo.

—Me ha dicho que le esperes.

—¿De veras?

Me sorprendía que ya hubiesen hablado de mí. La cerveza estaba revolviéndome el estómago.

—Dile que le espero fuera.

Me alejé del fuerte olor a canuto de la entrada. Estaba a segundos de vomitar. A varios metros de allí el fresco de la noche me sentó bien. Busqué la moto de Mateo y me senté. Apoyé los brazos en los mandos y la cabeza encima. Había muchas cosas en mi cabeza y nada en el estómago. Estaba mi madre, las estrellas, Mateo, la princesa embarazada, mi padre, la carrera que no estaba haciendo y los profesores que no tenía, la Vampiresa con el morado en el hombro y su lujosa vida, todo estaba, el que menos me preocupaba era Ángel. Y estaba Laura, el centro del universo. Estaba la luna entre ráfagas de humo.

Noté una mano en el hombro.

—Hola —dijo la princesa de oro.

No me bajé de la moto. Estaba harta de ella y de sus lloriqueos, de sus manipulaciones. Era ese tipo de chica que parece que tiene más derecho que los demás a quedarse con lo que le gusta.

—Estoy esperando a Mateo.

—Ya lo sé y ya no me importa. Ya no nos vamos a la caravana.

—¿Y eso?

—Quiere vivir en una casa normal.

Me quedé absorta en el fondo de sus ojos azules. Había peces y castillos, barcos perdidos, coral.

—¿En qué casa normal?

—En una que nos regalan mis padres a cincuenta kilómetros de aquí. Podremos tener perros y un caballo.

—¿Saben lo del niño?

—Están entusiasmados, pero yo no estoy segura de querer tenerlo.

—¿Por qué? En esa casa será muy feliz.

—Ya veremos —dijo.

Me acomodé más en el sillín, no pensaba volverme atrás.

—Mateo acabará haciéndote daño, créeme. —Puso una bota en el guardabarros—. Puede llegar a ser muy egoísta.

Iba a decirle que hoy mismo había ido a buscarme a casa, pero logré no entrar en su juego.

—No me lo parece —dije.

—¿No te lo parece? —Sonrió—. No te lo parece. Eres una cría aunque tengas ese aspecto de tía mayor.

Siempre había parecido mayor de lo que era, en los últimos cursos de colegio la gente me imaginaba en el instituto, y en el instituto creían que ya estaba en la universidad. Ahora podría tener hijos y casi treinta años. Sin embargo ella aparentaba muchos menos años de los que tenía debajo del azul de los ojos y de la piel transparente. No era ingenua, no era tierna como un corderillo.

—Creo que es egoísta contigo, no conmigo. Creo que no te quiere.

Nunca, jamás, me habría creído capaz de soltar una cosa así.

—Ni a ti tampoco —dijo dolida, quitando el pie de la moto.

¿A qué se dedicaría aparte de perseguir a Mateo? ¿Estudiaría?

—¿Tú también te dedicas a la música? —pregunté realmente interesada.

Negó con la cabeza. Los suaves flecos de la cresta se movieron como la hierba en el campo.

—¿Qué estudias?

Se alejó. Y cuando iba a preguntarle si trabajaba en algo ya no estaba allí. Se marchó dando largas zancadas, que era la forma que tenía de romper su elegancia natural. Empecé a sospechar que quizá no hiciese nada, que su cometido fuese estar enamorada de Mateo y, por lo tanto, dedicaría todas sus fuerzas a este empeño y yo nunca podría competir con ella. Y mientras esperaba a Mateo empecé a sentirme más y más ridícula y me entró un gran cansancio. Lo único que me animaba era que él había ido antes a buscarme y que tenía muchas ganas de verle.

Cuando bajé del sillín para salir corriendo de allí, apareció moviéndose deprisa hacia mí. En la oscuridad me gustaba infinitamente más. En la oscuridad era todo lo que yo quería.

No me dio tiempo de hablar.

—¡Vámonos! —dijo poniendo en marcha la moto.

Me abracé a su espalda. Había hecho bien en venir. Si no me hubiese decidido, ahora no tendría esto.

No pensaba en nada. No íbamos camino de mi casa y no tenía por qué preocuparme. Paramos junto a un portal con la puerta de barrotes de aluminio. No había ascensor y subimos tres pisos en silencio y respirando cada vez más fuerte. Mateo tosió, fumaba mucha hierba.

—Es el piso de un amigo, del largo que siempre está en la puerta.

Procuré no pensar en el largo, para mí la Estaca, ni en que le había dejado el piso. Procuré no fijarme en las sábanas. Me concentré en Mateo, y preferí verle desnudo por primera vez en la oscuridad y que hiciésemos el amor por la noche, en una casa desconocida y en una cama que en lo sucesivo sólo vería en mi memoria. Era como si no estuviera ocurriendo, como todo lo que gusta y que parece un sueño. Aunque estuviese encendida la luz, no era como por la mañana, era un deseo que se cumplía. Preferí marcharme a casa en taxi, y Mateo tampoco insistió en acompañarme.

Durante el trayecto, mientras las sombras de la noche acariciaban mi viaje, no podía dejar de mirar el anillo que Mateo había sacado del bolsillo de la gabardina. Por lo visto había ido a casa con la intención de dármelo, pero luego con la discusión se le quitaron las ganas. Era una copia de la cobra que llevaba él. Y como me estaba un poco holgado me lo coloqué en el dedo corazón.

Echaba de menos a Mateo, sobre todo cuando iba a ver a mi madre. Cuando estaba con ella se me olvidaba, pero a la salida me volvía a la cabeza. Él era la vida maravillosa. Hacía ya una semana que no lo veía y no sabía nada de él, y cuando me tentaba la idea de acercarme por el local comprendía que no debía hacerlo porque este deseo estaba cumplido y no debía forzar nada. Si la vida quería que nos encontrásemos nos encontraríamos. Deseaba que por una vez el destino se ocupase un poco de mí y no yo siempre del destino. Del mismo modo que me había concedido una hermana fantasma, podía concederme a Mateo, aunque sabía, de alguna manera sabía, que Mateo no sobreviviría en mis otras vidas, fuesen cuales fuesen esas vidas que ahora no podía tener.

18

Laura,
París te llama

Sentía nostalgia de aquel invierno en que, como si fuese
la cosa más normal del mundo, me compré un billete de
avión a París con dinero que había ido ahorrando de lo
que me daba Lilí por atender la zapatería. Era poco,
pero yo no era una empleada, era la futura dueña del negocio y sería absurdo quitarme el dinero a mí misma.
Tampoco tenía muchos gastos. Algún cine, algún restaurante, alguna discoteca; la ropa me la costeaba Lilí y
no reparaba en gastos porque quería que su nieta fuese
bien vestida tanto dentro como fuera de la tienda. Los
zapatos y los complementos los cogía de allí y el resto de
la ropa la elegíamos mi abuela y yo cuando salíamos de
compras. A mamá le tiraba lo hippy, lo oriental, lo étni-
co, lo diferente, y no nos acompañaba.

En el aeropuerto me esperaba Pascual. Había pedido
permiso en el laboratorio para ir a recogerme y tardamos
en llegar a su apartamento dos horas porque estaba en
un barrio de las afueras, Montreuil. Quizá quedaba algo
lejos del centro, pero el metro era rápido y la ciudad maravillosa. Me gustaba mucho cómo Pascual hablaba
francés con la gente y me gustaba vernos sentados en una
de esas terrazas bohemias de Le Marais. Imaginaba que
salía de mi propio cuerpo para quedarme contemplando a esa pareja de novios. Él mayor que ella, veintiocho,
con abrigo de paño azul marino y una enorme bufanda

enrollada con cuatro vueltas alrededor del cuello o que dejaba que le cayera hasta los pies. Melena muy negra y barba como intentando ser ya un viejo sabio, hablaba con entusiasmo de la vida y de su trabajo mientras se liaba un cigarrillo. Ella se encontraba muy bien, recostada en él y con la cara hundida en la bufanda, aspirando el olor a lavanda de la colonia que siempre usaba Pascual. Él, una vez liado el cigarrillo, la cogía por los hombros con el brazo izquierdo, y con la mano derecha llevaba y traía el pitillo de los labios dando largas caladas.

Lo conocí en la fiesta de cumpleaños de una amiga del colegio. Era hermano de su novio, y mi amiga me dijo que en cuanto nos vio juntos supo que nos entenderíamos de maravilla. Lo que quería decir era que yo apenas había salido con chicos y él tampoco con chicas. Yo porque siempre estaba con Lilí y él porque era muy tímido y porque lo que más le preocupaba era su futuro. Enseguida empezamos a salir. Iba a buscarme a la tienda o yo iba a buscarle a la facultad, hasta que a él le concedieron la beca en el Instituto Pasteur. Estaba muy orgullosa de todo lo que hacía Pascual y de tener un novio científico y no un pelanas. Ni Lilí ni mamá me decían nada, pero cuando se marchó creo que Lilí se alegró. Me dijo que yo también tenía que labrarme un porvenir.

Pero en París todo era distinto. Me sentía completamente libre. Apenas me acordaba de la tienda ni de mi familia, y cuando me acordaba sentía remordimientos por haberlas olvidado tan rápido, me veía como un monstruo sin sentimientos, un monstruo feliz. No me importaban los interminables trayectos, ni que el apartamento fuese tan pequeño y oscuro, porque todo ocurría dentro de una aventura, mi aventura. Ni siquiera me daba cuenta de que vivíamos con lo mínimo. Los amigos de Pascual se ofrecieron a buscarme clases de ballet y yo empecé a proponerme como profesora en los centros culturales del barrio. Me asombraba lo fácil que era dejar algo atrás, lo fácil que sería quedarme a vivir aquí y no regresar jamás. Y empezaba ya a pensar cómo comunicarles a Lilí y a mamá que me quedaría una temporada para aprender francés cuando recibí una llamada que truncó el proyecto más fantástico de toda mi vida.

Era mamá para decirme que tenía que regresar porque Lilí se había caído. Le habían fallado las rodillas y estaba en el hospital. Mamá no podía atender la tienda y cuidar a Lilí, no podía con todo y me dijo que regresara urgentemente. No me lo pidió, me lo ordenó; no había alternativa.

Cuando Pascual llegó a casa aquella noche me vio haciendo la maleta. Un amigo suyo me había encontrado clases de dos horas tres días a la semana en el centro y esto sólo era el principio. No quise escuchar más, no quería imaginarme mi maravillosa vida en París, la caída de Lilí me había dejado sin aventura.

En sólo dos días estaba de vuelta en Madrid. Mi abuela ya había salido del hospital y me esperaba postrada en una silla de ruedas. Me recibió llorando. Las lágrimas le caían por su blanca cara, por su redonda cara. Yo no tenía ganas de llorar. Era un soldado que iba a cumplir con mi obligación. Los veinte días pasados en París fueron toda una vida que podría haber vivido.

Volví a hacerme cargo de la tienda, y mamá a los pocos días se marchó de viaje. Dijo que no podía más, que tenía que desconectar. Yo era joven, tenía más fuerza, lo comprendía, no podía hacer otra cosa, no podía ser tan irresponsable como ella.

19

Verónica
lo descubre

Me levanté atontada. Me puse el café e hice mecánicamente lo que hacía por las mañanas. Mi padre se había marchado a trabajar con el taxi a las siete. Yo también me desperté a esa hora, pero cerré los ojos sin moverme y dejé que la cabeza pensara como si estuviera separada del cuerpo y de mi espíritu. Desde que María, la ayudante del detective Martunis, me dijo que un día las piezas encajarían solas y que yo sólo tenía que ocuparme de reunirlas, me despertaba con la ilusión de ver a la Laura de diecinueve años con claridad, su casa, su familia. Lástima que aún me faltaran piezas. Pero ¿y si yo no era tan inteligente como María daba por supuesto?, ¿y si las piezas no pudiesen combinarse correctamente en mi cerebro de chorlito? ¿Y cuáles eran esas piezas? Por lo menos ya había conocido a gente que había visto a Laura físicamente cuando era niña. Sabía que tenía una abuela, a la que llamaban doña Lilí, y una madre con nombre de actriz, y yo había tenido su foto en las manos. La foto. La foto era una pieza clave aunque por ella no sería capaz de reconocer a la Laura de ahora. No podría reconocerla por la calle simplemente por haber visto esa foto. Podría ser muy alta y muy gorda o muy delgada y el pelo podría habérsele oscurecido. No tenía nada característico en su cara que la identificara. Sin embargo ella, en caso de encontrarla, sí se reconocería en la foto. Y, sobre todo, era como tener algo de Laura, de su existencia, algo de su realidad.

Ya se había ventilado la casa lo suficiente y cerré las ventanas contra un pelotón de nubes bajas y grises que anunciaban el otoño. Primero las del salón, luego la de la cocina, después las de las habitaciones, la última la de mis padres. Mi padre tenía el detalle de dejar la cama hecha, desde que decidió afrontar la situación volviendo al dormitorio de matrimonio. No la hacía muy bien, pero según la dejaba era como tenía que estar, era el mundo de mis padres y sólo ellos debían tocarlo. El armario estaba entreabierto y fui a cerrarlo. Metí la mano en los bolsillos exteriores e interiores de la chaqueta azul marino de mi padre, la que se ponía en las ocasiones señaladas en el calendario de la cocina. Era un calendario grande que regalaba el banco por Navidad y donde se iban apuntando las citas del médico, del dentista, los vencimientos de las facturas, el día de la revisión del gas y también las salidas con la chaqueta azul: cenas con amigos de mi padre, teatro, algún musical, bodas.

Sin darme cuenta estaba buscando la foto de Laura que un día había desaparecido de la cartera de cocodrilo. Primero sospeché de Ana, pero luego empecé a recelar de mi padre, que, conociéndole, seguro que culpaba al turbio asunto de Laura de lo que le ocurría a su Betty. Seguramente no se atrevería a romper la foto, mi madre no se lo habría perdonado nunca, pero sí podría haberla escondido simbólicamente, podría haberla arrancado simbólicamente del camino de mi madre. Nunca me había atrevido a preguntarme si mi padre no querría a su hija Laura, una hija como yo al fin y al cabo. En su descargo, el hecho de que no había llegado a verla y que realmente creía que estaba muerta y que no quería que aquello que salió mal lo estropease todo. Pero lo había estropeado todo, por eso estaba rebuscando en los bolsillos de sus chaquetas (de la azul elegante había pasado a la marrón normal y a la gris de entretiempo) la foto de una niña que podría ser mi hermana. Las circunstancias no nos habían dejado ser una familia normal cuando no queríamos ser otra cosa. Yo no aspiraba a ser rara como la princesa punki, y mi madre podría haber sido una vendedora auténtica de productos dietéticos y de belleza, y mi padre quizá fuese dueño de una flota de taxis, y Ángel... Hay gente que se empeña en no ser normal y algunos daríamos lo que fuese por serlo. Aunque encontrase a Laura, y Laura fuese mi hermana y mi madre pudiera abrazarla, ya nos habíamos salido de lo normal. ¡Ay, Dios!, no encontraba la foto. Abrí el cajón de la cómoda y saqué las carpetas con documentos de su trabajo. Las abrí con aprensión: no quería que se me cayera al suelo ningún papel. No las examiné a fondo, pero a simple vista tampoco estaba allí. Quizá entre los pañuelos y calcetines. Tampoco. Faltaban por escudriñar otros lugares. No podía registrarlo absolutamente todo. Si la había escondido, sería difícil encontrarla. Así que desistí y decidí examinar una vez más la cartera de piel de cocodrilo. Desdoblé la manta, y allí estaba la cartera como el primer día en que la vi hacía años, la tarde en que empecé a comprender por qué no éramos una familia normal.

Me la llevé a la mesa del comedor. Desde que mi madre estaba en el hospital, a veces, sin darme cuenta, ponía allí la taza con el café y mi padre la lata de cerveza, y me preocupaba mucho cómo podría arreglar los cercos que habíamos dejado en la caoba. Mi madre quería que esta mesa y las sillas a juego fuesen unos de esos muebles buenos que heredan los hijos de los padres.

Desplegué la cartera y la sacudí para que cayera cualquier cosa que hubiera podido quedar escondida entre los pliegues. Nada. Luego la examiné a conciencia. El misterio de la foto de Laura era verdaderamente un misterio. Me sentía como una ciega. No la había visto desaparecer y si estaba en alguna parte tampoco sabía verla, y poco a poco se me iba borrando de la memoria hasta el punto de llegar a dudar de haber visto la cara de Laura alguna vez. Había mirado mil veces debajo de la mesa, del sofá, del aparador. Puede que el viento la llevase hasta el porche. También había mirado debajo de los sillones del porche. Puede que hubiese volado por la ventana. Me marché a la cocina a hacerme otro café y lavé despacio una de las tazas blancas en forma de tubo en las que me gustaba bebérmelo. No sabía por qué me sabía mejor en esa taza, era una manía a la que irían añadiéndose otras, como le pasaba a toda la gente mayor que había conocido. Con la taza en la mano llegué a la mesa del comedor y sin darme cuenta volví a ponerla encima. Otro cerco. Lo limpié rápidamente con la manga de la camiseta y fui a buscar un trapo. Esta vez el desastre no fue total. Sentía mucha angustia pensando en lo que le estábamos haciendo a la mesa de mi madre. Coloqué la taza sobre el trapo. Lo bueno qué delicado es. Tenía la cartera bajo la vista. Quizá podría contarle a Mateo lo que me ocurría y él me ayudaría. Cuatro ojos ven más que dos, él no se lo diría a nadie, ni siquiera conocía a mi madre. Pero entonces yo no tendría un respiro, no tendría otra vida.

El florero era grande, de cristal grueso, y salvo el ramo de dos docenas de rosas que mi padre le regalaba a mi madre en su cumpleaños siempre sostenía uno gigante de flores de tela de todos los colores que alegraba la vista. Pasé el dedo por las letras doradas sobre el forro de seda en una de las solapas de la cartera. Siempre supuse que alguien se la había regalado a mi padre, ni él ni mi madre se habrían gastado el dinero en algo tan caro y que en el fondo no servía para nada. Peletería Valero. Siempre lo veía y nunca me fijaba. La dirección era de Madrid, estaba en la calle Goya. No importaba dónde se hubiese comprado la cartera, lo que importaba era la foto. Pero quizá la foto me había impedido ver otras cosas. Si hacía caso de María, la ayudante de Martunis, lo mejor era encontrar piezas y no pensar tanto, no darles vueltas a las cosas una y otra vez hasta desfigurarlas. Si no me hubiese levantado pensando en María quizá no habría pasado la mano por la etiqueta de la cartera.

Lo malo de mentirle a mi madre con lo de la universidad era que hasta la tarde, cuando se suponía que había terminado las clases, no podía ir por el hospital y que debía procurar contradecirme lo menos posible, lo que me costaba un trabajo increíble, porque es fácil engañar, pero no acordarse de todos los detalles con que se monta una mentira. Los que llegan a creerse sus propias mentiras se equivocan mucho menos. Ya no me acordaba de si le había dicho que tenía examen ni de qué lo tenía. También se suponía que después de verla a ella y en los ratos perdidos, en los huecos entre clases, es cuando vendía los productos. Seguramente no quería darse cuenta de la realidad, de que no podía tener tiempo para todo, de que no conducía y de que sus clientes vivían lejos unos de otros.

Hoy estaba cansada y quería resolver el día con una compra fuerte, así que me aventuré a ir a la casa de la Vampiresa. Echaría en el transporte media mañana, pero merecía la pena. Si se quedaba con el lote de diamante y el lote de oro podría volverme en taxi al centro. De todos modos, algo me decía que las cosas habían cambiado. En el momento en que se quitó la bata de seda, se vistió normal y salió a la calle conmigo fue como si acabase de romper con su mundo.

Llamé al timbre. Junto a la cancela de la entrada estaba ese mosaico con el número catorce que ya me resultaba familiar. Por encima del muro desbordaba la hiedra en manojos que necesitaban una tijera. Un cierto aspecto de dejadez hacía más intenso el silencio. Volví a llamar varias veces y traté de ver algo por los agujeros de la puerta metálica. Hay silencios y silencios, y éste se veía en la piscina, el porche, las ventanas.

—Disculpe, ¿busca a alguien?

Me volví desconcertada. Me habían pillado fisgoneando.

—Tengo una cita con la señora de la casa y no abren…

Era una pareja de unos sesenta años. Él llevaba un mono azul de trabajo, y ella, vaqueros, una sudadera gris y una llave en la mano que metió en la cerradura. Serían empleados de la Vampiresa, él arreglaría el jardín y ella la casa.

—Vengo a traerle un pedido de productos biológicos.

—¡Ah, ya! —dijo ella—. Tiene la casa llena de esos potingues.

—Bueno —dije rehuyendo cualquier discusión—. Si pueden, díganle que he venido y que volveré cuando pueda. Me pilla muy lejos.

—¿No vienes en coche? —dijo el hombre echando un vistazo alrededor.

Negué con la cabeza mientras recogía el maletín.

—Entre ida y vuelta echo la mañana —dije intuyendo que había que tirar por el lado de la pena.

—La verdad es que ella era muy feliz con estas cosas, en el fondo se conformaba con poco.

—¿Era? —pregunté sobresaltada.

—Era, es. No te preocupes, no ha muerto. Sólo que… no sabemos cuándo volverá. No es seguro que puedas venderle nada más —dijo el hombre.

—La última vez me llevó en el Mercedes a hacer unos recados. Es mucho más que una clienta. ¿Está enferma? ¿Dónde puedo localizarla?

La mujer giró la llave y abrió la puerta. Hizo el gesto de que pasara. El panorama era melancólico, de final de época. Hojas secas y verdes sobre las sillas y sobre el agua de la piscina, y ráfagas de tierra en las baldosas rosa carne.

Desde que me dijo adiós por la ventanilla del coche hasta ahora parecía que sobre este jardín habían pasado varios años con todas sus estaciones.

—No sabemos si vamos a cobrar, pero nuestra obligación es arreglar esto un poco.

No nos habíamos movido de la entrada, frente a nosotros la fachada parecía el decorado arrinconado de alguna película.

—A los vecinos no les gusta lo que ha ocurrido. Si vuelve, le darán la espalda —dijo ella avanzando unos pasos por el caminito cubierto de broza. La seguí y me detuve cuando ella lo hizo. Él empezó a examinar las plantas y a romper ramas con sus ásperos dedos.

Era evidente que estaba deseando contar lo que había pasado, así que no pregunté, no declaré mi desaforada curiosidad.

—Está en la cárcel de Alcalá Meco. Una tarde, al volver en el coche, la estaba esperando la policía.

Todo mi cuerpo supo inmediatamente que se trataba del último día que la vi, del día en que me acompañó al colegio y en que ella estaba tan rara. La mujer debió de notar que me ponía pálida y me senté en un banquito recubierto de mosaicos.

—Sí —dijo ella de pie frente a mí—, estamos muy afectados, aunque se veía venir. Esa mujer no tenía freno, nada era suficiente.

Miró hacia las ventanas superiores.

—Por lo visto intentó matarlo, pero sólo lo dejó inconsciente y con una brecha impresionante en la cabeza, y cuando volvió para deshacerse del cuerpo, la estaba esperando la policía. Él está en el hospital bastante grave. No sabemos si están casados, aunque imaginamos que el dueño de la casa es él. Dentro de unos días iremos a verle porque por aquí no han venido ni amigos, ni familia, nadie.

Como despedida iba a regalarle unas muestras de la

línea en polvo de perlas, pero como no me gustó lo que dijo de la Vampiresa no se las di. Sólo las gracias.

Ya no me pedí el taxi, y no me importó. La noticia me había agitado tanto que necesitaba moverme, descargar adrenalina. La Vampiresa era capaz de matar y luego llevarme en coche, poner música, esperarme un rato largo, llorar un poco, mentir sin orden ni concierto, y después regresar a su casa, donde estaría el cadáver del marido o lo que fuese aquel tío que le hacía moratones, y ponerse a pensar cómo deshacerse del cuerpo. Quizá lo había pensado mientras me esperaba en la puerta del colegio. Mientras fumaba bajo el sol de aquella radiante mañana, se le habrían ocurrido unas cuantas maneras de sacar al difunto de la casa. Podría incluso enterrarlo en el jardín. Según dijo la asistenta, no parecía que él tuviese muchos amigos ni familiares. Y por lo menos durante unas horas había disfrutado de una maravillosa sensación de libertad.

Estaba deseando llegar al hospital para contárselo a mi madre, y le di las gracias a la Vampiresa por regalarle este rato de entretenimiento que la sacaría de sus preocupaciones y dolores como me había sacado a mí misma porque durante un momento la historia de la Vampiresa era casi más terrible que la nuestra.

Mi madre me apuntó lo que debía comprar para coserle un asa larga al maletín y llevarlo en bandolera, cruzado sobre el pecho. Así me pesaría menos. Entornó los ojos para decir que estaba loca por salir de allí y seguir con el trabajo. Muchas cosas iban a cambiar a partir de ahora, porque, dijo, no vamos a estar toda la vida hipotecados con el pasado. Le di un beso y abrí el maletín con la línea de oro y la línea de diamante más dos paquetes de algas Nori y varios botes de magnesio. Le conté que no había podido descargar el pedido en casa de la Vampiresa y que había ido a su casa por la mañana porque hoy me tocaban las clases por la tarde. Mi madre buscó un poco asustada los libros por la habitación, no quería por nada del mundo ser consciente de que la engañaba, no quería que yo saliera de su sueño de hija ideal.

—Hoy tocan prácticas. Ni siquiera tengo que tomar apuntes. Es lo más divertido de todo.

Su mirada volvió al estado normal. Estaba dispuesta a hacer la vista gorda siempre que se le ofrecieran las coartadas necesarias.

—¿Y no se ha quedado con los pedidos?

Negué con la cabeza y me senté a su lado en la cama.

—Verás, resulta que cuando llegué a la casa…

¡Increíble!, dijo mi madre. Se incorporó en la cama un poco. Alcalá Meco podía ser incluso peor que el hospital. Matar a alguien era peor que cualquier cosa que uno hiciera en la vida.

—Cuando puedas, acércate a verla. Juraría que es una buena persona y que habrá una explicación.

Yo pensaba lo mismo. Me caía mejor que muchos otros a los que nunca se les hubiera pasado por la cabeza matar. El hecho de que hubiese intentado matar a su marido no borraba aquellos momentos maravillosos en que me compraba medio millón en cremas, y lo agradable que era conmigo.

También se lo conté a mi padre por la noche. Pero no me prestó mucha atención, estaba distraído, nervioso. Cenó con verdadera compulsión, hasta el punto de tener que decirle que parara si quería que nos quedase algo que llevarnos a la boca el resto de la semana.

Le pregunté por Ana. Últimamente era él quien se veía con ella porque coincidían en el hospital o porque se encontraban para que mi padre se distrajera, porque era la mejor amiga de mi madre o… Me pregunté si no se habría enamorado de Ana mientras su mujer estaba enferma como escape psicológico a la situación. Pero si así fuese no comería así. ¿No dicen que el amor quita el hambre? Quizá fuesen preocupaciones del trabajo o la situación en sí, que era opresiva y angustiosa. Yo por lo menos buscaba a mi hermana.

—¿Ana? Ya aparecerá —dijo bebiéndose de un trago una copa de vino de una de las botellas que Ana traía a casa. Nos habíamos dejado de remilgos. Estábamos como estábamos y hacíamos lo que estuviera a mano para no estar peor y poder mantener el tipo.

—Oye, papá, ¿quién te regaló la cartera de piel de cocodrilo?, debe de costar un dineral.

—Betty. Un día se presentó en casa bastante alterada y con esa cartera. Ni siquiera era mi cumpleaños. No era nada, le dio por ahí y se lo agradecí mucho, pero no quiero llevar en el taxi algo tan bueno y tan caro. Si la quieres, puedes usarla.

Se la había regalado hacía unos siete años. Era invierno, finales de enero. Seguramente había aprovechado las rebajas. Qué más daba.

No pensaba intentar ninguna venta esa mañana. En el contestador dos clientes habían dejado varios pedidos suculentos de aquellos con los que mi madre solía frotarse las manos, y también la habían llamado de la empresa para la que trabajaba. Ya le pediría instrucciones por la tarde porque ahora tenía pensado ir de compras. No hay nada como levantarse con algún objetivo por pequeño que sea y lanzarse a la calle en busca de respuestas. No hay nada como sentir que la vida va a ayudarte. Los niños van al colegio, los padres al trabajo, la gente conduce, camina, compra, habla, sueña despierta o mata a alguien, como la Vampiresa, todo menos parar. También había en el contestador tres mensajes de mis mejores amigas. Querían verme y contarme cómo les iba en la universidad. Marga, Carmen y Rosana. Tenían una vida maravillosa y se les notaba en la voz, las tres habían querido hablar, las tres me decían que me echaban de menos. Dos habían empezado Derecho y la última Periodismo. Una aún arrastraba el novio del instituto y las otras estaban en ello. Les habría encantado que les contara mi aventura con Mateo, el encuentro en el metro, el local de ensayo, la moto, la noche, el beso, la habitación de la Estaca y nosotros en su cama. Pero no quería dar una falsa impresión de felicidad. Mi vida no era romántica, ni tampoco quería que se enterasen aún de la enfermedad de mi madre y de que tenía una hermana fantasma porque no me serviría para nada, no podrían ayudarme y además me harían perder el tiempo. Ellas y yo vivíamos en universos paralelos y de momento no era capaz de regresar al suyo.

Tomé el autobús que me llevaba de Mirasierra a Moncloa y luego el metro que iba a Goya; en total casi una hora. ¿Quién no sentiría una gran curiosidad por saber por qué su madre, que era la mujer más ahorrativa del mundo, había hecho un gasto tan excesivo en una cartera de auténtica piel de cocodrilo? Si quería una pieza de lujo que pudiéramos heredar algún día, lo normal es que hubiese elegido un bolso, que ella podría lucir en esas ocasiones en que mi padre se ponía la chaqueta azul marino. Con ese dinero le podría haber regalado a papá varios trajes y corbatas de firma. A cualquiera se le habrían ocurrido mil cosas más útiles y bonitas.

La verdad es que cuando la foto de Laura estaba allí la cartera no tenía ninguna importancia; ahora, en cambio, se había convertido en un misterio. Desde que había caído en el universo del misterio todo era misterioso, todo significaba otra cosa. Y aunque intentara no pensar, como me recomendó María, de pronto sonaba una alarma por aquí y otra por allá. La cartera tenía alarma.

Peletería Valero era una tienda elegante. El escaparate doblaba la esquina, y el zapato más barato costaba más de cincuenta mil pesetas. Ofrecía sensación de calidad y clase. Seguro que Ana la del perro compraba en sitios como éste. Mi madre se conformaba con menos de la mitad, nunca le había dado mucha importancia a la apariencia. Yo era más superficial y enseguida me llamaron la atención unas botas de piel de serpiente del escaparate. Eran las botas más bonitas que había visto nunca. Parecían hechas para mí. No se indicaba el precio, lo que sería una manera de hacer entrar y preguntar. De todos modos, sabía que fuese cual fuese el precio no podría pagarlo.

Empujé la pesada puerta de cristal con pegatinas de MasterCard y American Express para averiguar por qué habría entrado un día mi madre como yo ahora. Había todo tipo de complementos de piel y también maletas y bolsas de viaje. Una señora flaca, con una falda larga y un cinturón ancho, marrón, que caía con mucho estilo sobre la falda a la altura de las caderas, escuchaba a una clienta con cara de cansancio. Movía sus huesudas manos con lentitud, animándola a buscar alrededor algo que le gustase y a no marearla más. Estaba muy morena, como si tuviese una playa en su casa. Y no parecía resignarse a no llevar el pelo largo ni rojizo, aunque ni el pelo ni ella tuviesen ya veinte años, ni treinta, ni cuarenta, ni cincuenta.

En el mostrador estaba examinando unos papeles una chica castaña clara con mechas rubias, más o menos de mi edad, quizá mayor que yo porque yo siempre parecía tres años mayor de lo que era. Me acerqué a ella y le describí la cartera de piel de cocodrilo que le habían regalado a mi padre hacía unos años y que se había estropeado. Le dije que quería otra igual. La chica tenía los ojos claros, entre azules y grises, los labios un poco gruesos, la nariz recta y la cara llenita, un poco redonda, aunque era muy delgada de cuerpo.

Salió de detrás del mostrador. Vestía bastante clásica, en tonos mostaza. Falda hasta la rodilla, rebeca larga, unos tacones que le torneaban las pantorrillas y un pañuelo de seda de Loewe al cuello. Parecía que iba disfrazada de mayor.

—¡Mamá! —le dijo a la señora disfrazada de joven—. ¿Recuerdas unas carteras de piel de cocodrilo que tuvimos hace unos años?...

—Voy a tomarme un café —dijo la madre como respuesta.

—Lo siento, hace unos años estaba en el colegio, venía poco por la tienda. Podría preguntárselo a mi abuela. Ella —dijo sonriendo— no olvida absolutamente nada, lo controla todo.

¿Estaban las piezas encajando? Me quedé tan paralizada que la chica se desentendió de mí y fue hacia otros clientes dejando al paso un perfume muy agradable. Una abuela, una hija y una nieta muy unidas. Tener abuela no era extraño, yo también tenía una, pero no formábamos una comunidad.

Me quedé observándola desde fuera, por el escaparate, atravesando estanterías de zapatos y bolsos extraordinarios, reflejos de cuero y de remaches dorados. ¿Podría ser ella? El sol me calentaba la espalda. Me ablandaba, me deshacía. ¡Dios santo! Si fuese Laura, mamá lo sabría hacía mucho. Al fin y al cabo yo estaba siguiendo sus pasos y descubriendo lo que ella ya habría descubierto antes. Eché a andar en dirección norte sin un objetivo fijo. Pasé por un pub cafetería donde se veía a la señora disfrazada de joven llevándose una taza a los labios despacio. El camarero hablaba con ella.

No sabía qué hacer con lo que parecía que había descubierto. Podría ser ella, y si era ella ya no tendría que buscar certificados de defunción, ni tendría que indagar en el cementerio. Si fuese ella, habría pegado un salto astronómico hacia la verdad. Como si casi hubiese volado desde casa hasta la tienda, como si unos cuantos ángeles o águilas me hubiesen trasladado en sus alas hasta la peletería. Si me hubiera fijado antes en la cartera en sí y me hubiese preguntado por el sentido de este objeto fuera de lugar en nuestra casa, me habría ahorrado muchos viajes. Pero este objeto, traído del planeta de los tormentos de mi madre, lo había estado viendo desde los diez años. Saber que estaba escondido entre la manta era tan normal como ver el joyero sobre la cómoda o las flores de tela en el cuarto de baño. Era tan normal como ir a la playa y ver el mar. Tan normal como que pasan coches por la calle o que sale el sol por las mañanas. Sin embargo, mi madre tuvo que recorrer un vía crucis hasta encontrar esta tienda, la pista quizá definitiva. Se pondría tan nerviosa al dar con ella que compró la cartera por comprar algo, por poder quedarse todo el tiempo que quisiera, por poder hablar. En ese momento le daría todo igual y el dinero le daría igual. Aunque había que tener en cuenta que el recorrido que yo estaba haciendo era el que mi madre había hecho antes y que me guiaba por sus señales. Y que si ella se equivocó yo también me equivocaba.

La pregunta era si me lo jugaba todo a esta carta. La tienda era la carta más segura y no podía aguantar hasta la noche para hablar con mi padre, así que desanduve el trayecto recorrido hacia el metro, camino de un restaurante del que mi padre hablaba a menudo porque tenía un menú de mediodía extraordinario. Y a pesar de que la emoción me había cerrado el estómago y no me cabía ni una cucharada de sopa, le dejaría que me invitara.

El taxi estaba aparcado en la puerta. Era un Audi. Y si no estaba de servicio lo dejaba con las puertas abiertas en el garaje para que se secara la tapicería y las alfombrillas, porque no soportaba ninguna mancha ni mal olor.

Más que un coche era una armadura, y ahora, al verla en la calle tan reluciente, me alegraba no haber hecho el viaje en balde.

Era uno de esos restaurantes en los que apetece entrar. Con una puerta pequeña de madera y la carta en una hornacina pintada de verde. Me tranquilizaba saber que papá comía bien y que seguía con sus costumbres. Cuanto menos descompusiéramos nuestra vida menos tardaríamos en recomponerla.

Había que bordear una barra desde la que se veían los gorros blancos de las cocineras hasta entrar en un comedor muy agradable con pocas mesas. En ninguna estaba mi padre. Y me encontraba tan obcecada buscándole que tardé unos segundos en distinguir a Ana junto a la pared. Examinaba la carta muy seria, la sostenía entre los anillos de oro. Llevaba uno en cada meñique y en cada anular. Otras manos resultarían recargadas, pero las suyas lo soportaban todo y no perdían su ligereza de palomas.

Tenía dos posibilidades, acercarme o salir corriendo. Era incómodo para mí que mi padre y Ana quedasen para comer en un restaurante tan acogedor mientras la mujer de él y amiga de ella estaba en el hospital. Y sería muy incómodo para ellos que yo apareciese de improviso. Nadie podría creerse que era casual, que no tenía ningún interés en sorprenderles. Tampoco yo me creería que ellos se habían encontrado por las buenas. Si me marchaba, a las dudas que ya tenía se agregarían otras y serían demasiadas.

Un camarero pasó corriendo a mi lado con una bandeja llena de vasos. Seguramente mi padre quería hablar de la gravedad de mi madre con alguien sin tener que mortificar a sus hijos. Pero ni aun así me decidía a avanzar. Poco a poco, a pasos cortos, me fui situando en un rincón. Mi padre volvió a la mesa pasándose las manos por el pelo en ese gesto tan suyo después de lavarse las manos. A ella le cambió el gesto a sonriente y se levantó también camino del baño sin nada en las manos. Entonces automáticamente me puse en movimiento.

Mi padre me vio sentarme en el sitio de Ana con la boca abierta.

—Papá, ahora hablamos —dije mientras abría el bolso de Ana ante sus narices.

Mi padre trataba de entender qué estaba haciendo. Yo buscaba la foto de Laura. Si en efecto la había robado, podría llevarla en el bolso.

—Deja eso ahora mismo —dijo mi padre.

Yo, de vez en cuando, levantaba la vista hacia los baños. Sabía que si ella me pillaba todo sería horrible. Me arriesgué al límite, lo escudriñé lo mejor que pude y volví a dejarlo. Y automáticamente me levanté.

—Esta noche hablamos. No le digas nada a Ana —dije y salí corriendo.

Me quedé en el rincón viéndola salir del baño, llegar a la mesa y pasarle a mi padre la mano por el hombro. Mi padre miró la mano sin saber qué sentir. Era lento para todo. Luego se sentó y recolocó el bolso exactamente como ella lo había colgado en el respaldo de la silla, dejándome la duda de si no habría estado observándome.

Por la noche, era de esperar, mi padre abrió la puerta y se quitó la chaqueta bastante serio. Descongelé unos canelones que quedaban del día en que me lié a hacer comida para no pensar en Mateo y, mientras ponía la mesa, se abrió una cerveza. Esperábamos que fuese el otro quien rompiese el hielo.

—Jamás me imaginé encontrarme allí a Ana.

Mi padre no contestó. Se tomó otro trago.

—Necesitaba contarte urgentemente lo que he descubierto y recordé el restaurante donde te gusta comer.

Me escuchaba tan vagamente como al sonido de fondo de la radio.

—Y fue un alivio no encontrarme en su bolso la foto de Laura que falta de la cartera de cocodrilo.

Por primera vez me miró directamente. Más que serio estaba triste.

—Van a enviar a casa a mamá. Me lo han dicho hoy los médicos —dijo.

Solté los cubiertos sobre la mesa, sonó a cataclismo.

—No creen conveniente operarla. No se atreven. Por lo menos aquí estará en su casa, con nosotros.

Asentí con la cabeza. Tenía el hueso de melocotón en la garganta. Si no lloraba los ojos me iban a reventar. Y de cara al microondas dejé que me salieran unas cuantas lágrimas para aliviar el pantano de las lágrimas, que se desbordaría cuando estuviese sola.

—Ana dice que podría consultarle a alguien más. Conoce a mucha gente. Va a hacer un par de gestiones y me llamará.

Mi padre se encargó de repartir los canelones.

—Seguro que no has comido —dijo sirviéndome la mayor parte.

Yo no podía protestar, no podía hablar. Tragué como pude unos cuantos trozos, que tuvieron que luchar con el hueso de melocotón.

—Saldremos adelante —dijo—. Betty es muy fuerte.

Antes era fuerte, ahora no lo era. Ahora estaba hecha de hilos y yo no sabía si sería capaz de cuidarla bien.

—En cuanto se encuentre en su cama empezará a animarse.

Tuve que ir al cuarto de baño, orinar y respirar hondo varias veces para volver y poder preguntar muy despacio:

—¿Sabe mamá que han renunciado a operarla?

—Los médicos y yo le hemos dicho que van a probar con otro tratamiento en casa.

—¿Y?

—Ha dicho que yo tengo que trabajar y que tú no puedes perder el curso, que tenemos que pensar en algo.

Dejó caer la cabeza hacia abajo como si le estorbara.

—Le diré que he cambiado el turno y que los compañeros me pasan los apuntes.

—Bien —dijo.

Limpié el cuarto de arriba abajo. Los armarios por dentro, el papel de las paredes, las ventanas, las lámparas, y puse las sábanas que más le gustaban. Preparé su camisón preferido. Y compré flores nuevas de todas las clases. Podía comer de todo dentro de unos límites y elaboré una lista con un menú para cada día, aunque sospechaba que no sería fácil hacerle comer. La trajeron en una ambulancia y de la camilla pasó a la cama. Le pusieron un gotero con la medicación y me enseñaron a cambiársela. Todos representaban el papel de la alegría.

—Vaya hija que tienes, Betty, así da gusto.

—A estas jóvenes no hace falta casi explicarles las cosas, las pillan rápido.

—Ahora con tu hija estarás de maravilla, Betty, y no con unas brujas como nosotras.

Y cosas por el estilo.

Les habría pedido de rodillas que no se marcharan nunca, que se quedaran animándonos día y noche.

También le compré toneladas de revistas de todas las clases, moda, decoración, corazón, jardinería. Instalamos un televisor frente a la cama y, después de comer, me tumbaba con ella para ver el telediario juntas y luego me iba a trabajar aunque ella creía que tenía clase. Mi padre se había cogido media jornada y nos turnábamos. Un par de veces había salido en el turno de noche para recuperar la economía y, a mí no me engañaba, para aturdirse, y más o menos por lo mismo salía yo a trabajar todas las tardes y al mercado cada dos por tres. Cualquier novedad era bienvenida y era de agradecer que Ana, después de que le registrara el bolso, no se hubiese ofendido y viniera a visitar a mamá, porque algo me decía —íntimamente sabía— que Ana me había visto en el restaurante: tardó demasiado en salir para ni siquiera pintarse los labios, y regresó inmediatamente después de que yo me despegara de la mesa. Por supuesto a mi padre no le diría nada, no querría incomodarle, ni ser ella el reflejo de algo desagradable, Ana quería caerle bien, y quizá gustarle no sólo como amiga de Betty. Pero ahora mi padre no se daba cuenta de nada, se sentía abrumado y una víctima de la vida. Lo único que deseaba de Ana era que llegara con buenas noticias de sus amistades. Aún tenía la esperanza de que apareciese un médico que milagrosamente le viera posibilidades a su mujer.

La quinta tarde de estar en casa, cuando iba a tumbarme para ver el telediario con ella, mamá se incorporó lo que pudo y me pidió algo que me estaba temiendo que en algún momento me pediría.

—Verónica —dijo señalando el armario—. En la última balda está doblada la manta verde claro de cuando eras pequeña. Sácala con cuidado porque dentro hay una cartera de piel de cocodrilo. Tráemela.

Si alguna vez llegaba a ser madre, procuraría no estar tan ciega respecto a mis hijos. Procuraría acordarme de este momento y de todos los años en que supe que existía la foto de Laura. No podía consentir que se enterara de la desaparición de la foto, así que le dije que ahora no tenía tiempo.

—La bajaré cuando vuelva. Ahora tienes todas esas revistas y novelas —dije.

El problema era mi padre. Si le pedía la cartera, él ni

siquiera se acordaría de que la foto no estaba. No le daba importancia a este asunto, le estorbaba.

—¿Sabes una cosa? —dijo mamá más animada—. No quiero que la bajes, ni ahora ni nunca. Quiero saldar la hipoteca del pasado. Creo que a veces sólo he seguido adelante para pagar y pagar.

Sonrió, se puso las gafas de cerca, cogió a *Ana Karenina* entre las manos y se acomodó en la almohada.

—¿Estarás bien hasta que llegue papá?, tardará diez minutos como mucho.

Me dijo con la mano que me marchara y suspiró.

—No se te ocurra perder ninguna clase. Soy muy feliz —dijo.

Lo sentía de verdad, lo decía de verdad, lo era. Necesitaba salir de sí misma, de su sentimiento de culpa, de su impotencia, para que la vida fuese como tenía que ser, y la enfermedad la había ayudado.

Yo también salí feliz a la calle. La verdadera Betty era así. Si a Laura no le hubiese sucedido nada extraño, mamá siempre habría sido así. Cariñosa, satisfecha y diría que más distraída, más soñadora. ¿Y qué hacía yo ahora que ya había puesto los pies en el mundo de Laura, ahora que mi madre quería saldar lo que ella había llamado su hipoteca con el pasado? ¿Me olvidaba de todo?

El día del restaurante, cuando al volver a casa mi padre me dio la noticia de que los médicos no sabían qué hacer con mamá, todo lo de Laura, el registro temerario que le había hecho al bolso de Ana, el correr de un lado a otro en busca de un fantasma, me pareció una locura y una estupidez, una pérdida de tiempo y de cordura.

La verdad es que no sabía qué hacer con el tiempo. El año pasado estaba en el instituto, y fuera de allí, en casa o con mis amigas. Ahora las paredes de mi mundo se habían roto, y agradecía que mi madre estuviese ya en casa y que por lo menos una pared siguiera en pie. Mientras distribuía los productos en el maletín sonó el teléfono. Ya no me lanzaba corriendo sobre él porque no podían darme ninguna mala noticia: mamá estaba aquí. Y contestaba con voz normal porque todo el miedo estaba dentro de la casa, no fuera. Nada de fuera podía asustarme o herirme.

Tuve que hacer un pequeño esfuerzo para encajar a Mateo en mi nueva situación.

—Estoy llamándote desde el bar de enfrente. ¿Puedo entrar? Necesito hablar contigo.

—No —dije bruscamente—. Ahora voy.

Terminé de ordenar el maletín y salí.

Era el de siempre, con la novedad de un tatuaje en el cuello. Le dije que prefería salir de mi barrio y nos subimos en la moto. Iba abrazada a él, pero no podía entregarle todos mis pensamientos, mis deseos, todo mi romanticismo. No podía ser completamente romántica, de la misma forma que mi madre hasta ahora no había sido completamente feliz.

Le había cosido el asa larga al maletín y me lo crucé sobre el pecho, por lo que, al bajar de la moto y besarme, nuestros cuerpos no pudieron juntarse. Aparcó en la pequeña plaza de nuestra primera noche, lo que parecía tener algún significado. Hacía fresco y buscamos un claro de sol.

—¿Quieres que tomemos un café?

Negué con la cabeza. Era mejor hablar sin nada en las manos, ni tazas, ni servilletas de papel que arrugar en caso de nerviosismo.

—Voy a casarme.

—Ya —dije dando a entender sin querer que siempre lo había tenido claro.

—Resulta que Patricia está embarazada.

—Luego era verdad…

—No, entonces no era verdad, pero ahora sí lo es.

Si había una persona en este mundo con un objetivo claro ésa era Patricia.

—Bueno, parece que te quiere mucho. Felicidades. ¿Dónde colocaréis la caravana?

—Nada de caravana, sus padres nos ceden una casa de campo con perros y un caballo. Podremos ensayar día y noche y tú podrás venir si quieres.

Se quitó un guante y me pasó la mano por la cara. La dejé ahí un poco y luego la separé. Le sonreí agradecida. Mateo me había dado vida propia, sensaciones mías. Había sido un regalo del metro aquella noche en que iba tras el pasado hipotecado de mi madre.

—Lo tendré en cuenta. Ahora me gustaría que me llevaras a un sitio.

La ruptura definitiva conmigo había resultado tan poco dramática, tan agradable e incluso bonita que no puso pegas. Incluso me esperaría para traerme de vuelta.

En Alcalá Meco fue muy complicado poder ver a la Vampiresa, pero al final lo conseguí porque llegué en horas de visita.

Casi no la reconocí. Avanzó hacia mí con vaqueros de mercadillo, deportivas, una camisa sin planchar y el pelo recogido en una coleta con una goma rosa y vieja. Al verme se paralizó unos segundos; a ella también le costó reconocerme en ese lugar. Bajó la cabeza, avergonzada, y se sentó. Para romper el hielo le dije que me había traído el chico que más me había gustado nunca y que iba a casarse con otra. Y como tenía mala conciencia por haberme dejado plantada, yo había aprovechado para pedirle que me trajera en la moto hasta aquí. Se relajó y se rió, quizá más de la cuenta.

—Peor para la otra, eres demasiado joven para atarte a nadie, créeme.

No le dije para no meter la pata que sin la bata de

seda ni el pelo tan liso ni la manicura francesa, ni los zapatos de tacón estaba mucho más guapa y parecía más joven. La hinchazón de las manos hacía pensar en fregar y agua fría.

—Siento que te hayas enterado, pero me alegra que hayas venido.

—Los jardineros están cuidando la casa. Fui a enseñarte una línea nueva y me contaron que estabas aquí.

—Odio esa casa. Jamás volvería a meterme allí. Prefiero estar aquí.

Se miró las manos y se tapó una con la otra. Podría haberme esperado cualquier cosa en la vida menos ver a la Vampiresa con esas manos y esas uñas carcomidas.

—Él…, el hombre que tú…, está en el hospital. Los jardineros van a ir a verle.

No expresó nada, su mirada no cambió, las pupilas continuaron siendo puntas de alfileres. Al natural tenía los ojos más pequeños de lo que suponía y con el brillo de haber llorado incansablemente.

—Hay cosas que no debes saber ni sentir. Olvida todo esto, no es asunto tuyo.

—Mi madre me ha dicho que venga a verte por si necesitas algo.

—¿También lo sabe tu madre?

Estaba descorazonada, pero se rehízo.

—Esa línea nueva. Me interesa. ¿La has traído? No me dejaron ni recoger las cremas —dijo moviendo la cabeza con pesadumbre—. También quiero regalarle algo a las chicas. Déjale a una funcionaria que se llama Bea todo lo que lleves en ese maletín con el que vas siempre cargada y dame tu número de cuenta. Ordenaré que te hagan una transferencia.

Me fié y busqué a Bea, una mujer pequeña con cara de mala leche. No se sorprendió del encargo. Le dejé tres juegos de la línea nueva por valor de trescientas mil pesetas. Daba por hecho que podría pagarme, pero ¿y si no podía? Lo que tiene la cárcel es que empiezas a pasar rastrillos y hay un momento en que estás fuera y es un lío volver a entrar. Pero debía confiar en la Vampiresa y en Bea.

Mateo estaba esperándome frente al centro penitenciario fumándose un canuto; debía de darle morbo hacerlo cerca de un sitio así.

Aplastó el filtro con la bota y arrancamos. Era probablemente mi último viaje con él, ésta sería la última vez que iba abrazada a su espalda y no podía pensar nada más que en las trescientas mil pesetas. Era completamente absurdo haber venido a venderle cremas a la Vampiresa a la cárcel. Y más absurdo aún era que ella aceptara.

Aguanté sin contarle nada a mamá porque entonces me habría preguntado por las clases y no tenía ganas de más confusión. Lo dejaría para el día siguiente, sábado. Así nos entretendríamos cavilando sobre la vida de la Vampiresa. Me dormí pensando en Mateo en una casa tipo rancho con los caballos y los perros que les resultaban tan imprescindibles a él y a la Princesa.

El comienzo del fin de semana siempre había sido bastante alegre en nuestra casa. Y me daba rabia pensar en todo lo inmensamente feliz que podríamos haber sido sin el fantasma de Laura. Mi padre era un hombre sencillo que disfrutaba con poco, con el aire que respiraba, y que lo pasaba bien preparando un desayuno descomunal los sábados, poniendo la cocina perdida, estropeándola aún más al tratar de adecentarla, y luego cogiendo la caja de los betunes y cepillos y poniendo los zapatos en hilera, incluso los que ya no usábamos, y limpiándolos hasta arrancarles un brillo acharolado.

Preparaba beicon muy crujiente, huevos fritos, pica-
tostes, café, chocolate caliente, tostadas, patatas fritas y
zumo de naranja. Ponía música y abría las ventanas para
que saliera el humo y entrara el griterío de los pájaros,
de los niños, el ruido de coches, de la vida. Ni la cena de
Nochebuena era comparable a esos desayunos.

Mi padre le había preparado a mi madre el sillón de
orejas, que era muy cómodo. Le colocó cojines y una
banqueta para que estirara las piernas y así, cuando se
fatigaba, podía estar mirando la calle. Ahora hacíamos
las comidas allí, en una mesa camilla para no estropear
la de caoba. Le encantaban sus muebles, su casa, y no la
habría cambiado por un palacio.

Después de desayunar y de recoger la mesa y de ayudar a mi madre para que se arreglara, me marché corriendo a la zapatería. A eso de las doce ya estaba allí.
Sería el mejor momento para ver a la supuesta Laura,
porque cualquier chica normal querría tener la tarde libre. Afortunadamente había clientela como para pasar
desapercibida. Unos cuantos japoneses compraban unos
bolsos, tan caros que estaban en una vitrina bajo llave,
para las esposas que les esperaban en Japón. Y había
unas estudiantes norteamericanas buscando los artículos
más baratos. La hija se encargaba de las chicas, y la madre, de los japoneses, que eran pan comido.

La madre llevaba unas botas altas marrones falsa-
mente desgastadas y una falda larga parecida a la del
otro día pero en azul claro, con un jersey marrón de lana
muy fina. La hija iba vestida más o menos como la vez
anterior, con unos espectaculares zapatos de tacón alto.
Las chicas querían probarse unos como los suyos. Yo re-
moloneaba por allí jurándome que jamás caería en la
tentación de disfrazarme de rica. La hija hablaba y pro-
nunciaba con sonidos perfectos, como los artículos que
la rodeaban. Tenía la voz suave y clara de las chicas de
mi edad que nunca han fumado, ni bebido, ni han ha-

blado a gritos. A mí las cuerdas vocales se me habían endurecido de hablar a voces en las discotecas. Ni mis amigas ni yo sabíamos hablar bajo. Había pasado la época de los tacos, había pasado la época de tener que hacerme oír entre bestias pardas cuando nos juntábamos en el parque, había pasado la época de no parar de fumar tabaco negro y porros y beber, eso había pasado, pero me había quedado de recuerdo la voz grave y algo ronca, algo que la Princesa de Mateo no podría conseguir nunca, no lo llevaba en la sangre por mucha cresta que se pusiera. La supuesta Laura tampoco había hecho nada de esto. Daba la impresión de haber andado toda la vida sobre un pañuelo de seda con zapatos de cien mil pesetas. Si de verdad ésta era mi hermana, me alegraría que llevase una vida maravillosa. Y mi madre, nuestra madre, merecería saberlo.

Y fue entonces, mientras la observaba por el rabillo del ojo, la piel blanca, el pelo que se le escapaba de un cogedor de carey, las perlas de las orejas, cuando su madre, que tenía un acento inclasificable de medio extranjera, se dirigió a ella.

—Laura —dijo—, ¿recuerdas el precio de este bolso?

¿Había oído bien? ¿Laura? Mucha gente se llama Laura. Quizá mi madre había pasado por esto y yo estaba sufriendo el mismo espejismo.

Como Laura movió ligeramente la cabeza hacia ella, pero no contestaba, la madre insistió.

—¡Laura!

—Disculpe —le dijo a la clienta a la que estaba atendiendo y fue hacia su madre.

—A ver —dijo mirando el interior del bolso—. Aquí tienes la etiqueta.

—Pues yo no la veía —dijo la madre sin separar mucho los labios, seguramente para que no se le vieran los dientes.

Laura volvió a su puesto. Era lista: les había encasquetado tres pares de zapatos a unas estudiantes que en adelante tendrían que alimentarse de pizza.

Su madre volvió a llamarla varias veces más. También tenía problemas para pasar las tarjetas bancarias, los nervios de intentarlo una y otra vez parecieron agotarla, así que, tras despachar a los japoneses, dijo que se marchaba a tomar un café. No puedo más, dijo, con la gabardina más bonita que yo nunca había visto sobre los hombros. La falda ondeó alegremente alrededor de las botas cuando empujó la puerta de la calle.

Al otro lado la esperaba un chico unos treinta años más joven que ella. Llevaba pantalones de color lila y unas botas de suela gorda que debía de haberle regalado ella. Sobre la chaqueta le caía una bandolera grande que recordaba haber visto en la tienda. Llevaba un pañuelo al cuello y sobre el pañuelo una arrebatadora barba de dos días. Ella le cogió por la cintura y él por los hombros, se dieron un beso en la boca. Se la veía completamente feliz. Andaban tambaleándose.

Laura se sopló un mechón que le caía sobre los ojos azules mientras revisaba unas facturas. Con una de ellas en la mano se dirigió a consultar los modelos de bolso que había vendido su madre. Movió la cabeza con desesperación. Parecía que su madre lo había hecho todo mal. Junto al ordenador dejó caer el bolígrafo con toda la ira que le permitían sus modales y luego miró para comprobar si la había visto alguien. Yo disimulé junto a unas maletas Louis Vuitton, como las que veía en los mercadillos.

En ningún momento reparó en mí. Estaba demasiado ocupada con la tienda y con una madre que parecía estar en otro mundo, lo que encajaba con lo que me habían dicho en El Olivar, la bailarina y la señora del chándal rosa. No había ningún padre de Laura. Su madre sería una viuda alegre, una divorciada alegre o una soltera alegre. En cualquier caso, alegre. Lo pensaba con envidia porque, con tal de que mi madre hubiese disfrutado de la vida, no habría importado que tuviese una aventura con un veinteañero y que sólo se preocupara de sí misma, quizá así no habría enfermado. Aunque, la verdad, no me habría hecho gracia que no estuviera enamorada de mi padre y que lo sustituyera por uno que podría ser mi novio. Así que también envidiaba la naturalidad con que Laura llevaba esta situación. Sólo parecía desear que la tienda, y por extensión todo, le importara un poco más a su madre, como yo deseaba desde los cuatro años que a la mía le importara todo un poco menos.

La hija no se parecía a la madre absolutamente nada, puede que por rechazo a su manera de ser. Físicamente tampoco tenían nada en común. La cara de la madre era huesuda, angulosa y con pecas por toda ella y, por lo que se veía del escote y los brazos, recuerdo de eternas jornadas de sol. Tenía nariz ancha y fuerte de leona y mirada vagamente risueña y distraída. Lo opuesto a la cara redonda de Laura y a sus ojos azules, que abría mucho como si le asustara un poco lo que veía. Y era terrible porque, si no me negaba a reconocerlo, me recordaban en algo a los de mi padre.

Podría preguntarle si ya le había consultado a su abuela sobre la cartera de piel de cocodrilo, pero entonces me tendría fichada y no podría merodear por allí. Tenía que oír más, saber más, debía tener muchos datos para que fueran encajando. Y, sobre todo, me moría de ganas de conocer a esa abuela que en algún momento se dejaría caer por la tienda.

El aire fresco de la calle me devolvió a mi mundo y dejó a Laura tras los cristales andando de acá para allá con sus fantásticos zapatos de tacón. Era muy delgada, con el mismo cuerpo fino que Ángel. Me pregunté cómo se quedarían mis amigas cuando les contase la historia de la hermana fantasma y les presentase a Laura, algo muy improbable porque aún no era real. Yo conocía esta tienda porque mi madre había comprado aquí una cartera cuando buscaba a su hija desaparecida. Podría haber entrado un día por casualidad y haberse hecho la ilusión de que esta Laura era su hija, y yo ahora estaba repitiendo la misma situación. Si fuese María, la ayudante de Martunis, pensaría que no tenía datos objetivos para enlazar a esta chica con mi familia.

Al pasar por la cafetería del otro día camino del metro, vi a la madre de Laura y al joven con las manos entrelazadas. Ella lo miraba completamente embelesada. Entré y me pedí un café de pie en la barra, y mientras me lo tomaba llamé a Rosana, que era como llamar al pasado. Y nada más marcar deseé que no cogiera el teléfono. Y nada más oír su voz me arrepentí de haber llamado.

Saltó de alegría porque tenía montones de cosas que contarme. Salí de la cafetería cuando la madre de Laura le cogía la cara con las manos al chico y le besaba. El camarero los miraba de reojo, yo también. Sentíamos algo de envidia porque a nosotros nadie nos hacía volar.

Rosana me había citado en su facultad. Estudiaba Periodismo, era la delegada de su curso y asistía a muchas asambleas. Ahora, de pronto, le interesaba mucho la política y se sabía los nombres de todos los ministros. Tenía la voz fuerte, como yo, y el camarero de la cafetería la oyó por encima de todas las otras voces que formaban varias filas junto a la barra. No sabía si ella me había contagiado esa manera de defenderme en grupo o yo a ella. El caso es que nadie nos intimidaba.

Lo bueno de que tuviese tantas cosas que contar era que yo no tenía que hablar. Iba con frecuencia a la Filmoteca sola, y se tomaba algo sola antes de que empezase la película, leyendo algún libro. Le gustaba todo lo que hacía ahora. Siempre estudiaba en la biblioteca y se había integrado en un grupo de jóvenes muy activos. Decía que era increíble todo lo que le había pasado en tan poco tiempo. En verano se iba a marchar con una ONG a Kenia. Había cambiado las lentillas coloreadas por unas gafas de patilla ancha y ya no se teñía el pelo tan rubio. Yo la recordaba en clase de filosofía en el instituto sin enterarse de nada. Se aburría a muerte con aquel profesor que nos decía que todo lo que nos esperaba en el futuro sería cada vez mejor si nosotros éramos mejores. A mí me gustaba escucharle hablarnos de la vida, pero no tenía razón: lo de ahora para mí no era mejor, aunque para Rosana claramente sí. Quizá porque ella era mejor que antes y yo no.

¿Y yo qué? ¿Qué le contaba? Miré el reloj. Tenía que marcharme. Todo bien, con menos ajetreo que ella. ¿Qué horario tenía? Un día quería ir a verme a mi facu. Podíamos estudiar juntas. No le dije que no me había matriculado por si algún día llamaba a casa, hablaba con mi madre y metía la pata, ni tampoco quería ser tan distinta a ella cuando siempre nos habíamos parecido. Por la tarde no tenía clase, podíamos ir al cine. Le dije que otro día. No me veía perdiendo dos horas en una sala oscura mientras tenía a mi madre en casa, a Laura en la zapatería y un problema por resolver. Nuestros caminos se habían separado como ella no podría imaginar.

Estaba segura de que Laura no habría podido abandonar la zapatería. No parecía que su marchosa madre estuviese dispuesta a perder el tiempo atendiendo a grupos de japoneses. Al fin y al cabo su hija era joven y tenía toda la vida por delante para vivir romances sin fin. Para ella, en cambio, éste podría ser el último, su última juventud, su última oportunidad, su última diversión. Debía de tener unos sesenta, quizá menos, quizá más, no se sabía a ciencia cierta si se conservaba bien o mal. Eso sí, andaba con agilidad, con las mismas zancadas que el chico. Me jugué conmigo misma comprarme algo si estaba en lo cierto.

Y allí estaba Laura, al pie del cañón. La ayudaba una dependienta que no estaba por la mañana y que no podía reconocerme. Eran las cinco y media y anduve arriba y abajo de la calle esperando que entrase más gente. Cuando más ocupadas estaban entré y volví a merodear por las maletas Vuitton. Casi me sabía de memoria los artículos y empezaba a familiarizarme con las marcas y las líneas. Fue a eso de las seis y media cuando obtuve mi recompensa. Fue entonces cuando se abrió la puerta de la calle, cuando la dependienta giró el cuello hacia allí, cuando pareció que la tienda se llenaba de una extraña energía. Fue entonces cuando Laura salió de detrás del mostrador y se precipitó a la puerta para sujetarla y que entrara aquella señora en silla de ruedas. La empujaba un chico fuerte en manga corta que debía de haber nacido en el Polo Norte.

Fui corriendo junto a los bolsos.

—Hola, abuela —dijo Laura—. Al final te has animado.

Era una señora gorda, de piel más blanca que el pelo, que tenía un reflejo azulado, de cara agradable y con una voz cantarina que daban ganas de besarla.

—Me aburro allí sola. —Miró alrededor—. ¿Y Greta?

La palabra mágica.

La mujer del chándal rosa de El Olivar me había dicho que la madre tenía nombre de actriz antigua. Greta Garbo. No podía ser casualidad.

Le pegaba llamarse así.

—Salió a dar una vuelta por ahí y no ha vuelto, ya sabes.

—Sí, ya sé —dijo la abuela entre comprensiva y seria.

Le cogió una mano entre las suyas, y Laura se agachó a besarla otra vez.

—¿Has comido? —le preguntó la abuela con esa voz que se te metía en los huesos.

Qué agradable debía de ser vivir con alguien así, que te arrullaran esos brazos y esa voz cariñosa, apacible. No era fácil describir la voz. Parecía salir de un cuerpo con música y mucho amor. Daban ganas de ser su nieta.

—Me he tomado un sándwich.

El que empujaba la silla permanecía al lado con los brazos cruzados.

—No me digas que ha salido con ése…

—No lo sé —dijo Laura protegiendo a su madre.

—Menos mal que te tengo a ti —dijo la abuela, llenando la tienda de ternura.

Iba vestida de blanco. Pantalones, blusa y un chal de lana que dejó caer por el respaldo de la silla con los brazos. Llevaba unos pendientes que parecían arrancados de las orejas de Liz Taylor o Gina Lollobrigida, esmeraldas rodeadas de brillantes. Tenía la nariz grande, como Greta, y los ojos pequeños. Echó un vistazo a la tienda y no me vio o me englobó en el conjunto.

—Bueno, a lo vuestro. Petre, déjame junto a la caja y vuelve en dos horas.

—Como quiera, doña Lilí. ¿De verdad no me necesita?

—No, hijo. Vete a jugar al fútbol.

La dependienta, cuando pasaba al lado de la anciana, le sonreía.

—¿Ha visto lo último de Ferragamo, doña Lilí?

Todo el mundo quería agradar a doña Lilí, a nadie le molestaba su aparatosa silla. Doña Lilí cogió el bolso que colgaba del respaldo y sacó unas gafas de cerca que se colgó sobre la blusa. Se acercó más a la caja y empezó a comprobar los movimientos. No debía de vivir muy lejos porque entonces habría venido más abrigada.

Laura estaba pálida, tenía algo de ojeras, no le vendría mal un poco más de ayuda. A partir de este momento cada vez miraba con más frecuencia hacia la puerta y el reloj. Tal como suponía, habría quedado con amigos o con su novio. Si tenía hermanos se habían desentendido del negocio. A simple vista no había hermanos y no había tampoco abuelo y parecía seguro que nunca había habido padre.

—Si no viene mamá, hoy podríamos cerrar a las siete. Tengo entradas para el cine —le dijo Laura a su abuela, abrazándola por el cuello. Ella frunció el ceño, pero en lugar de salirle voz de enfadada le salió una voz quejosa.

—Eso es lo último, ya lo sabes. Tendríamos que morirnos alguna para cerrar antes de tiempo. Ya irás otro día al cine.

Alguna. Con ese «alguna», los hombres quedaban excluidos.

—Llevo todo el día aquí metida —dijo Laura visiblemente cansada.

—¿Y qué hacemos? —dijo doña Lilí a punto de llorar o de reír—. Paulina no da abasto y yo ya ves. Ojalá tuviera las rodillas bien. Hay que aguantar hasta las ocho. A veces en el último minuto se hace la mejor venta.

Paulina se acercó con una caja de zapatos y la tarjeta Visa de un cliente en la mano. La abuela la pasó con destreza y le dio el recibo, y Paulina sacó de alguna parte una bolsa satinada y metió la caja dentro.

No tuve más remedio que largarme antes de que me encontrase en el compromiso de tener que comprar algo.

Me marché caminando lo más lejos que pude hasta que ya no tuve más remedio que tomar un autobús. Por el camino compré unas pastas de té sin azúcar que pudiese tomar mamá. Esto la alegraría. Cualquier detalle agradable le hacía ilusión. Ahora que había topado con una pista sólida, mi madre parecía que estaba saldando la hipoteca del pasado. Puede que ya hubiese echado de su vida el interés por Laura, puede que si lograra llevar a Laura hasta el sillón de orejas lo único que consiguiera fuese remover de nuevo lo que le había amargado la vida y no le había dejado vivir. La enfermedad le habría ayudado a cerrar esta herida y entonces vendría yo a abrirla. Quizá mi padre hubiese visto con más claridad que todos nosotros, quizá mi padre siempre había tenido razón.

Cuando iba a meter la llave en la cerradura, algo me sobresaltó: no se oía la televisión ni la radio. Había un silencio tan grande que me flaquearon las piernas. Hasta ahora todos los momentos malos de mi vida habían sido muy ruidosos o muy silenciosos. Otra vez el hospital, pensé. Sin embargo, cuando abrí la puerta llegó el reflejo de una luz al fondo del pasillo. Con las prisas se habrían dejado encendida la lámpara del dormitorio. ¿Papá? ¿Mamá? Nadie contestó. Anduve con cautela hacia la luz, no sé por qué. Y cuando llegué, la puerta de la habitación de mis padres estaba entreabierta, más abierta que cerrada, aunque lo suficientemente cerrada para que no se viese la cama. La empujé despacio como si lo que fuera a descubrir fuese muy peligroso. Casi pego un grito, no esperaba encontrar a nadie.

Las cabezas de mis padres se volvieron hacia mí. Caras relajadas, despreocupadas: acabábamos de trasladarnos meses atrás, cuando llegaban del cine y mi padre la ayudaba a desabrocharse el vestido por detrás. Le acababa de quitar el sujetador y le estaba metiendo las mangas del camisón.

—He traído pastas —dije enseñando la caja con la cinta de algodón azul alrededor.

Qué buena idea había tenido, porque ellos habían salido a dar una vuelta y habían picado algo por ahí, y unas pastas con un vaso de leche era justamente lo que faltaba.

Ni en mis mejores sueños me había atrevido a ver a mi madre dando un paseo por la calle, porque era imposible. Habría bailado de alegría, la habría abrazado, pero a la hora de la verdad sólo fui capaz de decir: así que ya habéis cenado.

—Hay jamón de york en el frigorífico y huevos, hazte una tortilla —dijo mi madre levantándose con dificultad.

Ya había tomado las riendas de la casa. Sabía cómo andábamos de víveres y sabría si había que poner la lavadora. Pero no daba señales de que supiese que la foto no estaba en la cartera. Ella sola no se atrevería a subirse a una silla para buscarla, no tenía suficiente fuerza y podría marearse, a mi padre no se atrevería a pedírselo, y se suponía que yo no sabía nada de Laura. También podría ser que hubiese pasado página.

Le había emocionado dar un paseo con su marido. Quién le iba a decir hacía nada que algo tan sencillo supusiera tanto. Mi padre dijo que el domingo sacaría dos entradas para el cine y ella dijo que cuánto había echado de menos en el hospital ir al cine, cuando en realidad iba muy de tarde en tarde. Pues eso va a acabarse, dijo mi padre. Cuando te pongas bien, trabajaremos por la mañana, tú en tus cremas y yo en el taxi, y por las tardes a vivir, vamos a dejar de ahorrar.

Mi madre le llamó exagerado y dijo que prefería quedarse en la cama. Tú vete a ver el partido, le dijo.

El soniquete del partido en la tele daba todavía más aire de normalidad. Se oyó cómo mi padre abría una lata de cerveza. Yo puse un vaso de leche para mi madre y otro para mí y abrí la caja de las pastas. Me senté a su lado en la cama y le conté, como si lo hubiese hecho esa misma tarde, que había ido a visitar a la Vampiresa a la cárcel de Alcalá Meco y que me había comprado tres juegos de las líneas Diamante, Oro y Nácar. No le dije nada de las trescientas mil pesetas que no me había pagado, y me juré que nuestras vidas se arreglarían y podría decir siempre la verdad.

Hasta que se durmió estuvimos haciendo cábalas sobre lo que le podría haber hecho el hombre que ahora estaba en el hospital, si la casa era o no suya. No parecía que estuviesen casados, sería cosa de amantes. Él sería el típico celoso asqueroso, que no le dejaría pisar la calle, ni hablar con ningún otro hombre, un trastornado que a la mínima le haría los moratones que se le veían en la espalda. Él viviría con su familia legítima y nunca podría estar seguro del todo de que ella le era completamente fiel, así que, por mucho que la pobre lo fuera y estuviera encerrada, a él de vez en cuando le daría un ataque de sospechas y la zurraría, y ella se aguantaría porque para eso él le pagaba las facturas, las cremas y las batas de seda.

Había hecho bien.

—Ella no quiere volver a esa casa ni por todo el oro del mundo —dije mientras mamá se iba durmiendo.

—Ahora será libre —dijo lentamente, entre sueños.

Me tumbé en mi cama vestida. Era imposible contarle nada de lo que acababa de descubrir a la persona que más podía interesarle. Ya sabía cómo se llamaba la madre y la abuela de Laura, sólo me faltaba saber dónde vivían. Me quedé con los ojos abiertos, todo lo que daban de sí, mirando al techo. Oí los pasos de mi padre por el pasillo: iría a comprobar que mi madre dormía. Volví a oírle regresar al salón. Bajó el sonido de la televisión casi al mínimo. Recordé el nombre: Greta. Salté de la cama. Cogí la agenda de trabajo de mi madre. Busqué las direcciones a las que yo nunca debía ir porque los clientes eran unos caras y no pagaban. Tachado en rojo y encerrado en un círculo estaba el nombre de Greta y había un teléfono. Había utilizado la venta a domicilio para meterse en casa de Laura. Cerré la agenda, asustada. La otra vida de mi madre. Lo que hacía cuando salía por las tardes y llegaba distraída, con aire de venir de otro mundo. Le había entregado a Laura lo que Laura no podía ni imaginar: tiempo, atención, dedicación y su felicidad.

Ahora sabía con total seguridad que mi madre conocía la tienda, la casa, a ellas y muchas más cosas que se me escapaban. Habíamos recorrido distintos caminos tortuosos para llegar al corazón de Laura.

20

Laura y la chica de la cobra

—Me gustaría probarme esas botas de piel de serpiente.

Era una chica con el pelo negro y rizado hasta los hombros, piel clara, pálida, ojos marrón oscuro y una cazadora de cuero desgastado por las costuras, con una hebilla que bailaba sobre los vaqueros. Se le notaba fuerte y dura, y toda la ropa estaba a un milímetro de quedarle estrecha. Me gustó su estilo. También llevaba un anillo con una cobra que le llegaba al nudillo del dedo corazón derecho.

—Te quedan perfectas —dije mientras la clienta andaba de un lado a otro de la tienda con ellas.

Se las puso con los pantalones por dentro y resultaban más bonitas que en el escaparate. La chica me era familiar, la había visto antes. Frente ancha y cejas anchas. ¿Dónde la había visto? ¿Sería alguien de televisión?

—Creo que voy a llevármelas —dijo la chica volviendo a sentarse y clavando la vista en las punteras como si hablase con ellas.

Ya lo tenía. La había visto en la tienda. No era la primera vez que entraba. Era una de esas personas que se te graban casi sin mirarlas. Con algunas necesitas hacer un esfuerzo sobrehumano para recordar la cara o el nombre y a otras parece que las has conocido en otra vida más intensa. No era lo que se dice guapa, tampoco fea, pero todo lo que tenía era muy fuerte: el brillo de los ojos, el brillo del pelo, el hueso de la nariz, los pómulos, el rosa de los labios, la espesa sombra de las pestañas, los hombros, las manos, los muslos tirando de los vaqueros hacia todas partes, la voz nasal como de cantante negra. La energía que desprendía era tan densa que se podía ver y tocar.

—¿Has comprado alguna vez aquí? ¿Eres clienta? —dije mientras la ayudaba a quitarse las botas.

La chica siguió como estaba, absorta en las escamas de la piel, que iban del gris azulado al gris oscuro, y que le sentarían bien con cualquier tipo de ropa y en cualquier ocasión. Mi abuela nunca confió en que unas botas tan caras y extravagantes tuviesen salida; bueno, pues ya estaban vendidas y estaba deseando decírselo.

—He entrado alguna vez.

—Ya me parecía.

La chica me miró por primera vez directamente. Tenía los ojos muy brillantes, casi a punto de llorar. Sacó de la mochila que llevaba colgada al hombro la tarjeta del banco y pagó.

Cuando se estaba dirigiendo hacia la puerta retrocedió.

—Si en casa cambio de idea puedo devolverlas, ¿verdad?

Luego se entretuvo mirando bolsos, unos monederos de Chanel rebajados, más zapatos. La seguía por el rabillo del ojo mientras repasaba las estanterías, para recolocar lo que ella estuviese descolocando. No me importaba. Era una mañana relativamente tranquila. La chica, antes de salir, vino otra vez hacia mí.

—Hasta luego —dijo.

Qué pocas ganas tiene de salir a la calle, pensé.

Y éste iba a ser el momento más trascendental de mi vida. Hasta ahora creía que los momentos importantes lo parecían, que eran ruidosos como truenos y rojos como el sol, apoteósicos. No siempre es así, a veces una tontería, un suceso absolutamente normal, supone un antes y un después. Para mal o para bien, eso se sabe más tarde, cuando la vida se ha convertido en una montaña que no puede deshacerse. Así que al rato de marcharse la chica de la cobra, ya no volví a pensar en ella porque aún no comprendía lo que significaba esa visita. Enseguida tuve que atender a una larguirucha adolescente con un cuarenta y tres de pie, cuya madre estaba dispuesta a gastarse lo que fuese para que su hija no se acomplejara. La madre le llegaba por el hombro a la niña y llevaba una gran melena rubia y uñas largas y cuadradas. Por el deslumbrante reloj de brillantes de la muñeca y la estatura de su hija supuse que sería la mujer de algún jugador famoso de baloncesto. En la zapatería entraban funcionarias que trabajaban en los ministerios de los alrededores, ejecutivas de los bancos y las aseguradoras, que aprovechaban la hora de la comida para ir al gimnasio y comprarse algo, y esposas de futbolistas y tenistas, con todo el día para ponerse guapas. La mujer de la melena rubia me miró tan angustiada, suplicándome que sacara de debajo de las piedras unos zapatos bonitos del cuarenta y tres, que bajé al almacén esperando que se produjera un milagro, pero la realidad era la realidad, como solía decir mi abuela cada dos por tres, y volví con las manos vacías y tuve que ver cómo salían de la tienda y cómo la madre cogía a la hija de la mano mientras un repentino viento parecía que iba a arrancarlas del suelo.

Sentí un poco de nostalgia al verlas juntas, quizá porque ya era demasiado mayor como para que mi madre me cogiese de la mano, o porque no recordaba una mirada de mi madre como la de la mujer de la melena rubia a su hija, aunque probablemente, al no tener un cuarenta y tres de pie, no había sido necesario. El tiempo había pasado, la infancia había pasado, y la adolescencia, y yo ahora tenía diecinueve años y mi madre sesenta y dos, aunque decía que cincuenta, y mi abuela veinte más.

A veces desde la tienda se oía el chirriar de la silla de ruedas en el piso superior. Vivíamos las tres allí, encima de la zapatería, en un piso grande y antiguo que necesitaría una reforma completa para que entrara más luz. Misión imposible: mi abuela consideraba que sus alfombras y lámparas y muebles oscuros eran intocables, piezas de museo. Últimamente tenía que hacer un gran esfuerzo para no deprimirme cuando entraba en el piso y veía todas aquellas antigüedades y a mi abuela en la silla en el pasillo. Era una mujer de huesos grandes y me suponía un esfuerzo enorme ayudarla a levantarse y a vestirse. Tenía artrosis en las rodillas y achaques de la edad, y me quería con delirio. Le costaba salir de paseo a la calle si no era conmigo. Y no quería irse a la cama hasta que llegaba yo. No quería que me fuese a vivir sola hasta que ella muriese porque no soportaría no verme a diario. Morir era una de las palabras que más usaba desde que empezaron los dolores. Y yo hacía continuos esfuerzos por animarla y espantar esas ideas de su cabeza blanca.

Daría cualquier cosa por que mi abuela volviera atrás, cuando iba a buscarme al colegio y andaba bien y hablaba con las profesoras con la misma voz melosa con que me decía: anda, Laura, péiname, nos vamos de paseo.

Nadie se resistía a esa voz. Parecía que cantaba. ¿Por qué resultaba tan agradable? Algo pastosa, algo cantarina, risueña aunque por fuera estuviera seria o enfadada. Un don. En los tiempos en que ella llevaba la zapatería se vendía el doble, porque conseguía que el cliente creyera que sólo le hablaba a él de esa manera. Por entonces comenzaron a darle en la peluquería un reflejo azulado en su abundante cabellera blanca, que acabó pareciendo una nube de agosto. Solía llevar pantalones blancos con blusas blancas, vestía de blanco para que nadie pudiera echarle mal de ojo ni hacerle daño. Me había acostumbrado a que fuese una figura blanca. Lo único de color eran las joyas, pendientes, anillos, collares de esmeraldas, brillantes, oro, que yo heredaría algún día porque su hija, mi madre, no pasaba de la plata. Después, haría cosa de un año, cayó enferma y nos encargábamos del negocio mi madre y yo. Aunque, para ser sincera, el peso recaía sobre mí.

Todo el mundo la llamaba Lilí, incluidas nosotras, su hija y su nieta. A su voz ahora también se habían unido la silla y el sonido de las ruedas. Así que, estuviese donde estuviese, no pasaba desapercibida: siempre congregaba a su alrededor a unos cuantos devotos que apenas si reparaban en mamá o en mí. Mamá ya estaba acostumbrada y había conseguido vivir en otro mundo donde no existía Lilí.

A las siete le hice un gesto a mi madre en señal de adiós. No quería llegar tarde al conservatorio. Mi madre estaba atendiendo de mala gana a una pareja de novios que se probaban modelos sin parar. Momento que aproveché para ir rápidamente al cuartito de atrás a coger el bolso. No quería cruzar ninguna mirada directa con ella para que no me pidiese que me quedara un rato más. Mi madre no soportaba la zapatería y menos a los clientes dubitativos, pesados. Estaría deseando fumarse un Marlboro en el cuartito o en la calle. Lilí me decía que llegaría un momento en que me encargaría yo sola de la tienda porque su hija era una inútil. A veces me desagradaba que Lilí fuese tan dura con su hija, se olvidaba de que era mi madre y que yo le debía más respeto que a nadie. En la puerta respiré profundamente olor a tierra mojada muy lejana. Lo traía el viento. Era tan fuerte que casi me tira. Todos andaban de medio lado sujetándose cualquier cosa que pudiese salir volando, y los toldos blancos de las terrazas lo multiplicaban, como si las casas fuesen a saltar por los aires. Se oía pasar el aire entre las torres de apartamentos gritando, sollozando y silbando. Y pensé que hoy les haría una prueba de nivel a las alumnas. Daba clases de ballet a niñas de seis a doce años, y tenía puestas todas mis ilusiones de profesora en Samantha, la mayor de todas.

21

Verónica, estas botas están hechas para caminar

El domingo llegó Ángel sin avisar. Había engordado un poco y se quedó muy sorprendido al ver a nuestra madre tan delgada, pero enseguida disimuló y se puso a contar lo mal que guisaba la abuela Marita. Explicó que iba de pesca con el abuelo y a recoger leña por el monte para cuando llegase el invierno. Había hecho amigos y jugaban al fulbito en la playa. Como muchos vecinos de la urbanización sólo iban en verano, algunos chicos se encontraban tan perdidos como él y se juntaban para hacer muchas cosas, pero a estas alturas de septiembre apenas quedaban dos o tres.

Los abuelos le habían dicho que tenía que venir a vernos.

—¡Qué sabrán ellos! —dijo mamá cabreada—. Has hecho el viaje para nada.

—Allí es donde mejor estás —dijo mi padre—. Cuando empieces el curso, todo habrá vuelto a la normalidad.

La verdad era que quizá habían hecho bien en obligarle a venir y que nuestra madre pudiera verle con ese aspecto saludable, la piel requemada, los ojos chispeantes, de enamoriscado. Se volvía al día siguiente al mediodía porque tenía partido, así que no hubo cine. Dijeron que el cine podía esperar y pasamos el día jugando al póquer, viendo la televisión y comiendo.

El lunes me vino muy bien que se quedara en casa con nuestra madre para volver a la tienda de Laura. Descolgué la cazadora del perchero y me metí en ella como en una armadura, que me ayudaría a terminar lo que mi madre había empezado. Quizá ella no lo sabría nunca porque no le diría nada que ya no quisiera oír, pero yo necesitaba saber. Había pasado la noche dándole vueltas a la idea de abandonar. No sentía nada por la tal Laura, jamás podría considerarla mi hermana, así que, de serlo realmente, sería muy inhumano no poder considerarla ni en un miligramo como a Ángel. Además, no nos necesitaba. Tenía una buena vida. Una madre moderna, una abuela ideal, un negocio de campanillas que probablemente heredaría. Llevaba una ropa que costaba como la de todos nosotros juntos, incluido el abrigo de visón de mi madre y la chaqueta azul de alpaca de mi padre. ¿Para qué irrumpir en su vida y fastidiársela? ¿Para qué cargar nosotros con una persona a la que tendríamos que querer sin quererla? Ni siquiera mi madre la quería. Quería a aquella recién nacida que murió o que le robaron, pero no podía querer a la chica rubia que no había visto durante diecinueve años, que estaba acostumbrada a un estilo de vida muy por encima de nuestras posibilidades y que no se identificaría con nosotros en nada. Las vidas ya estaban hechas y no se podía volver atrás. Y, sin embargo, me revolvía el estómago que esa chica no llegara a saber todo sobre sí misma y que yo me lo callara. Desconocía hasta dónde habría llegado mi madre, puede que ya supiese con toda certeza que Laura era su hija y que dudase si intervenir o no en su vida, pero lo cierto era que se había comportado como una madre y que había luchado por saber la verdad, y algún día esto debía saberlo Laura.

Me asusté. Estaba observando a Greta por el escaparate. Aquel día nos sorprendía con pantalones muy anchos de crepé marrón oscuro, que flotaban sobre sus piernas, y una blusa verde en la que resaltaba el rojo del pelo. La cara le brillaba como si se hubiese dado nuestro flux de perlas. Iba y venía muy derecha haciendo ondear los pantalones y mirando la hora de mal humor, seguramente porque faltaría una eternidad para ver a su novio. Entraron un par de clientes que atendió la dependienta. Tuvo que dejar de colocar las cajas y encargarse de ellos porque Greta hizo una llamada en el momento más crítico. Se concentró en la llamada. Habló, escuchó, se rió y se puso de espalda para despedirse. La llamada le dejó un semblante risueño. Se puso a hablar con la dependienta, que no paraba de trasladar cajas de un lado para otro. Greta iba detrás contándole algo; necesitaría compartir tanta felicidad, pero sin coger una sola caja. Greta me maravillaba: quizá por vivir con una madre tan adulta como la mía, nunca me habría imaginado que una mujer tan mayor pudiera conseguir tener quince años.

¿Puedo ayudarla?, oí que me decía alguien detrás de mí. Era la voz de presentadora de telediario de Laura. La vi por el cristal sobre la silueta de su madre y de los bolsos de Prada, y tardé en girarme hacia ella mil años, quizá más, todos los que la humanidad había tardado en conseguir que ella y yo existiéramos y nos encontráramos. Millones de ojos castaños, millones de ojos azules, millones de ojos castaños y azules enamorándose, millones de sueños, millones de decepciones. Millones de Bettys y de Gretas.

—Me gustaría probarme esas botas de piel de pitón.

Me sostuvo la puerta para que entrara. Llevaba un vestido azul marino ajustado al cuerpo y abotonado hasta el cuello y una chaqueta blanca. Dejó la chaqueta, perfectamente doblada, y el bolso detrás del mostrador, fue hacia el escaparate sobre los altos tacones y sacó del escaparate las botas. Eran las que me habían entrado por los ojos el día que descubrí la tienda, pero ahora me fijaba más en Laura que en las botas. Estaba triste. Sonreía sin ganas. Me ayudó a ponérmelas. Me tocó las piernas con unas manos delicadas por las que podría estar corriendo mi misma sangre, millones de años de genes. Sentía sobre mí los dedos de la hija de mi madre y no oía bien lo que me estaba diciendo.

—Parecen hechas para ti. No sé por qué me quedé con un par. Me las quedé por algo, porque sabía que algún día aparecería alguien como tú.

No me salían las palabras. El hueso de melocotón había hecho su aparición. Los brazos me recordaban a los de Ángel antes de que se marchara a Alicante y empezara a fortalecerse. No era pecosa como Greta. Cuando me hablaba no comprendía lo que me decía. Podría estar diciéndome que el sol estaba colapsando y que nos quedaba un minuto de vida y no sería capaz de procesar la información. Se me habían cerrado los oídos y la mente. Veía las botas, la veía a ella. Me las probé y anduve de un lado a otro sin pensar si me venían bien o mal. Ella me miraba pensando en otra cosa. Se sentó en un módulo de piel crema y apoyó el codo en la rodilla y la cara en la mano con desgana, como si en las horas bajas no le encontrara sentido a su vida, y ésta debía de ser una hora baja. Y sin darme cuenta estaba pagando en la caja y dejando mi esmirriada cuenta casi a cero. Luego ella desplegó un papel de seda malva, que hizo crujir el aire suavemente.

—Espero que las disfrutes y que te lleven a muchos sitios. Están hechas para ti —dijo tendiéndome la bolsa satinada que nunca imaginé que fuese a colgar de mi mano.

¿Por qué mi madre no le había hecho una foto de mayor y se había conformado con la foto hurtada de la cartera de cocodrilo? Descubrió la tienda cuando Laura tenía unos doce años, la época de la foto robada, lo que significaba que habría abandonado esa vía, quizá porque habría comprobado que Laura no iba por allí. Sobre todo si llegó a entrar en la casa como vendedora de unos productos que tenían todas las papeletas de gustarle a Greta. Era un misterio la relación de mi madre con esa casa, cuyo número de teléfono estaba encerrado en un círculo rojo y tachado con cierta saña, pasando el bolígrafo por encima varias veces. Me prohibió que fuese por allí, lo que tenía sentido en caso de que esa familia tuviese la mosca detrás de la oreja. Estaba dando por supuesto que la abuela y la madre no querrían que Laura se enterase de nada. Quizá mamá tendría que haber abordado el problema con decisión y naturalidad. Si algo tenía Greta es que era moderna y abierta, y doña Lilí estaba segura de que habría entrado en razón; al fin y al cabo era una pobre inválida a la que todo el mundo adoraba. Si mamá les hubiese contado, de mujer a mujer, sus sospechas, de entrada les habría molestado, pero como madres comprenderían su tormento y todo se habría aclarado. A lo mejor incluso podríamos haber formado una gran familia. ¿Por qué no podía ser así de fácil? Mi madre tendría parte de la respuesta. Sólo tenía que acercarme al sillón o a la cama y preguntarle, que sería lo mismo que acabar con ella en unos cuantos minutos.

Me puse las botas en el autobús y metí las viejas deportivas, unas Adidas negras, en la caja. La caja y la bolsa eran tan bonitas que me dio pena tirarlas. En la caja metería las medias usadas y la bolsa serviría para cualquier cosa. Las guardaría en mi armario para que mamá no las viera y reconociera el nombre de la tienda.

Nada más llegar, pensaba llamar al número de teléfono de Greta con alguna excusa, y a última hora de la tarde, a la hora del cierre, volvería por la tienda para ver a dónde iba Laura después del trabajo. Seguramente se daría una vuelta por ahí para respirar la calle y distraerse y después se iría a casa. Vaya vida que llevaba, no se la envidiaba.

Al llegar a casa, Ángel se había marchado otra vez a Alicante y mi padre no había llegado. Y tras los cristales del porche *Gus* me miraba babeando. Pegó un ladrido y movió el rabo. Cada vez tenía menos agilidad, pero la misma alegría. Dejé la bolsa junto al sofá y me lancé a abrir la puerta de cristal y a dejarme besuquear. Ana lo llevaba siempre muy limpio y la mano se hundía en el pelo como entre algodón. Volví a cerrar la puerta para que no lo pusiera todo perdido de pelos y babas. A mi madre se la oía hablar. Aún no se había levantado de la siesta, querría estar descansada para ir de una vez por todas al cine. Ana escuchaba. Ana sabía escuchar muy bien, no era de esas personas que enseguida necesitan meter baza y dirigir la conversación hacia sí mismas. Daba la impresión de que a ella nunca le ocurría nada desagradable, terrible, fuera de lo normal, nunca engordaba ni adelgazaba, nunca enfermaba. De lo único que hablaba era de sus viajes a Tailandia y del señor rico que la esperaba allí. No fui directamente a la habitación: Ana sabía entretenerla muy bien y, cuando se marchaba, mamá se quedaba como nueva.

Me calenté dos cazos de las lentejas que había hecho el domingo y me las comí despacio viendo la cara de *Gus* a lo lejos. Él me observaba desde su mundo perruno, un mundo de gran olfato, oído y de finos sentimientos y de habilidad para hacerse entender por los humanos. Habían inventado el movimiento del rabo para que supiéramos que estaban contentos y el gruñido para marcar distancias. También veía la chaqueta y el bolso de Ana sobre una silla junto a la mesa de caoba. Era otro bolso distinto al que registré en el restaurante cuando comía con mi padre. Quizá la foto estuviera en éste o quizá se la hubiese metido en un bolsillo de esa chaqueta larga y flexible. El problema era que si me acercaba a esa silla y tocaba sus cosas *Gus* se pondría a ladrar como un loco porque los perros tenían que demostrar una fidelidad babosa para vivir de gorra. De todos modos, había que intentarlo. Mientras mi madre siguiera hablando era que ella seguía escuchando. Así que llevé el plato al fregadero, dejé que corriera el grifo un rato para que los restos no se apelmazaran por los bordes, bebí agua, me lavé las manos y me dirigí muy despacio hacia aquel bulto de tonos ocres y negros que sería del agrado de Laura. No tenía pensada ninguna excusa en caso de que me pillara.

Deslicé la mano en los bolsillos de la chaqueta. Estaban forrados de seda. Noté monedas y unos papeles que parecían recibos de compras. *Gus* me miraba hacer sin comprender, hasta que intuyó que mis movimientos eran sospechosos y pegó un ladrido. Había levantado las cejas peludas como un profesor que ha pillado copiando a un alumno. Saqué los típicos recibos de tiendas y sin mirar me los metí en el bolsillo del pantalón, por coger algo, por no haberme arriesgado completamente en balde. No me atreví con el otro bolsillo ni con el bolso, e hice bien porque *Gus* ladró más fuerte, ya no sabía si mi madre continuaba hablando y Ana apareció por el pasillo descalza como si se hubiese echado junto a mi madre para estar más cómoda. Sólo pensar que se había tendido en la cama de mis padres y que dejaría su perfumado olor, me hacía apretar los labios como cuando alguna comida no me gustaba.

Apenas me dio tiempo de alejarme de la mesa. Puede que ella viese cómo me alejaba, pero no que registraba el bolsillo. Era descabellado y vergonzoso sospechar de ella, lo de la foto debía de tener otra explicación razonable y creíble y, sin embargo, una fuerza desde el estómago o el corazón me impulsaba a dudar de ella.

—Hola, Verónica —dijo con las piernas separadas, plantada sobre los pies descalzos y con los brazos en jarra. Tenía leves músculos de gimnasio en los brazos.

—He visto que estabas aquí y he aprovechado para comer —dije sentándome en el brazo del sofá.

Ella echó un vistazo a sus cosas, luego a mí y después a la bolsa de la zapatería, junto al sofá, de la que sólo se veía la mitad.

—Me marcho ya —dijo abriendo el bolso y sacando unas entradas para el cine—. Aquí tienes. Me las encargó Daniel para esta tarde. No me costaba nada traerlas y de paso ver a Betty.

Bajó la voz.

—Parece que está mejor, ¿verdad?

—Tiene ganas de salir. Muchas gracias, Ana —dije sintiéndome una rata miserable.

De nuevo se oyó hablar a mi madre y a los dos minutos apareció Ana con los zapatos en la mano. Los dejó caer al suelo y metió los pies, se puso la chaqueta, ligera y suelta, que colgaba de ella descolocada como si no le importara su aspecto, y antes de marcharse volvió a abrir el bolso y sacó un carmín de Dior.

—Sólo lo he usado una vez, no me va el color.

Le di las gracias y nada más marcharse lo tiré a la basura. Se empeñaba en continuar tratándome como si tuviera catorce años.

Limpié las gotas de saliva de *Gus* en el porche y terminé de recoger la cocina antes de pasar al cuarto de mis padres, para poder dedicarme luego a arreglar a conciencia a mi madre y que al llegar mi padre se marcharan al cine.

Y nada más pasar a la habitación lo noté. Si me hubiesen dado a elegir, no habría querido ser tan detallista, me habría gustado reparar sólo en lo importante, en lo que puede influir en la marcha del planeta, de las estrellas y de los grandes avances de la humanidad. Habían sido las circunstancias, la cara oscura de la luna, el otro mundo de mi madre los que me habían preparado para fijarme en minucias y ya seguramente no habría vuelta atrás. Iba a ser una mujer puntillosa y más adelante una vieja escudriñadora y recelosa.

La puerta del armario no estaba cerrada del todo. Mi madre estaba quitándose la sudadera con la que se había echado la siesta. La ayudé. Le dije que Ana había traído las entradas del cine y que si estaba animada para ir. Lo estaba. Ana le había calentado un vaso de leche. Era un cielo. El amante tailandés no se la merecía, aunque afortunadamente Ana no era como la Vampiresa, Ana tenía narices y no consentiría que nadie le pusiera la mano encima. Era una pena que no tuviese hijos porque esos hijos tendrían una madre que los protegería muy bien. Tuve que morderme la lengua para no decir nada, me dolía que mi madre considerase a Ana mejor que ella misma.

—Eso nunca lo sabremos, mamá.

Y luego le pregunté distraídamente quién había abierto el armario. Le sorprendió la pregunta.

—Le dije a Ana que buscase una cosa.

—¿Y la encontró? —dije en el mismo tono distraído.

—No, es muy patosa. Por mucho que le indicaba no lo encontraba.

—¿Quieres que lo busque yo?

—No, no. No es nada. Era una tontería.

Como si lo estuviera viendo: mi madre le había pedido que buscara la cartera y Ana no quería encontrarla porque era ella quien se había llevado la foto. No sabía si era la explicación correcta, pero desde luego las piezas encajaban.

Cuando mi padre llegó, mi madre ya estaba vestida. Le puse el abrigo de visón, porque, aunque estábamos en septiembre, los días habían venido frescos y no podíamos arriesgarnos a que se enfriara. Y coloqué provisionalmente el dinero que escondía en un bolsillo en uno de sus cajones, debajo de un montón de medias.

—¿Para qué guardas ese dinero, mamá?

—Para imprevistos.

Antes de acompañarla al salón, metí la bolsa de la zapatería debajo de mi cama.

La peiné con la raya al lado y le ricé más el pelo con el difusor, la maquillé de una manera muy suave y le pinté los labios de rosa como el colorete que la Vampiresa llamaba rubor. Los pendientes de tres bolitas de oro la iluminaban. Cuando estaba concentrada sobre su cara, sobre sus pómulos y sus labios, sobre las motas claras como islas en el negro de los ojos, me miró con adoración, de una manera que nunca me arrebataría ninguna Laura ni nadie de este mundo. Debajo del abrigo llevaba unos pantalones vaqueros míos de cuando usaba la talla treinta y seis y un suéter fino de manga corta.

Mi padre la miró extasiado. No creía posible que el amante de Ana pudiera admirarla tanto como mi padre a mi madre.

La llevaba cogida del brazo casi en volandas.

Antes de salir mi madre dijo: estudia todo lo que puedas. Y luego dejó la vista clavada en mis botas.

—Tienen pinta de buenas. Recuérdame que te dé lo que te han costado. Considéralas un regalo mío —dijo.

Me marché feliz a la tienda. El camino cada vez se me hacía más corto. Lo hacía casi a ciegas. Me llevé un libro de la carrera para ir leyendo y para que las esperanzas que había puesto mi pobre madre en mí no fueran tan infundadas. Quizá contra el pronóstico de los médicos mejorara, y yo pudiera hacerle el mejor regalo de su vida, llevarle a su hija perdida y que se le quitara ese peso de encima y pudiésemos ser felices, si es que se puede ser feliz mucho rato.

En el autobús me entretuve examinando los tiques de compra que había de los bolsillos de la chaqueta de Ana. Varios correspondían a tiendas de la Milla de Oro, pero uno era un recibo pequeño de un supermercado en la calle Alcalá, frente al Retiro. Había comprado leche, yogures, Nescafé y papel higiénico. Debía de vivir por allí. Nadie se aleja mucho de su casa para comprar cuatro cosas. Arrugué los tiques para tirarlos en alguna papelera que viera de camino, pero me arrepentí y volví a meterlos en el bolsillo del pantalón.

Menos mal que llegué antes de tiempo porque vi cómo Laura se alejaba de la tienda andando muy deprisa. No llevaba los tacones. Yo aún no me había hecho a las botas y la seguía como podía. No me veía, iba mirando la acera y no le interesaba nada de alrededor. La consumían los pensamientos. Lo que tenía en la cabeza era mucho más importante que todo lo que había afuera. Bordeamos un parque bastante solitario con algún perro y su amo que de vez en cuando salían de entre las sombras. Anochecía. La luna se iba formando entre las altas ramas de los árboles. En este momento todo ser viviente, todo ser humano, estaba sintiendo algo, no se podía dejar de sentir, era como si hubiésemos venido al mundo para llenarlo de sentimientos. Yo ahora sentía que era una mujer primitiva, del Paleolítico Superior, que había salido de caza y seguía a esta otra mujer que se dirigía a algún sitio desconocido para mí. Seguramente en aquel planeta prácticamente despoblado los seres humanos éramos muy importantes unos para otros porque el otro siempre podía enseñarnos algo que nos salvara la vida. La misma luna nos seguía alumbrando miles de años después. ¿Mentiría aquella gente tanto como ahora? ¿Tendrían sentido del honor? ¿Vivirían a lo loco o sus lazos sociales se basarían en la confianza? Miles de años a nuestras espaldas nos habían hecho desconfiados y en otros miles más sería muy difícil engañarnos unos a otros.

Se detuvo ante el Conservatorio Municipal de Danza y Música. Tenía un jardín a la entrada y grandes ventanas muy brillantes, por donde salía música. Entré y la seguí con la mirada. Por el pasillo iba desabrochándose la chaqueta. Se paró ante una niña que iba de la mano de su madre. La mano de la niña pasó a la suya y se la llevó consigo a un aula donde ponía «De seis a doce años». Me moría de curiosidad. ¿Sería ella la profesora? Una niña de unos diez años salió corriendo con un tutú rosa camino del baño, que caía enfrente. Me situé por aquella área y cuando la niña regresó y abrió la puerta pude ver a Laura de espalda, enfundada en mallas negras con calentadores. Esto era lo que hacía cuando salía del trabajo, dar clases de ballet.

Iba a alejarme de la clase cuando una señora con melena perfectamente peinada de peluquería y una bata blanca salió de alguna parte y con toda la posible desconfianza heredada de nuestros antepasados me preguntó si buscaba a alguien o si esperaba a alguien.

Le dije que me habían hablado muy bien de este conservatorio y que me gustaría matricular a mi hermana en ballet clásico.

—Pues entonces lo normal es que se dirija a la recepción. Por aquí, como comprenderá, nadie va a ayudarle —dijo sin pestañear, sin creerme, dejando bien claro que llevaba mucho visto en esta vida y que no era tonta.

En recepción conté la misma historia y que me habían hablado muy bien de la profesora Laura Valero. La recepcionista acompañó mis palabras asintiendo con la cabeza.

—Todos los profesores de este centro son espectaculares, pero Laura es punto y aparte. Tiene peticiones en lista de espera para varios años. Lo siento.

Sentí un gran orgullo irracional. Si existía una hermana Laura en alguna parte no me importaría que fuese ésta.

Una vez fuera no supe qué hacer, si esperar y seguirla hasta su casa, para saber de una vez por todas dónde vivía, o dejarlo para otro día porque me arriesgaba a que alguien la acercara en coche o que no se marchase a casa directamente. Hacía un fresco muy agradable. Buscaría una boca de metro y me daría una vuelta por el centro de la ciudad, por algún bar a los que solía ir con mis amigos, seguro que me encontraba con alguien.

Por la mañana agradecí que mi padre se marchara más temprano de lo habitual y que no me viera con resaca, aunque algo debía de haber notado, eso seguro. Cuando llegué, llevaban dormidos varias horas. Él roncaba y ella estaba bajo los efectos del sedante que tomaba por la noche. Había llamado diciendo que me había encontrado con unos amigos y que no se preocuparan. Oí a mi padre que le decía a mi madre: no te preocupes, Verónica sabe cuidarse. En ese sentido mamá estaba tranquila desde que dos años atrás, cuando el mundo, aunque en ese momento no lo pensase, estaba más a nuestro favor, tuve que pegarle una patada en los huevos a un tío.

Eran las rebajas de enero y habíamos salido de compras. Cuando ya estábamos agotadas, nos sentamos en un café rodeadas de paquetes. Un vestido para mí, dos chándales para Ángel, jerséis y un pijama para mi padre y zapatos para ella. Mamá colocó su abrigo de visón en el respaldo de una silla. Nos quedamos en silencio contemplando nuestros respectivos cafés, encantadas de la vida porque en esos momentos habíamos dejado la mente en blanco como la arena blanca y caliente de una playa. Y entonces pasó aquel individuo junto a nuestra mesa, sillas y paquetes, arrancó el visón del respaldo y salió corriendo. Se lo había regalado mi padre cuando le tocó la primitiva, no había sido mucho, pero el hecho de que nos tocara algo nos convirtió en ricos y estuvieron cenando varias noches con champán. Por la patilla, decía mi padre cada vez que se acercaba la copa alta y estrecha a los labios. Y compró un visón que mi madre llevaba visto desde hacía no sé cuánto en un escaparate del centro. La aparición del abrigo en casa fue una fiesta. Se lo quitaba y caía haciendo ondulaciones medio marrones medio doradas y se quedaba echado en el sofá como si fuese un gato enorme. Se la veía tan contenta que le agradecía a aquellos pobres visones su sacrificio. Decía que cuando se lo ponía para vender los productos le compraban el doble. Decía que con él se sentía en su sitio. Decía que no quería más pieles, que éstas eran las únicas pieles que había deseado y desearía en su vida. Cuando lo colgaba en el armario lo tapaba con una funda de tela blanca que cosió ella misma. Y ahora un hijo de puta nos arrebataba el visón por las buenas, porque sí, porque le daba la gana.

Salí corriendo detrás de él. Aquel invierno llevaba unas botas de sierra que me vinieron muy bien para la ocasión. Él llevaba deportivas, unas deportivas que debían de haber hecho varias carreras como ésa. Lo había visto de reojo, comprendí sus intenciones antes de que ocurriera, pero sentía esa felicidad tonta que hace que se baje la guardia, el calor de dentro después del frío de fuera, y preferí no darme cuenta de lo que me di cuenta y seguir dándole vueltas al café. Nos habíamos aturdido comprando y no quería despertar.

Mi madre me llamaba. Y salió corriendo detrás de mí sin pensárselo dos veces, dejando nuestras cosas solas, incluidos los bolsos. Luego se lo reproché, pero me habría decepcionado que no lo hiciera. No pudo darnos alcance. Yo no estaba dispuesta a parar. Él a cada poco miraba para atrás. Llevaba el estorbo del abrigo, yo no llevaba ninguno y tenía muchas ganas de hacer eso. Mientras corría sentí que aquello era lo que más deseaba en el mundo, vengarme de lo que nos habían quitado, de todos los ratos como el de esa tarde que los fantasmas nos habían robado, de los ratos de no pensar en nada que no nos habían dejado disfrutar. Los fantasmas nos habían obligado a estar alerta y, mira por dónde, éste no era un fantasma y sentía mucha rabia y muchas ganas de engancharle. Y puede que él sintiera mi furia porque tropezó con el abrigo y se cayó y entonces volé, volé como una flecha, como una piedra ligera lanzada con mucha fuerza, y llegué a tiempo de que no se levantara. Tenía una rodilla en el suelo y sacó una navaja. Me la puso ante la vista. Y entonces le pegué una patada en la cara con la fuerza que me había dado la carrera y todas las ganas que tenía de hacerlo, y cuando se levantó y se llevó la mano libre a la cara, le pegué otra patada en los huevos y no tuvo más remedio que tirar la navaja. También le di una patada a la navaja de mierda y le iba a decir: mira lo que hago con tu navaja y con tu cara, pero no tenía ganas de hablar. Le había roto la nariz, me daba igual, él me habría pinchado y se habría quedado tan fresco.

Iba sacudiéndole el polvo al abrigo cuando vi aparecer a mi madre. Se paró a tomar aire. Era una pena que el abrigo hubiese estado rodando por el suelo.

—¿Estás loca? —dijo ahogándose—. ¿Cómo se te ocurre enfrentarte a un desgraciado como ése? Podría haberte matado.

—No podía —dije dándole el abrigo.

—¿Que no podía? ¿Y si hubiese podido?

—Es un colgado, no tiene fuerza. Yo sí podría haberle matado.

Me miró un poco asustada y me abrazó.

—No hay nada, absolutamente nada por lo que merezca la pena arriesgar la vida.

¿Y alguien? ¿Había alguien por quien mereciese la pena arriesgar la vida de todos nosotros? Me deshice del abrazo y la miré de frente. Sus ojos tan negros y bonitos, igual que estrellas negras, querían comprenderme. Imploraban algo. Era la mujer más asustada que había visto en mi vida. Y yo no quería tener miedo de nadie, por lo menos si era de carne y hueso y podía partirle la cara.

Nada más llegar al café abrimos los bolsos y contamos los paquetes. Nadie se había atrevido a quitarnos nada.

El camarero dijo que los cafés estaban pagados y que nos servía otro con mucho gusto, pero a nosotras nos incomodaba que todo el mundo nos mirara con admiración y nos marchamos. Y no contamos nada para que Ángel no siguiera mi ejemplo.

Y otra vez había vuelto a ocurrir. Cuando por la noche desistí de esperar a que Laura saliera del conservatorio y me aventuré por la zona de bares del curso pasado, de mi juventud, de mi vida de antes, no me encontré con nadie que me interesara. No estaban Rosana ni mis otras amigas, ni los compañeros con los que solía toparme en cuanto aparecía por allí. Estaba entre contenta por los avances hechos con Laura y descontenta por todo lo demás. Quería encontrarme con gente y no quería estar con gente, y estaba intranquila por mi madre y no quería llegar pronto a casa. Y entonces tuve la mala pata de ver al profesor de filosofía del instituto, el que siempre decía que lo mejor estaba por llegar, el que nos leía a Epicuro y los *Diálogos* de Platón. Estaba solo. Estaba bebido, no borracho, en ese punto en que uno se cree ingenioso. Me preguntó en qué carrera me había matriculado. Fue un alivio no tener que mentir y le conté la verdad: mi madre había enfermado y se me había pasado el plazo de matrícula. Excusas, dijo; con esa actitud nunca sería nada en la vida e insistió en que me tomara una cerveza con él. Le pregunté por qué estaba solo. Y por lo que veo tú también, dijo. Mejor, añadió, así puedes quedarte conmigo un rato. Le dije que lo sentía, que tenía que marcharme, que mis amigos habían desaparecido como por arte de magia y que me abría. Si has entrado aquí y me has saludado por algo será. Me pidió otra cerveza de cuarto de litro sin preguntarme. Tenía sed, la primera me la había bebido de dos tragos y ésta la bebí de tres. Dime, dijo, ¿por qué me has saludado? Tenía los ojos brillantes y se me echaba encima para hablarme. Usted era mi profesor preferido. Nos hablaba de la vida y nos decía cosas interesantes. Nos explicaba que lo mejor estaba por venir. Se rió un poco. Te acuerdas de lo más tonto que se me ocurrió deciros, yo mismo no lo podía creer cuando me oía. ¿Quieres que te diga algo bueno de verdad?, dijo cogiéndome el brazo. No, no quiero que me diga nada más. Me gustaban sus clases, pensaba que le agradaría saberlo. Me soltó. Los labios le brillaban por el vino.

—Necesito comer algo y tú necesitas sabiduría. Vamos —dijo cogiéndome otra vez del brazo. Dejó un billete para que se cobrasen y recogió el cambio. Estaba animado.

—Tú eras mi mejor alumna, recuerdo la atención con la que escuchabas.

—Bueno, es hora de irme —dije—, me alegra haberle visto.

Me apretó más fuerte el brazo.

—Prestabas atención, pero no entendías nada. Nada de nada. La frase no era así. ¿Quieres oír exactamente cómo era?

—Lo siento —dije tratando de desprender el brazo de su mano—, no puedo quedarme.

—Lo sientes, lo sientes. Lo mejor vendrá mañana, pero mañana es el futuro y el futuro no es nada, es el vacío. Así era la frase —remachó atrayéndome hacia él con una fuerza descomunal. Sus labios brillantes me llegaban a la frente, casi la rozaban.

—Profesor, me hace daño—. ¿Cómo se llamaba? En ese momento acababa de olvidarlo, no podía pensar ni recordar. Ya no podía oír.

—No necesito que me admires ni que me recuerdes, sólo necesito que vengas a cenar conmigo.

Andando y parándonos, andando y parándonos habíamos recalado en una calle de restaurantes con manteles de cuadros y velas. Aunque hacía frío, los extranjeros cenaban en las pequeñas terrazas dispuestas a la entrada y separadas de la calle por jardineras con plantas. Él, con su gran fuerza, me empujaba hacia el interior de uno de ellos, tropezando con las mesas. Me estaba dando mucha vergüenza y habría querido desaparecer ante los ojos de aquellos guiris. No quería formar parte de una estampa costumbrista, así que no tuve más remedio que darle una patada en la espinilla ya en el umbral del mismo restaurante.

—No quiero entrar —y me marché corriendo.

Jamás en clase me había parecido tan alto ni tan fuerte. La chaqueta marrón oscuro que llevaba lo hacía corpulento y temible.

Vino detrás de mí, con enormes zancadas. Yo corría, él también. Y de pronto me paré en seco y fui hacia él.

—Ya lo sabía yo —masculló.

Le pegué otra patada en la pierna y le tiré del pelo. Le arañé la cara y cuando me cogió los brazos por detrás le pisé con toda la fuerza que se me estaba formando dentro y gritó de dolor. Le pegué un puñetazo en el cuello y por último cogí una banqueta de una de las terrazas y se la tiré a la cabeza. Me pareció que se tambaleaba y me marché corriendo. Sudaba y tenía que parar para respirar y entonces alguien me saludó con la mano desde un bar. Era uno de mis antiguos amigos.

Vacilé si seguir mi camino o si tratar de quitarme de la cabeza al profesor. La opción estaba tomada. Mi amigo salió del local para esperarme. Le llamábamos Orejones por lo que cualquiera puede imaginar y jamás me imaginé que me alegraría tanto de verle. Le abracé y todo. Me tomé unas cuantas cervezas más con él y su peña, gente que nunca sospecharía que acababa de arrearle a un tipo de uno ochenta y tantos.

De camino al autobús pedí al cielo que lo de esa noche no hubiese pasado o que por lo menos no me hubiese encontrado con el profesor, sino con alguien parecido a él, con su fantasma.

Y me levanté preocupada por si le había herido de gravedad con la banqueta. Lo peor de todo era que me gustaba sentir furia. Estar furiosa me quitaba la timidez y el sentido del ridículo. En la furia yo era yo. Y todavía me quedaba un poco para ir a ver a Laura por la tarde y hablarle. Necesitaba salir de dudas. Puede que al final mi madre hubiese descubierto que esta Laura no era su Laura y que todo había sido en balde y que enfermara por eso. O puede que no tuviese suficiente valor para tomar la decisión que iba a tomar yo. La pelea con el profesor me había llenado de ganas de más. Y si yo desgraciadamente no había tenido más remedio que enterarme de la existencia de Laura, ya era hora de que también ella se enterase de la mía. Y si me equivocaba, mejor para ella, se quedaba como estaba. Yo tampoco tenía la culpa de nada.

A eso del mediodía llamaron a la puerta. Menos mal que papá llegaba sobre las cuatro, justo después de que acabase la telenovela. Era entrar él y salir yo.

Miré por la mirilla y vi flores blancas, el color de la amistad y de la inocencia. Eran dos docenas de rosas, y prendida al celofán había una tarjeta. Una tarjeta del profesor. Me pedía disculpas, estaba muy avergonzado, se le había ido la cabeza y confiaba en que pudiéramos encontrarnos en circunstancias normales. La próxima vez sería mucho mejor. La rompí en trozos muy pequeños y los tiré por el váter. Las rosas eran muy bonitas y no tenían la culpa de nada, así que se las llevé a mi madre. Le dije que las había traído por la noche. Le pareció raro, pero fingió que era normal que yo apareciera con grandes ramos de flores. Las coloqué en el jarrón de la mesa de caoba y cuando se levantó y se sentó en el sillón se quedó mirando el conjunto y dijo que definitivamente las rosas blancas eran lo que le iba a la mesa y que teníamos una casa muy bonita. El cielo estaba gris, unas cuantas gotas estallaron contra los cristales, todo era melancolía tras ellos. Después de hacer las camas y arreglar un poco la casa me tumbé en el sofá junto a ella con el libro de la carrera que había comprado.

—¿Por qué no traes a tus compañeros de la facultad? Podéis estudiar aquí.

—Aún no tengo amigos. En primero estamos muy despistados.

—Esto no tendría que haber pasado, tú deberías estar concentrada en lo tuyo y no andar vendiendo cosméticos por ahí.

—Hay tiempo para todo. Tus cremas hacen feliz a mucha gente.

Y entonces me acordé de la Vampiresa y de las trescientas mil pesetas que me debía y de que si no hacía ya la transferencia a mi cuenta me veía otra vez en Alcalá Meco. Me había dejado llevar, me había fiado de una mujer que había intentado matar a su marido. Y yo ahora no tenía surtido suficiente para servir los pedidos. Pasaba la vista por la página y no me enteraba de nada. Si mi madre llegaba a enterarse, se llevaría un soponcio. Trescientas mil pesetas. Como última alternativa estaba mi padre, no se enfadaría conmigo, sólo me diría que dejara de hacer tonterías.

Lo siento, Laura, pensé mientras esperaba frente a la tienda a que saliera. Dentro estaban Greta y su novio, y Laura se puso la chaqueta despacio mirando a una y a otro, a la caja registradora donde su madre metería mano con demasiada frecuencia, y a los carísimos artículos a su alrededor con pavor porque Greta podría llevarles a la ruina en cinco minutos y más con su amor siguiéndola a todas partes. Ella no paraba de pasarle la mano por la cara, de entrelazarse con él, de ofrecerle el cuello para que la besara, y él se dejaba hacer. Menos mal que antes de que Laura los dejara solos llegó doña Lilí en la silla, empujada por el chico extranjero caluroso del otro día. A Greta le fastidió verla, pero el novio se inclinó sobre su pelo azulado para darle un beso: habría comprendido que había que querer a doña Lilí. También le dio un beso Laura. La única que no la besaba era Greta. La verdad, no sé qué esperaba Laura para salir corriendo de allí hacia las clases de ballet. Parecía pegada con pegamento a los deseos de su abuela.

Sabía por dónde pasaría, era una persona de costumbres. Cruzaría por el semáforo, ni un segundo antes de que se pusiera en rojo y hubiesen parado todos los coches, y aun así miraría a derecha e izquierda. A todos alguna vez nos habían enseñado a cruzar así la calle y a no hacer mil cosas que podrían perjudicarnos, pero luego uno iba adaptando el peligro a sus necesidades. Laura no había dado ese paso. Me apoyé en la puerta de Zara, frente a la zapatería. Ella iba mirando el suelo y tendría que hacerme ver.

Al principio no me reconoció. Normal. A una clienta se la reconocía en la tienda, no allí, en medio de la calle.

Le enseñé una bota para que hiciese memoria.

22

Laura,
pero ¿quién es
la chica de la cobra?

Los clientes no se daban cuenta, pero yo sí que oía de vez
en cuando la silla de ruedas de Lilí sobre mi cabeza. La
sentía recorriendo el pasillo del piso y girándola en el salón para ir a las habitaciones, de modo que la presencia
de mi abuela era constante, atravesaba el techo de la
tienda y lo inundaba todo. Me atravesaba el cráneo. Sólo
desaparecía en las clases del conservatorio. Pero, al terminar, su imagen volvía y se quedaba hasta la clase siguiente. Sin darme cuenta, esperaba ese momento en
que, por así decirlo, apagaba a Lilí.

Así que a las siete salí de la tienda. Hacía un viento
muy agradable, inesperadamente más fresco de lo
normal, una mezcla de verano e invierno muy de agradecer porque le daba un toque algo salvaje al parque
que recorría hasta el conservatorio y que servía para
separarlo de la tienda. Esto tenía en la cabeza cuando
la vi.

Estaba apoyada en la puerta de Zara, frente a la tienda, y casi me tropiezo con ella porque al pasar estiró una
pierna y movió una puntera de piel de pitón. Reconocí la
bota y luego la miré a ella. Tardé unos segundos en darme cuenta.

—¿Me recuerdas? —dijo acercándose a mí.

—La chica de la cobra.

Miró a derecha e izquierda.

—Estaba esperando a un amigo, pero creo que me ha dado plantón.

—¡Vaya! —dije yo—. ¿Qué tal las botas? ¿Son cómodas?

—No son muy cómodas, pero me gustan mucho. Desde que me las puse no me las he quitado.

—Me alegro. Bueno, espero que vuelvas por la tienda.

—Seguro —dijo poniéndose a mi lado y empezando a andar conmigo—. En cuanto las vi en el escaparate dije, para mí.

Iba vestida más o menos como la vez anterior, con un aire rockero que le pondría los pelos de punta a Lilí.

—Tu anillo es una pasada.

—¿Te gusta? Si quieres, puedes quedártelo —dijo tratando de sacárselo del dedo.

—Me gusta en ti, no en mí —contesté tajante. No nos conocíamos, no me parecía normal que quisiera dármelo.

Entonces se quedó callada un momento y me cogió del brazo, quizá demasiado fuerte. Nos miramos frente a frente. No sé qué gesto tendría yo. Puede que de cabreo y sorpresa.

—No te preocupes —dijo sin soltarme—, no estoy loca. Sólo quiero hablar contigo.

Sacudí el brazo para soltarme.

—No tiene ninguna gracia. Olvídame.

—Qué más habría querido yo que poder olvidarte. Qué más habría querido yo que no existieras.

—No serás una de esas psicópatas…

—Perdóname —dijo—. He empezado muy mal. La diplomacia nunca ha sido mi fuerte. Nunca he sabido decir las cosas importantes.

—Oye —dije—. No me marees. Lo dejamos aquí. Tú por tu camino y yo por el mío.

Me miró a punto de llorar. No parecía una chica que llorase, por el anillo con la cobra, porque tenía fuertes pómulos, donde las lágrimas se habrían desparramado y desaparecido. Se pasó la mano del anillo por el pelo negro y rizado que le llegaba al cuello de la cazadora.

—Tenemos que hablar, ojalá no tuviera que hacerlo, pero no tengo más remedio. No podemos dejar las cosas así, como si no pasara nada.

Estábamos cerca de la puerta del conservatorio y le grité:

—¡No entiendo nada!

—Puedo explicártelo en media hora.

—Hoy no. Se acabó.

—Iba a escribirte una carta —dijo con los ojos enrojecidos por el viento o por las lágrimas—. Sería más cómodo para mí, pero no me parece decente.

Eché a andar deprisa, quería meterme en el conservatorio de una vez por todas. Vi por el rabillo del ojo que no me seguía, no se oían las botas cerca de mí. Se alejó en dirección contraria.

No pude concentrarme. Veía a la chica de la cobra una y otra vez. Ya era noche cerrada y en las cristaleras se estrellaban las luces de las ventanas de los alrededores. Me había confundido con alguien, no había otra explicación. Quizá tendría que haberle dado la oportunidad de que me contase qué quería de mí, quién se imaginaba que era yo. Habría sido mejor para las dos deshacer el error. Había dado por supuesto que era una trastornada y ahora, trastornada o no, no me la quitaba de la cabeza. Al pensar que no estaba bien de la azotea decidí que no era bueno alargar el contacto con ella. ¿Era prudencia o cobardía? La chica necesitaba ayuda y yo no se la había brindado simplemente para no comprometerme.

Llegué a casa a las diez. Lilí estaba viendo la televisión y mi madre en sus dominios, sobre unos cojines, en la postura del loto. Me habían dejado tortilla de patatas y ensalada en un plato.

—Cena —dijo Lilí sin separar la vista de la tele.

Picoteé un poco de ensalada y me senté con ella. Siempre me deprimía verla frente a la tele y aprovechaba para ducharme o arreglar un poco mi cuarto. Sin embargo, hoy necesitaba contarle a alguien lo que me había pasado. Al principio no me prestó atención porque estaba esperando que saliera Carol en la serie, pero luego llamó a mamá, que acudió de mala gana. Lilí bajó el volumen de la tele.

—¿Y dices que casi se puso a llorar? —preguntó mamá.

Asentí.

—Creo que necesita hablar. Se encuentra sola —dije.

—En cuanto vuelva por la tienda, avísame. Y si te espera en la calle o en cualquier parte, llámanos. Puede ser peligrosa —dijo Lilí intercambiando una de esas miradas que a veces se cruzaban cuando estaba Ana delante.

—Sí —dijo mi madre con la voz inusualmente endurecida—. No vuelvas a hablar con ella, ¿me oyes?

Quizá todos estábamos exagerando un poco. La primera yo por contarles esa tontería, algo sin importancia. Era una niña mimada. Estaba acostumbrada a que mi abuela y mi madre me sobreprotegieran, a que pensaran que alguien había sembrado el mundo de minas para mí. Era increíble que sabiendo cómo eran les hubiese contado esa tontería. Ahora Lilí estaría dándome la lata y el sábado no me dejarían quedarme fuera toda la noche.

—Creo que no deberías dejarte ver por la tienda unos días —dijo Lilí como si de repente fuese una mujer fuerte dispuesta a todo por evitarme cualquier contratiempo o situación incómoda—. ¿Sabe dónde vives, sabe dónde das clase?

Negué con la cabeza.

—¿Estás segura? —repitió con esa dureza en la mirada que la envejecía alarmantemente. Mañana no bajes a la tienda.

Cuando Lilí hablaba así estaba a un paso de ofuscarse y era mejor obedecer o hacer que obedecía. Era mejor perder la batalla desde el principio y que se tranquilizara.

—Sólo iré al conservatorio por la tarde, no os preocupéis.

Lilí se me quedó mirando tratando de atravesar mis pensamientos y descubrir si la engañaba. Cuando se concentraba así, los ojos se le empequeñecían y me daba miedo que de verdad me estuviera viendo por dentro y que descubriera que pensaba engañarla.

—La gente es mala —dijo—, no lo olvides. Mala y mentirosa. La gente es capaz de cualquier cosa por dinero, ¿me comprendes?

—Bueno, ya está bien —dijo mamá—. Ya ha quedado bastante claro.

—No. Quiero que me jures que vas a hacer lo que has dicho.

Lilí se estaba poniendo fuera de sí. ¿Me atrevería a jurar en falso?

—¿Jurar? —pregunté para ganar tiempo.

—¡Lilí! —gritó mamá.

—Ni Lilí ni narices, Greta, lo de esa chica no es normal.

—No os enfadéis. Lo juro. Lo juro por lo que queráis.

Ni era religiosa ni dejaba de serlo, a pesar de haber ido a un colegio de monjas. Pero no cumplir un juramento era como ser la persona más falsa del mundo y yo no quería ser así. Yo quería ser leal y lo más sincera posible, ¿por qué? No lo sé, pero lo prefería.

—Ahora termina de cenar, Carol saldrá dentro de un momento —dijo Lilí arrellanándose en el sofá y volviendo poco a poco a su verdadero ser, como un león que después de cazar y comer empieza a dormitar.

Cogí el plato de la ensalada, para que no me dieran más la lata, y me senté junto a mi abuela para ver a mi prima. Actuó un par de minutos y fue la primera vez que no puse los cinco sentidos en ella. No puse ni medio sentido. En lugar de su cara veía la de la chica de la cobra y la manera tan extraña que tenía de mirarme.

23

La promesa
de Verónica

A Laura le gustaba mi anillo, y el que le gustase hizo que me acordase de Mateo. Pero ahora Mateo era el recuerdo de un pasado muy lejano, que no tenía nada que ver con Laura ni con mi madre enferma. Mi padre apenas tocaba el taxi. Le dijo a mi madre que se estaba tomando parte de las vacaciones que no había disfrutado en verano y que el hospital también le había dejado agotado a él. Me pareció una mala señal que se entregara a hacerle compañía constantemente. Parecía que no quería volver a fallarle en otro momento crítico de su vida. Por mi parte, se suponía que asistía a la universidad, así que vendía todos los productos que podía y estrechaba el cerco en torno a Laura. Ahora o nunca. No quería más sombras en nuestra vida y quizá pudiera despejar la de mi madre para siempre.

Ana a veces venía a visitarnos, lo que era de agradecer en esta situación, pero me pareció exagerado encontrármela alterada, agitada y desemblantada en la verja de entrada cuando yo salía para abordar por segunda vez a Laura. Quería esperarla frente a la tienda para acompañarla hasta el conservatorio, y si no la veía, la esperaría a la salida de las clases. Sentía que la maquinaria estaba en marcha y, si se paraba, sería para siempre.

Ana no venía con *Gus*. No había aparcado milimétricamente como era lo normal en ella. Este conjunto de cosas, si no acabase de ver a mi madre sumida en la tele-novela con mi padre al lado, me habría alarmado.

—Hola, cariño —dijo dándome un beso—. ¿Dónde vas tan deprisa?

—Mamá está bien —dije como respuesta.

Me cogió del brazo.

—¿Por qué no vuelves a entrar y hacemos té? A Betty le gustaría vernos a todos juntos.

—No puedo, he quedado con un chico.

—¿No crees que ahora lo prioritario y urgente es Betty?

Nos miramos sin piedad. No entendía su insistencia en que me quedara en casa.

—No querría que en estos momentos te distrajeras con cosas sin importancia y que luego te arrepientas. La culpa es el peor sentimiento que puede tener una persona.

Por un momento me hizo dudar, y me sentí culpable de no estar todo el tiempo con mi madre y de no poder cumplir la promesa que le hice sin ella saberlo.

—Adiós, Ana, gracias por venir. Mamá te aprecia mucho.

24

Laura, sensación de volar

Al día siguiente, mamá estaba de mal humor porque tenía que cargar con el peso de la tienda. Yo dije que me marcharía antes al conservatorio para arreglar papeles y hacer todo lo que no podía hacer en el día a día.

—De paso dile a la directora que te suba el sueldo —dijo Lilí girando la silla camino del baño.

El baño era lo que más temía porque suponía un suplicio ayudarla a pasar de la silla a la taza del váter. Menos mal que había contratado a Petre dos horas al día para hacerle ejercicios, ayudarla a bañarse y bajarla a la tienda. Aun así, era inevitable que yo me deslomara. Lilí sufría viéndome esforzarme tanto, pero qué podíamos hacer.

Cuando me vi libre, a eso de las cinco y media, bajé saltando los escalones de dos en dos, y en el último tramo salté cinco o seis. Me daba sensación de volar. El portero movía la cabeza cuando me veía hacer eso. Llevaba puestas las deportivas y pensaba pegarme la caminata de mi vida por el parque, sin pensar en los desaguisados que tendría que arreglar cuando volviera a la tienda. Era como un día de vacaciones y se lo debía a la chica de la cobra.

No fumes, no bebas, ten cuidado con los chicos, no llegues tarde, no te drogues. Por Dios, Lilí hablaba por hablar, no se puede hacer caso de todo lo que te dicen. Cruzaba el parque camino del conservatorio pensando que todo lo que veía había sido puesto allí para mí, para que yo lo admirara y lo disfrutara. Desde los bancos de madera a los árboles y al cielo y al asfalto rojo por donde mis zapatillas volaban. Mi prima Carol era actriz y ya salía en una serie de televisión; yo en cambio no tenía futuro, qué le íbamos a hacer. Hoy le diría a Samantha que había llegado el momento de presentarla a las pruebas del Ballet Nacional.

—Hola —dijo una voz al lado. Me sobresalté por mi manía de concentrarme al máximo en lo que pensaba.

—Vaya —dije—. Eres tú otra vez. ¿Qué haces aquí?

Era la chica de la cobra con el pelo alborotado por el viento. Fingí más sorpresa de la que sentía, porque cuando la vi me di cuenta de que contaba con que apareciese en algún momento.

—Ha sido casualidad. Te invito a un café —dijo—. Serán diez minutos. Hay un bar en la esquina, pero si no te apetece me voy, no te preocupes.

Me quedé mirándola sin dudar un momento que iría a tomarme un café con ella. No soportaría volver a casa sin saber qué quería de mí. Y además, ¿qué podría hacerme?

Al lado de la chica de la cobra yo resultaba muy clásica. Ella era ese tipo de chica que se come el mundo, que no tiene miedo a nada. Seguramente estaba loca.

El bar era antiguo, con mesas de aluminio y una barra con vitrina para las tapas, de forma que había que levantar mucho los brazos para llegar a los cafés. Los llevó ella a una mesa, luego sacó la cajetilla. Le cogí uno. Los encendió con un Zippo que desprendía olor a gasolina. Me quité la chaqueta y la doblé por el forro sobre una silla. Ella permaneció observando la operación y de pronto supe qué clase de chica era yo.

En este lugar y en esta tarde iba a cambiar mi vida.

El firmamento pasaba por las cristaleras del bar con millones de estrellas. La chica de la cobra apartó el café y se pidió una cerveza. Se notaba que estaba nerviosa. Se sentaba apoyando las rodillas contra la mesa.

Mi vida cambió sin yo saberlo la tarde en que esta chica entró en la tienda por primera vez. Hay días cargados de presagios extraños, en que uno sabe que va a ocurrir algo fuera de lo normal, y hay otros en que se siente una punzada de felicidad sin venir a cuento. Hay tantas cosas a nuestro alrededor que no vemos y que nos atraviesan como agujas de suave cristal. Desde que esta chica entró en mi vida… vinieron los presagios. No sentía que fuese a ocurrir algo terrible y definitivo como un accidente de coche, una muerte, un terremoto. No eran agujas de desgracia, era más bien como si me fuese a examinar, como si me esperase una sorpresa desagradable.

Yo tenía diecinueve años. Ella parecía que me llevaba cincuenta.

Siempre tuve una vida fácil. ¿Fácil? No recordaba que mi vida fuese fácil. Me pasé la niñez tratando de no disgustar a Lilí ni a mamá, pensando más en ellas que en mí, tratando de no provocar la odiada frase «tú no sabes lo que he hecho por ti», pero tampoco sabía cómo era la vida de los demás. Lo más seguro es que la vida fuese así para todo el mundo.

—Hoy has salido antes.

Me encogí de hombros. No tenía por qué dar explicaciones. Saboreaba el pitillo. No sacudí la ceniza, imitando a Ana, y esto llamó la atención de la chica. Estaba irritándola tanto como cuando yo veía la columna de ceniza entre los dedos de Ana.

—No creas que me paso la vida espiándote —dijo—. Es que he ido por la zapatería y al no verte he supuesto que estarías aquí.

—Casualidad —dije—. No tienes ningún motivo para suponer eso. No sabes nada de mi vida.

—Las casualidades no existen. Hay una explicación para todo, lo que pasa es que casi nunca sabemos verla.

—¿Y la explicación de que tú estés aquí?, ¿de que me sigas?, ¿de que no me dejes en paz?

—Si te molesto me marcho, no quiero que me tengas miedo. ¿Cuántos años tienes?

—Diecinueve —dije.

—Ya lo sabía. Yo tengo diecisiete y me llamo Verónica.

Me miraba con una insistencia desagradable.

—En el fondo me da mucha pena hacer lo que voy a hacer. Creo que tienes una vida y que eres una buena chica y no sé si tengo derecho a arrancarte de esa vida. Todo depende del miedo que le tengas a la verdad. Aún puedes elegir, te ofrezco esa posibilidad.

—Pero ¿elegir qué?

—La verdad o la mentira. Algunas veces se juntan un poco de verdad y un poco de mentira y casi no se distinguen, pero hay otras en que la cosa es verdad o mentira —dijo y pidió otra cerveza levantando la mano derecha, la mano en la que llevaba el anillo y con la que fumaba la otra colgaba del respaldo de la silla.

Yo estaba sentada formalmente, con las piernas cruzadas y las manos alrededor de la taza o cogidas bajo la barbilla. Ella estaba nerviosa pero suelta, yo estaba tranquila, a la expectativa, pero poco desenvuelta. No habría estado así si hubiese sospechado que sentada en esta silla, frente a esta mesa, algo me iba a estallar en la cabeza. Mi mundo iba a estallar y yo estaba tranquila.

—¿Qué sabes de mí, Verónica?

Que pronunciase su nombre le hizo abrazarse las rodillas.

—Poco, y ojalá supiera menos. Lo que sé de ti me ha torturado toda la vida.

Decididamente me encontraba frente a una demente. Incluso el nombre le cuadraba, Verónica la loca, y le estaba dando alas para que la situación empeorase y llegara a un punto en que Lilí se enteraría y entonces me diría que había faltado a mi palabra. Me lo reprocharía mil veces. Pero yo también estaba harta de que fuese tan aprensiva con la gente que se me acercaba. Reconocía que se había sacrificado por mí hasta el extremo de tener que trabajar sin descanso en el negocio y ocuparse de mis caprichos, como cuando no quise quedarme en el comedor del colegio. Lo pasaba tan mal que decidió sacrificarse e ir a buscarme al mediodía, hacerme la comida y luego volver a llevarme. No todas las abuelas del mundo hacen algo así. Además, era una niña enfermiza que cogía todos los virus que andaban a mi alrededor. Cada dos por tres tenía fiebre y debía quedarme en la cama. Mi madre no pudo darme el pecho porque tenía una leche de mala calidad y tuvo que recurrir a los biberones, y creo que Lilí siempre se culpó de que yo no estuviese debidamente inmunizada. Así que era normal que continuara tratándome como a una niña. No le había dado tiempo a transformarse al mismo tiempo que me transformaba yo. Continuaba advirtiéndome de que no había que confiar en nadie y diciéndome una y otra vez que las personas que más me querían y que nunca me fallarían pasara lo que pasara eran ellas: Lilí y mamá. No era consciente de que me agobiaba, a veces hasta la exasperación. Habría preferido que se sacrificara menos por mí y que me dejase en paz, pero la comprendía y era mi deber separar lo importante de las exageraciones. Lo peor de las abuelas y las madres es que no puedes sacudírtelas del alma.

—Yo en tu lugar pensaría las cosas más raras sobre mí. Me extraña que me hayas hecho caso y hayas venido al bar conmigo.

Hablaba con frases que querían decir dos cosas. La que cualquiera habría comprendido y la que comprendía yo. Ésta quería decir: has venido hasta el bar y has venido hasta mí.

La verdad es que la extraña Verónica suponía una novedad en mi vida. Me intrigaba, me entretenía. Era un misterio que se interesara tanto por mí, que supiera algo de mí. No habría sido anormal que fuese detrás de Carol, que salía en televisión casi todas las semanas y que tenía un club de fans. Eso lo habría entendido. Y, sin embargo, Carol podría ser la clave del misterio. Posiblemente Verónica se había enterado de que yo era prima de la actriz y me consideró el camino perfecto para llegar hasta ella.

—¿Conoces a Carol Larios? —dije de golpe.

—¿Carol qué? —contestó pasándose las manos por la cara como si intentase quitarse un velo y recordar.

¿Qué habría pensado, qué habría hecho cualquier otra persona en mi lugar? No se puede saber sin saber, sólo suponer, imaginar. Siempre me decían que tenía una gran imaginación porque inventaba historias y dibujaba bastante bien, aunque también me decían que tenía el don de bailar. Si de verdad tuviese una gran imaginación debería haber acatado con lo de Carol. Mi gran imaginación tendría que adivinar cuáles eran las intenciones de Verónica, por qué había venido a mí.

—No sé quién es esa Carol —dijo.

—Sale en una serie de televisión. Se llama *Los Enemigos*, y ella hace de Úrsula, la chica pelirroja que siempre lleva botas de montar.

—¿Y qué tiene que ver ella con nosotras?

—Eso me pregunto yo.

Mi contestación la desorientó y por un instante las dos estábamos en el mismo bando.

—Está bien —dijo—. Si tienes un rato te contaré una historia.

Se encendió otro cigarrillo y pidió otra cerveza. Eructó y el camarero se quedó mirándola.

—Estoy nerviosa. Lo habrás notado.

—No te conozco —dije— y no sé cómo eres el resto del tiempo.

Alzó la botella como apreciando mi contestación o burlándose de mí o brindando por algo. Era irritante su manera de considerarse mejor que yo, de beber, de fumar y de eructar. Hice el amago de levantarme, todo tenía un límite, aunque en el fondo, en un fondo que hay en la profundidad de los deseos, no quería irme.

—Había una vez… —empezó a balbucear con la voz entrecortada—. Había una vez —repitió— una chica que buscaba a su hermana. La hermana se había perdido y ella la buscaba.

Permanecí en silencio, un gran silencio. Ella clavó sus ojos en los míos, hasta que tuvo que desviarlos hacia la calle. Yo ni siquiera parpadeé, quería saber qué había detrás de esa mirada dura y dolida, como a veces ponía Carol en la serie.

—¿No serás actriz como Carol? ¿No será esto una broma que os traéis entre manos?

De pronto se me había ocurrido esta posibilidad. Le había oído decir a Carol que a veces se hacía pasar por otras personas como ejercicio. Se metía en el papel de una secretaria, de una estudiante, de una enfermera. Verónica podría estar haciendo lo mismo. Carol y ella habrían urdido este plan para ver hasta dónde se podía llegar y me habían elegido a mí porque Carol me conocía bien y sabía que yo llevaba una vida aburrida.

—No van por ahí los tiros. Busco a una hermana perdida y quiero saber si esa hermana eres tú.

Me hizo gracia. ¡Menuda historia se habían montado!

—Dile a mi prima que casi me la cuela.

—Es cierto. Sé quién es tu prima y tu abuela y tu madre. Lilí y Greta. Sé dónde trabajas. Ahora sólo me gustaría asegurarme de quién eres de verdad.

A punto estuve de soltar una carcajada de no ser por la cara de Verónica. Ojos tristes, labios apretados; se quitó el anillo del dedo y lo apretaba en el puño.

El cenicero lleno de colillas y las botellas de cerveza vacías daban sensación de tiempo quemado. Los jirones negros que cruzaban el cristal se iban retirando hacia otra parte. Verónica se quitó la cazadora y la dejó colgando de un lado de la silla. Llevaba una camiseta muy usada o que lo parecía. Ya no me la imaginaba poniéndose ropa nueva y planchada como yo. Le gustaba lo que estaba machacado por la vida. Y algo me impedía volver a casa, a mi vida sin sentido. En el fondo no tenía nada más interesante que hacer que seguirle un poco más el juego. Mis amigas eran de mi estilo, y ni siquiera Carol, que era actriz y que se suponía que debía tener una vida bohemia, era como Verónica. Carol había tirado por el lado de la alta costura, de los cortes de pelo asimétricos y el rubio californiano. Cuidaba su dieta hasta la extenuación y nunca se habría soplado cinco cervezas de golpe. Se conservaba tan delgada como a los doce años y se ponía bótox aunque aún no tuviese arrugas. Por el contrario, a Verónica le daba igual no ser perfecta y que la manga de la chupa arrastrara por el suelo. Decididamente no era actriz, por lo menos no una actriz como Carol.

Carol siempre supo lo que sería. De niña ya era prácticamente como ahora. No es que se hubiese quedado estancada en la infancia, es que tenía el futuro comprimido en su pequeña cabeza y en sus pequeños pies, en sus pequeñas orejas. Levantaba la cabeza porque no era muy alta y eso le daba un aire altivo y por eso en la serie era la hija del hacendado. Habría dado lo que fuese por tener los ojos azules o verdes, pero los tenía del montón y eso la obligaba a no engordar y a tener la autoestima en lo más alto.

—¿Y quién eres tú? ¿De dónde vienes? —pregunté con la vista puesta en los labios un poco amoratados por la más que probable mala circulación de la sangre.

—Ya te lo he dicho, te estoy buscando.

—Esto es demasiado. Me voy.

—Tienes miedo —dijo sujetando contra su pecho mi chaqueta doblada en un cuadrado—. Y ya no hay vuelta atrás, ya sabes mucho.

Le arrebaté la chaqueta de un tirón y la dejé junto a mí.

—¿Quieres decir que al nacer mi madre te dio en adopción?

—No. Quiero decir que la adoptada eres tú.

Afuera la noche era oscura y aterciopelada. Las luces de las ventanas de los pisos de enfrente brillaban. A esta hora Lilí estaría cenando y mamá quizá habría salido por ahí.

—¿Qué te pasa? ¿Por qué no contestas? —me preguntó Verónica alarmada.

—Me he puesto a pensar en otra cosa.

Apoyó el pecho en la mesa y adelantó la cabeza hacia mí.

—¿No hay nada que en todos estos años te haya parecido raro? ¿No has oído algún comentario fuera de lo normal?, ¿algo que se te haya grabado en la mente?

Negué con la cabeza.

—Nací el 12 de julio de 1975 en la clínica de Los Milagros a las 11 de la mañana y pesé tres kilos setecientos gramos. Siento que hayas perdido a tu hermana, pero te has equivocado de persona. Tengo vídeos de mi madre embarazada y conmigo recién nacida.

—¿Tienes algún vídeo o alguna foto en la habitación de la clínica?

—No me he fijado. Puede que sí o puede que no. No tiene importancia. Hay cientos de fotos.

—¿Y de tu madre dándote el pecho?

Verónica contrajo la cara como si algo le doliera. También podría ser un gesto de repugnancia.

—Perdóname —dijo—. Te estoy presionando demasiado.

—¿Quieres decir que tú serías mi hermana, tu madre mi madre, tu padre mi padre?

—Y mi hermano, tu hermano —dijo—. Pero hasta que nos hagamos las pruebas no estaremos seguros. Todo depende de que tú quieras.

—¿Desde cuándo sabes eso?

—Desde los diez años, imagínate qué pesadilla.

Verónica me intranquilizaba, me aceleraba las pulsaciones, pero también sentía pena por ella.

—Yo no soy quien crees que soy, pero no quisiera encontrarme en tu pellejo y voy a ayudarte en lo que sea.

—Con eso me conformo —dijo poniéndose la cazadora—. Y yo de ti no le diría nada a la familia de momento. Es mejor que te asegures.

Y entonces sacó de la mochila una bolsa de plástico, y de la bolsa una caja roja recubierta de escamas de papel maché que me emocionó. Quizá emocionar no era la palabra: removió toda mi vida. Había sido un objeto presente en gran parte de mi infancia, después dejé de verlo y lo olvidé. Lo había hecho yo en clase de manualidades. Pasé la mano por las escamas, desiguales y torpes.

—¿De dónde la has sacado?

Se encogió de hombros.

—Eso da igual —dijo.

Salí metiéndome la manga de la chaqueta.

—¿Dónde puedo encontrarte?

Me dijo que de momento ella me localizaría a mí.

—Ya sé —dijo— que no es justo, pero es que a veces la vida es una mierda.

La vi alejarse. Tenía andares de deportista. Pobre chica, pensé. A nadie se le pasaría por la cabeza viéndola que lleva dentro una tragedia.

Y aunque no dudé ni un momento que esa historia nada tenía que ver conmigo, a partir de esa tarde, ya nada era igual. Me metí en el conservatorio a dar las clases como si acabase de llegar de un viaje muy largo. ¿Por qué Verónica estaba tan convencida de que su hermana era yo? No le había preguntado y ahora me quedaba la duda. ¿Por qué yo?

Atendí a las alumnas maldiciéndome por no haber hecho la pregunta fundamental. ¿Y si no aparecía más? La había dejado largarse sin un número de teléfono. Ella sabía dónde vivía yo y quién era mi familia y yo no sabía nada. Y encima me había pedido que no contara nada en mi casa. Desde luego que no lo contaría, a Lilí podría darle un infarto, sobre todo después de que me insistieran en que me alejara de esta persona.

A la salida del conservatorio por la noche, la madre de Samantha me dijo adiós con la mano desde el coche y yo me quedé esperando en la marquesina del autobús.

Cuando llegué a casa, Lilí estaba viendo una película. La veía en penumbra para poder ir quedándose dormida lentamente. La saludé y pasé a la cocina a picar algo. Mamá no estaba. Lilí, estirando el cuello, gritó:

—¿Has vuelto a ver a esa loca?

Le dije que no la oía, que esperase para hablarme. Quizá llegara un momento en que tuviese que decirle la verdad, pero ahora era mejor callar. No era cuestión de, antes de irnos a la cama, sacar a relucir algo tan tremebundo que nos desvelaría toda la noche. Destapé el plato que solían dejarme sobre la encimera. Había boquerones fritos y ensalada. Me comí tres o cuatro sin sentarme, apoyada en la pila. No tenía hambre.

Pasé por el salón camino de mi cuarto, no me apetecía quedarme viendo la televisión con ella.

—Me voy a la cama, voy a leer un rato.

—¿No me has oído? —insistió Lilí—. Que si has vuelto a ver a esa chica.

—No pienses más en ella —dije—. Ya ni me acuerdo de lo que pasó.

En mi colegio había una niña adoptada. Se llamaba

Isabel y era negra. Sus padres habían ido a buscarla creo que a Mali cuando tenía tres o cuatro años y era muy feliz. Se pasaba todo el tiempo canturreando. Llevaba unas trenzas muy graciosas y vaqueros con bordados en los bolsillos. Parecía una muñeca y algunos veranos la llevaban a su país para que viera dónde había nacido y no perdiera sus raíces, pero para ella era un suplicio porque prefería irse de campamento con su clase. Decía que no conocía a nadie allí y que no le gustaban las comidas. Desapareció de mi vida a los doce años, cuando nos mudamos de casa. Hasta este momento nunca se me ocurrió preguntarme qué sería de ella, si ahora que tenía veinte años, uno más que yo porque se incorporó tarde al curso, le habría picado la curiosidad de saber cuál era su familia biológica. Seguramente al hacerse mayor iría tomando conciencia de que tenía dos vidas, una que no conocía y otra que sí. Siempre había evitado hablar de esto en casa porque mamá o Lilí enseguida zanjaba la conversación diciendo que a nosotros no nos importaba la vida de esa gente.

Los padres de Isabel querían darle un hermanito y adoptaron un niño chino de tres años que ella debía ir a buscar a las aulas de preescolar cuando se acababa el colegio por la tarde. Tenía que llevárselo con ella a clase de ballet y luego entretenerle en los columpios hasta que su padre o su madre venían a buscarlos porque trabajaban en un hospital y siempre tenían guardias y turnos. A veces también venía su abuelo, que siempre llevaba traje y corbata aunque hiciese mucho calor. Isabel y su hermano echaban a correr hacia él en cuanto lo veían. Era tal la alegría que incluso yo me alegraba, aunque no fuese mi abuelo ni intentara acercarme a él.

25

Verónica vuelve
a la carga

La esperaba en la esquina y, nada más salir, Laura me vio y vino hacia mí. Tenía que pasar por su casa para recoger el echarpe de su abuela: en la tienda, con tanto abrirse y cerrarse la puerta de la calle, había corrientes de aire. Me apoyé en la pared dispuesta a seguir esperando y entonces ella me dijo, ven si quieres.

Era una oportunidad única de conocer el hogar de mi posible hermana. El corazón se me aceleró un poco, como si el corazón supiese algo más que yo. Era el portal justo al lado de la tienda.

—Mi abuela y mi madre no están, acaban de bajar a la tienda —dijo para tranquilizarme y tranquilizarse.

—Y además no me conocen —dije yo—. Podría ser una amiga. Tendrás amigas, ¿no?

Era una casa señorial del año de la pera con un enorme portal para que pudiesen entrar los coches de caballos; al fondo había un jardín.

—Entra tú primero y dile al portero que vas a la clínica dental. Sube al primer piso, luego paso yo.

Nos encontramos en un descansillo con suelo de mármol blanco y negro y una vidriera por donde en los días de sol debía de entrar una luz muy agradable. El piso olía a incienso. El incienso debía de ser cosa de Greta, y los muebles con pinta de muy buenos, de su abuela. Eran primos hermanos de la mesa de caoba de nuestro comedor. Había demasiados: dos mesas de comedor, dos mesas de centro, muchas sillas y sillones. Seguramente tendrían que haberle hecho sitio a los muebles de la casa de El Olivar cuando la dejaron.

—Da sobre la tienda. Cuando no hay mucha clientela, se oye la silla de Lilí.

Era muy grande, con flores de escayola en el techo, con puertas correderas, con arañas de cristal. La seguí por un pasillo interminable hasta el cuarto de su abuela, todo blanco: colcha, cortinas, paredes. Abrió un vestidor y cogió uno de los echarpes blancos colgados por tamaños.

—¿Y cuál es tu habitación?

—Dando la vuelta a la derecha. Ahí están los dominios de mamá —dijo señalando una salita con kilims colgados de las paredes y cojines étnicos.

—¡Qué bonito! —dije desde la entrada.

—Tiene una salita para recibir a sus visitas, el dormitorio —dijo dándome paso libre—, un baño. A ella le gustan estas cosas. Todo lo que ves lo ha traído de Marruecos. Los cuadros los pinta ella.

Parecían hechos por un niño, pero los colores eran alegres. Eché un vistazo y me la imaginé tumbada sobre los cojines con sus largas faldas. Había unas mesas bajas labradas muy bonitas y fue entonces cuando descubrí algo que me resultaba muy familiar. La ceniza entera, casi sin partir, de un cigarrillo en un cenicero de plata grabada. Era una visión que sólo había tenido en casa cuando nos visitaba Ana.

—¿Fuma tu madre?

Laura echó a andar muy deprisa.

—Llegaré tarde al conservatorio —dijo.

—¿La ceniza de ese cenicero es de tu madre?

—Mamá en casa sólo se fuma un porro con Larry de vez en cuando. A mi abuela se la llevan los demonios.

—¿Ha visitado alguien hoy a tu madre?

—No sé —dijo mientras atravesábamos el salón principal, abarrotado de muebles oscuros—. Podría ser Ana. Ana fuma Marlboro Light.

Ana fumaba Marlboro Light. ¿Era o no era casualidad? ¿Qué pintaba Ana allí?

Bajé las escaleras atontada. Si era la misma Ana no podía ser casualidad. Crucé la calle y esperé a que Laura le entregara el echarpe a su abuela. Luego vino corriendo hacia mí y echamos a andar hacia el conservatorio. Empezó a hablarme de sus alumnos, tenía puestas muchas esperanzas en una llamada Samantha, de una elegancia increíble, fresca, perfecta.

—¿Y tú? ¿Por qué no eres bailarina?

—Lo intenté, pero soy del montón, no soy como Samantha.

Me paré para mirarla, era dos o tres centímetros más baja que yo y con las botas puestas le sacaba la frente.

—¿Eso te lo ha dicho alguien?

—No hace falta, uno se da cuenta. Un bailarín sabe perfectamente qué le falta.

Tendría que pensar en esto en algún momento de mi vida, nunca me había planteado las cosas desde ese punto de vista. Nunca me planteé si yo era perfecta para algo, creía que los demás eran tan torpes como yo.

—Esa Ana, amiga de tu madre, ¿tiene un perro que se llama *Gus*?

—Me parece que tiene un perro, pero no lo trae nunca, a mi abuela no le gusta.

—¿Y es alta, buen tipo, morena con canas que parecen pintadas a propósito, y tiene un amante en Tailandia?

—La misma. Mamá y ella han viajado mucho a ese país, les encanta. Voy a tener que tomar el autobús, llego tarde y no quiero darles mal ejemplo.

La dejé en la marquesina, junto al parque, en medio de la oscuridad, con la luna tras los ramajes altos y las luces de algunas farolas.

—¡Espera! —gritó cuando llevaba andados unos diez metros—. ¿Por qué conoces a Ana?

Continué mi camino. Cuanto menos supiera Laura, mejor. No sabía hasta dónde era capaz de callar, de mentir. Me preocupaba que no supiera fingir y engañar a su adorada abuela. Le habían cerrado la cabeza con una llave de oro. Nadie podía decepcionarla porque se amoldaba a todo el mundo.

Ahora las piezas empezaban a encajar y algún día formarían el dibujo completo de la verdad. Si le contara esto a mamá se quedaría de piedra. Ana conocía a Laura seguramente hacía mucho tiempo, era amiga de su madre hasta el punto de viajar juntas a Tailandia. Mamá no había llegado a saber esto, confiaba en Ana, le contaba sus progresos en la localización de Laura. Ahora estaba segura de que Ana había robado la foto de Laura de la cartera de cocodrilo para que no pudiésemos tener ninguna prueba de su existencia. Tendría que haberle insistido a Laura de que no contara absolutamente nada de mí ni de mis sospechas. Tendría que haberle advertido que fuese fuerte con su abuela y no se dejase doblegar por su voz. La veía muy capaz de que se le escapase algo, y entonces la convencerían de que no me hiciese caso, de que estaba loca, y todo terminaría aquí.

26

Sospecha, Laura

Los álbumes estaban colocados por orden cronológico en un mueble de caoba al lado de la televisión. Eran de piel y en el lomo se había grabado de qué fecha a qué fecha iban las fotos. En un momento inocente los hubiese cogido y los habría estado repasando mientras veíamos la película, pero ahora mis manos no eran inocentes, se habrían delatado, así es que esperé a que apagasen la luz y se marcharan a la cama para llevármelos. A pesar de que mi cuarto era el más alejado del suyo y de que a la media hora de acostarse empezó a oírse el ronroneo de sus ronquidos que subían y bajaban como un mar de fondo, aun así pasaba las hojas despacio. Me encontraba muy perversa actuando de esta forma, me sentía despreciable, pero no podía dejar de hacerlo. Tenía que saber que Verónica estaba equivocada, y si no había desechado la idea inmediatamente era porque entre las sombras asomaban todas las frases equívocas que recordaba y quizá otras que recordaría.

Pasaba las hojas suavemente porque estaba segura de que, aunque las limpiara con la manga del pijama, Lilí podría detectar mis huellas.

Me irritaba Verónica, tan desenvuelta, tan de este mundo, con ese aire de libertad y de haber sufrido más que yo. Empecé por el álbum más antiguo. Mi madre embarazada con un vestido de flores. Estaba en la casa de El Olivar, en el jardín. Por la fecha debía de estar de siete meses. Se la veía morena, feliz, sonriente, guiñando los ojos al sol. El cielo era azul, y en la mesa había un mantel como si fuesen a comer o ya hubiesen comido. Se veía un vaso con tinto de verano en la mano de mi abuela. La arranqué del álbum, y también otra foto donde estaba yo recién nacida en brazos de mamá. Lo miraba todo con los ojos tan abiertos que parecía que se me iban a salir de las órbitas. Si Verónica volvía a molestarme se las enseñaría, y si mi madre las echaba de menos le diría que me apetecía llevarlas en el bolso.

Ana aparecía en bastantes fotos, desde que nací hasta los doce años. Después seguramente no volvió a darse la ocasión de fotografiarse con nosotras.

En las fotos aparecían Alberto I y Alberto II, Ana, Carol y sus padres, y en otra la difunta Sagrario y yo. Recordaba como si fuera ahora mismo que en aquel momento, en aquel instante, Sagrario me cogió por los hombros y me pareció que quería decirme algo. Y hubo un segundo en que creo que yo inconscientemente se lo impedí. ¿Qué sabía yo de mí o de mi familia que no quería saber? Lo había olvidado completamente, lo que fuera se perdió entre palabras, días, ilusiones, pensamientos rápidos. Hasta que llegó Verónica y me hizo volver a las sombras, a lo que hay antes de la luz, antes del recuerdo. Y cerré los ojos y era desesperante, la amnesia es desesperante.

Revisé dos álbumes y vi lo de siempre, aunque ahora lo de siempre me hacía pensar. Dudar era demasiado fácil. Era más difícil mantener la cabeza fría y tener en cuenta las evidencias y sólo las evidencias. Mi vida era mi vida y Verónica o estaba loca o se había confundido de persona.

27
Laura,
¿quieres saber?

Verónica se hizo esperar. Habíamos quedado en el conservatorio a la salida de la clase y estuve ante la verja un buen rato. Llegó en taxi y estuvo unos minutos hablando con el taxista. Era un hombre alto y delgado, con gafas de fina montura metálica. Aguantó en mangas de camisa a pesar del frío mientras le decía algo a Verónica. Hubo un momento en que miró hacia donde yo estaba aunque sin mirarme directamente, simplemente paseaba la vista mientras hablaban. Pero, si hubiese sabido que ése era el padre de Verónica y mi supuesto padre, me habría fijado más o quizá su presencia me habría intimidado tanto que no habría sido capaz de mirarle.

—Ése es mi padre —dijo Verónica—, le he pedido que me trajera en taxi. Quería que lo vieses.

—¿Por qué no me has avisado? A lo mejor yo no quería verle.

—Por eso no te lo dije, tampoco estaba segura de que pudiera traerme. Se llama Daniel y tiene cuarenta y ocho años.

—Es bastante joven —dije pensando en lo mayores que eran mi madre y Lilí.

—Más o menos lo normal —dijo—. Es taxista. El taxi es nuestro.

Echamos a andar por el parque camino de casa.

—¿Le has dicho quién soy?

—No, le pasa como a ti, se niega a aceptar la realidad.

Cuando llegamos a Goya, dijo que su padre había prometido esperarla en la parada de taxis de la plaza de Colón para llevarla a casa. Nos detuvimos frente al portal, junto a los escaparates de Zara. Estuvimos a punto de despedirnos con un beso, como si fuésemos amigas, pero nos contuvimos porque no éramos lo que se dice amigas. Me metí en la intensa luz del portal y sentí que ésta me tragaba.

III

Entra en mi vida

28

Verónica y toda la fuerza de un espíritu

Incineramos a mi madre una mañana de finales de septiembre en que los pájaros trinaban a pleno pulmón. El sol era más brillante que nunca, las ramas de los árboles teñían el aire de verde y amarillo, a algunos se les empezaban a caer las hojas. Mis amigos iban a la universidad, otros ayudaban a sus padres en sus negocios o estaban buscando trabajo. La vida había cambiado para todos, pero para mí había acabado. Ángel era un niño y un hombre al mismo tiempo. Lo trajeron mis abuelos desde Alicante, vestido con ropa oscura como ellos. La chaqueta y los pantalones le estaban grandes y se dejaba zarandear como un muñeco de trapo, no quería tener conciencia de lo que hacía allí, parecía que no iba con él. Miraba las nubes, los árboles y a algo que le llamaba la atención a lo lejos. No miraba el féretro, ni a nosotros, ni al cura. No quería saber nada de lo que estaba pasando. Mi padre le cogía por los hombros y lloraba. Ana se abrazó a mi padre y a mí me dio un beso y nos preguntó si necesitábamos algo. Nos quedamos alelados, sin contestar. Todo fue rápido y lento. El hecho de que aquello terminase no significaba que volviésemos a la normalidad. La gente se fue despidiendo. Empezó a correr un aire frío. Alguien dijo en voz baja que ahora empezaba el mal tiempo. Era todo como un ballet. Abuelita, en la puerta de la casa, dijo que a su hija no le habría gustado que se quedaran allí y se marcharon otra vez a Alicante; mi abuelo, como siempre, no dijo nada. Cuando nos vimos los tres solos en el salón nos abrazamos. Mi padre nos besó en la cabeza. Yo hice unas tortillas francesas, pero no nos las comimos. Le abrí una cerveza a mi padre y no se la tomó. Tenía las mandíbulas tan apretadas que parecía que le iban a estallar. Yo también. Le quité la chaqueta a Ángel, que no era capaz de hacer nada.

—Anda, quítate también esos pantalones —le dije, sorprendiéndome de oírme hablar.

Sonó el teléfono y no lo cogimos. Ya no podían llamar del hospital ni de ninguna otra parte que nos interesara.

—Pon en una bolsa los pijamas y lo que necesitéis. Esta noche dormiremos en un hotel.

Entonces Ángel se levantó. Creía que iba a quitarse por fin aquellos pantalones demasiado grandes, pero no, se internó en la oscuridad del pasillo y al rato volvió con sacos de dormir y esterillas, y llenó tres botellas de agua en la cocina, sin abrir la boca. Mi padre y yo le veíamos hacer.

Llegamos con el coche hasta la entrada de un bosque y dormimos al raso, bajo las estrellas. La luna estaba casi llena y todas las sombras traían una palabra de mi madre, todos los animales que había por allí traían una palabra de mi madre. Sentí con absoluta claridad, como cuando uno se enamora, como cuando uno odia, que mi madre estaba allí. Dejé de llorar y contemplé el universo a mi alrededor, me dejé envolver por él, me dejé llevar entre terciopelo negro y diamantes a lugares muy lejanos, extraños. Apenas podía entender lo que veía, pero no tenía miedo porque era inútil tener miedo. Lo más parecido era estar montado en la montaña rusa; una vez que se está allí ya no se puede hacer nada, ya no depende de uno. No hay que resistirse. Quizá mi madre quería decirme eso. Si no me resistía, si no pensaba en contra de lo que veía, todo sería más fácil, más comprensible. Debía subirme en la montaña rusa y confiar en que iba bien sujeta.

Me removí en el saco, algunas piedrecillas se me clavaban en el costado. Entonces le pedí a mi madre una prueba de que estaba allí. Sólo se la pediría una vez y la dejaría en paz. Estuve un rato observando las sombras de los árboles y la luna, hasta que me dormí. Me despertó el sol, me daba de lleno en la cabeza y me encontraba sudorosa. Unos montañeros pasaron a nuestro lado tratando de no pisarnos. Ángel seguía en el saco con la cabeza tapada, ajeno a todo, pero mi padre iba de un lado para otro pegándole sorbos a la botella de agua.

—¿No había anoche aquí un bosque de pinos?

Le dije que también a mí me lo había parecido.

—El olor está, pero no los pinos —dijo.

Me subí a unas piedras.

—Mira, está ahí, un poco más abajo.

El olor a pino iba humedeciéndose: de un momento a otro empezaría a llover.

—Cuando llegamos vi los troncos con toda claridad. El coche no podía ir más allá precisamente por los árboles. ¿No los viste tú?

—Bueno, debió de ser un espejismo óptico, era de noche y nosotros estábamos como estábamos.

—Sí, no sé qué voy a hacer ahora —dijo.

Cogí mi botella y bebí. El agua estaba fresca, llena de vida. Ninguno de los dos intentamos despertar a Ángel: que durmiese todo lo que pudiera, mientras dormía no sufría.

Mi padre lo miró con una inmensa pena o amor. Estaba deshecho por dentro y todo lo que salía de él también salía deshecho.

—Ojalá hubiese esperado un poco.

—Papá —le dije—, mamá está en el aire que respiramos, no puede hablarnos, pero puede hacer otras cosas.

Me miró con la misma pena, tristeza, amor con que

acababa de mirar a Ángel. Frunció los labios en señal de ya no se puede hacer nada, todo ha acabado, la desgracia ha caído sobre nosotros y me apretó el hombro con la mano.

—Me alegra que pienses así —dijo.

Jamás podría compartir con mi padre la gran señal que mi madre me había enviado trasladando el pinar de sitio; debió de poner toda la fuerza de su espíritu. Si se lo contase, pensaría que me había trastornado y no quería preocuparle más. Pero me fastidiaba que no pudiera recibir el alivio que recibía yo y saber que, aunque no pudiese verla ni tocarla, podría sentirla, pensar en ella, hablarle.

Tampoco se lo conté a Ángel porque él tenía su propia forma de ayudarse. No hablaba mucho, más bien poco, porque pensaba mucho. Poseía una extraña sabiduría que había ido desarrollando desde la vez que se perdió en la calle cuando tenía ocho años. No lloraría, se metería en su cuarto y ordenaría el armario, los libros, los calcetines, los rotuladores. Tiraría las revistas guarras. Metería las sábanas de su cama en la lavadora y la pondría. Luego las tendería y cuando estuviesen secas volvería a hacer con ellas la cama. Comprobaría en el frigorífico lo que faltaba e iría a comprarlo. Colocaría en su escritorio las cosas de la mesilla que mi padre necesitara y en la silla unos pantalones y una camisa para cambiarse al día siguiente y cuando llegara de trabajar por la noche le diría que durmiese en su cuarto. Él dormiría en el pequeño cuarto de invitados, hasta que nuestro padre empezara a regresar a su vida.

29

Laura,
sé prudente

Llevaba las fotos arrancadas del álbum en el bolso cuando a los cinco días de la tarde de la revelación volví a encontrarme con Verónica.

El corazón me dio un salto. Había consumido estos días esperando que apareciera por la tienda o por el conservatorio. Para volver a la normalidad, necesitaba que me dijera que se había confundido y que me pedía disculpas. Me sentía fuera de sitio, incómoda, como si llevase una china en el zapato. Porque cuando aquella tarde, en el bar enfrente del conservatorio, una desconocida me hizo una revelación tan íntima, cuando se atrevió a tocar lo más sagrado, y yo lo oí y lo pensé con toda la fuerza de que fui capaz, me coloqué en un camino peligroso.

Nunca me consideré valiente, tampoco cobarde. Precavida era la palabra; prudente, quizá demasiado. No se me ocurría colgarme de una barandilla y balancearme sobre el vacío, como hacía mi amiga Hermi, que siempre buscaba matarse en cualquier momento y situación. Si íbamos a esquiar se salía de la pista reglamentaria. Con la bicicleta tomaba unas bajadas a tal velocidad que no comprendía cómo no se estrellaba contra algo. Si íbamos en coche, sacaba medio cuerpo por la ventanilla. Si íbamos a bañarnos a un pantano se tiraba de cabeza al agua sin saber lo que había allí. Si algún gamberro se metía con nosotras, ella le hacía frente. Se le encaraba de una manera que el otro salía corriendo. Me daba una profunda envidia. Si teníamos que cruzar un solar oscuro, ella decía que cuánta paz había allí, y las sombras no le impresionaban, esas sombras que aparecen de pronto y se arrastran por el suelo. Ni se fijaba en ellas. En esos momentos en que por una simple sombra o unas pisadas me daba un vuelco el corazón, renegaba de Lilí y mamá, que me habían hecho tan melindrosa. La valentía de Hermi nos ponía a salvo de cualquier cosa, con ella habría ido al fin de un mundo oscuro y helado si no me obligaba a hacer lo que ella hacía. Habría viajado tan feliz a la Luna con Hermi, porque la Luna para ella habría sido pan comido.

Hasta que un día tuvo un accidente tonto, resbaló por las escaleras del colegio. Acababan de fregar y resbaló. Se hizo daño en la rabadilla, en una muñeca y se torció un pie. Como decía Lilí, nunca se sabe dónde está el peligro, aunque ella lo decía a veces para que no le creara preocupaciones y otras para que me quedara en casa y le hiciera compañía. Por supuesto, nunca le contaba las locuras de Hermi, era de cajón que me habría hecho la vida imposible para que no saliera con ella. El caso es que tuvieron que llevarla al hospital, y la Directora, Sor Esperanza, pidió que le hicieran un estudio completo para asegurarse de que no había males mayores y para que luego no pudiese meterles en un pleito, aunque el hecho de que se acabase de fregar la escalera les ponía en un aprieto, y nadie entendía cómo la empleada no había colocado el pivote de no pasar. ¿O lo había quitado Hermi para no esperar a que se secase el suelo?

En el hospital la tuvieron ingresada un día y medio. Le escayolaron el pie y la muñeca y le hicieron radiografías de las costillas, pero la directora insistió en que también le hicieran un escáner de la cabeza a pesar de que Hermi insistía en que no se había golpeado en la azotea, como ella decía. Las casualidades de la vida, por llamar casualidad a algo que seguramente provocó ella misma de forma inconsciente para que le descubrieran de una maldita vez lo que tenía dentro de esa azotea.

Tenía algo, una fisurita diminuta, casi imperceptible, en la amígdala que le impedía tener miedo. Los médicos dijeron que eso no se lo podía haber hecho al caer por las escaleras, sino tal vez en el parto o puede que fuese congénito. Le dijeron que de todos modos era fácil comprobarlo si les decía desde cuándo no sentía miedo. Pero Hermi no podía contestar porque no tenía ni idea de qué era eso del miedo. Y como tampoco sabía lo que era la vergüenza, se lo contó a todo el mundo en el colegio. Hasta ahora no se me había ocurrido que la vergüenza también es miedo, miedo a que no te quieran, a no gustar. La fisurita de Hermi había hecho de ella un potro salvaje, alguien completamente libre. Y ahora yo la miraba con otros ojos y me alegraba de no haber intentado ser como ella sin serlo.

—¿Qué sientes cuando tienes miedo? —me preguntó entre clase y clase.

—Hay cosas que me paralizan. Es como una mano que me empuja hacia atrás. Es como si tuviera gusanos en el estómago y es como si estuviera enferma y no tuviera fuerza para hablar con quien me da miedo o ir por un sitio que me da miedo.

—Parece muy difícil tener miedo —dijo con los ojos abiertos, como una absoluta heroína.

—No se puede aprender a tener miedo, o lo tienes o no lo tienes.

—El médico dice que el miedo es una forma de defensa, de protección, de supervivencia. Imagínate qué va a ser de mí si no logro tener miedo.

—También es parecido —dije— a cuando estás muy cansada. Cuando estás muy cansada no puedes levantarte de un salto aunque quieras y no puedes salir corriendo. Pero sobre todo se parece a cuando estás borracha.

¿Te acuerdas de cuando te emborrachaste en casa de Toni y te mareabas y no sabías dónde estaba la puerta? Pues es algo así. No piensas con claridad, es como estar borracha.

—Entonces, ¿cómo va a ser una forma de defensa?

—También sudas, te late el corazón muy deprisa.

—¿Pero eso no es el amor?

—Sí, uno se siente igual que cuando se enamora.

Qué más daba. Por mucho que se lo explicara, hasta que no la operasen no lo comprendería. ¿Cómo sería la Hermi sin fisurita? Nunca lo supe porque después de la intervención no volvió por el colegio ni tampoco cogía el teléfono. Puede que de repente no soportara su antigua personalidad o puede que se hubieran cambiado de casa o que la operación no saliera bien. No debía de ser fácil sentir algo que nunca antes había sentido.

Para mí también era nueva esta sensación de no saber quién podría ser en realidad, aunque si tuviese que explicársela a alguien le diría que era como el miedo. Miedo a mi vida.

—¿Y esta caja? —dijo Lilí con la caja de papel maché que me había dado Verónica en la mano—. Hacía siglos que no la veía. ¿No la hiciste para el día de la madre cuando tenías seis años?

¿Por qué estaría siempre husmeando en mi cuarto? Antes me parecía normal, pero ahora empezaba a molestarme. Seguro que Verónica no le consentiría a su abuela que le registrara sus cosas.

—La he encontrado en el trastero y me gusta tenerla en mi escritorio.

—Pero le correspondería tenerla a Greta. Se la regalaste a ella.

—Estaba en el trastero, abuela, no creo que la eche de menos.

—El trastero no puede abrirse, hemos perdido la llave. ¿Cómo es que has podido abrirlo tú?

La temible Lilí me miraba esperando respuesta. Quizá la gente quería caerle bien no por lo bondadosa, cariñosa y melosa que era, sino porque la temían.

—Abuela —volví a decir para molestarla—, no me refiero al trastero grande de abajo, sino al maletero de mi armario. Pongo allí todo lo que no uso, pero no quiero tirar.

Dio media vuelta con la silla y se fue a su cuarto. Estaba esperándola Petre para ayudarla a bañarse.

30

Verónica,
ya nada
importa

Ahora sí debía hablar con la empresa y decirles que mi madre había muerto y que yo llevaba algún tiempo sustituyéndola y que me gustaría seguir haciéndolo. La empresa estaba situada en un polígono industrial al sudeste de Madrid y me costó dar con la nave. Era de acero y cristal y en ese momento un camión estaba descargando cajas. En la parte de arriba estaban las oficinas y una chica de mi edad me dijo que sentía mucho lo de mi madre porque era una mujer muy simpática y una comercial de primera, y que sería mejor que hablase con la encargada. Hasta ahora no me había oído hablar de mi madre a los extraños. No me había oído decir «mi madre ha muerto».

La encargada me hizo pasar a su despacho. Llevaba una bata blanca y una trenza que parecía una soga, y no sabía bien cómo tratarme. Ahora yo no era una persona normal, había cruzado la frontera de la tragedia y la encargada me miraba con los ojos muy abiertos intentando ver qué había en el otro lado.

—¿Y no interrumpirá este trabajo tus estudios? Betty decía que eres muy inteligente y que quería que tuvieses tu propia clínica. Decía que todo lo que sacaba de aquí era para eso. No sé si a ella le gustaría esto.

Podría haberle dicho que ni siquiera me había matriculado, pero habría sido como traicionar la imagen que mi madre quería dar de mí.

—Puedo compaginarlo, de verdad. Necesitamos el dinero.

—Okay, con las mismas condiciones que Betty. La echaremos de menos —dijo sin detener la mirada en ningún sitio, recordando—. Era tan fuerte..., no necesitaba que nadie la ayudara a bajar las cajas. Vendía lo que le daba la gana. Te pareces mucho a ella, aunque creía que eras más alta. Tu hermano se parece más a tu padre, ¿no? Cómo nos reímos cuando nos contó su desaparición y resulta que estaba escondido en la leñera.

Les dije que me llevaría los cosméticos y media docena de batidos. La encargada no sabía que aún no tenía carné de conducir y que tendría que cargar con la caja por todo el polígono y por el autobús y el metro. Más adelante le pediría a mi padre que me hiciera este servicio con el taxi; de momento me las arreglaría como pudiera.

Apenas podía abarcar la caja con los brazos y pesaba lo suyo. Me había colocado el bolso a la espalda, sobre los riñones, y el sol me atravesaba el cráneo, mientras pensaba que era sorprendente que esta gente supiese tanto de mi familia cuando nosotros ni siquiera sabíamos que ellos existían. Nunca nos había hablado de la encargada ni de la otra chica, ni siquiera de este sitio. Para mi madre no tenían importancia. ¿Qué tenía importancia? Nosotros la teníamos, de eso estaba segura, y por supuesto Laura. Me arrepentía de no haberla buscado cuando aún estábamos a tiempo. Me arrepentía de haber escuchado al doctor Montalvo, a Ana, a mi padre. Me arrepentía de haberme dejado convencer algunas veces de que mi madre no tenía razón, de que eran imaginaciones. Casi me desmorono al enterarme de que el millón de pesetas lo ahorraba para mi futura clínica.

Mi abuela Marita me dijo por teléfono que debía recoger la ropa de mi madre y entregarla en alguna parroquia.

Pero no iba a hacerlo porque a lo mejor, cuando el tiempo pasara, sus cosas no me recordarían el trágico momento en que se había ido, sino todo el tiempo que estuvo conmigo. Algún día tendría hijos, puede que una hija, y querría tener las cosas de su abuela. Así que guardaría sus vestidos, zapatos, bolsos, abrigos, pañuelos, incluso la ropa interior. Envolvería en papel de seda prenda por prenda y las metería en cajas y las llevaría al trastero del garaje. También estaba pensando convertir la habitación grande de matrimonio en un estudio con dos mesas y estanterías para los libros donde pudiéramos estudiar Ángel y yo, con un sofá cama por si alguien se quedaba a dormir. Podríamos guardar allí todos los documentos, y los dormitorios se desahogarían. Papá se quedaría en el cuarto de Ángel, y Ángel pasaría al de invitados. Era la pieza de la casa menos abierta al exterior y que mi madre había decorado, para compensar, con papel de flores, colcha de flores, cortinas de flores y alfombra de margaritas. A todos nos gustaba tumbarnos allí a leer de vez en cuando porque era como estar en un prado o en un jardín. En verano era el lugar más fresco de la casa y el único sitio que no era de ninguno. Se sentía una inmensa paz. En verano el sol se quedaba temblando ante la ventana y un poco de aire abombaba la cortina hasta el centro de la habitación inundándolo todo de hojas verdes y amapolas rojas y campanillas azules. En invierno se nos olvidaba que existía, mamá incluso cerraba el radiador y la puerta, y si por casualidad la abrías recibías una bofetada de frío. En primavera empezábamos a abrir la ventana para que el pequeño jardín artificial se descongelara.

Le pedí a mi abuela que viniese a ayudarme y empezó a sonarse la nariz como si llorara. Ya me había dado cuenta de que en los sollozos de Marita había más mocos que lágrimas. No sabes lo que daría por ayudaros, pero no puedo traicionar los deseos de mi hija. No le gustaría que fuese, y no puedo dormir por la noche pensando que estáis solos y que mi lugar está ahí. Me resulta insoportable —se sonó con fuerza— verme aquí mano sobre mano. Éste es mi castigo por no haber estado a la altura cuando mi hija me necesitó.

Apenas podía entender ya sus palabras y oí a mi abuelo que le decía tranquilízate.

No te preocupes, nos las arreglamos, le dije para sosegarla yo también, y colgué. Si a mi madre no le había importado Marita, ¿por qué iba a importarme a mí?

Me había olvidado de Laura, ya no tenía importancia. Habría dejado de existir completamente para mí, para Ángel e incluso para mi padre, que nunca le había dado un sitio en su vida. Laura no vivía mal y ya era como era. Aunque se enterase de quién era en realidad, su vida no cambiaría.

31

Verónica y uno más en la familia

Al meter la llave en la puerta, oí el ladrido de un perro y creí que Ana estaba en casa, lo que me contrajo el estómago. Me costaba trabajo mirarle a los ojos con normalidad, me parecía imposible que no me notara la aversión que me producía. Toda ella, desde el pelo a los zapatos, me arrancaba una hostilidad que nunca creí que pudiera sentir por nadie. Tiré todas las cosas que me había ido regalando al cabo de los años y que un día me encantaron, cuando era una niña y el mundo era inocente. Ana conocía a la familia de Laura y había engañado a mi madre, lo que olía que apestaba. Yo tenía la ventaja de no sentir por Ana tanto afecto como mi madre y me la imaginaba capaz de muchas maldades. Y además, si las recordaba a las dos juntas, tenía que reconocer que era mi madre la que se volcaba sobre Ana, la que necesitaba que Ana la escuchase, la que necesitaba verla, la que necesitaba llamar amiga a Ana, quizá porque sólo con ella podía desahogarse sobre su hija fantasma, sólo a ella esta historia no le hacía mella.

Respiré hondo y me propuse entregarme a acariciar a *Gus* para no tener que fingir demasiado con Ana. No me sentía con ánimo y tampoco quería declarar abiertamente que no la soportaba, sobre todo porque reconocía que sacaba a mi padre de su melancolía. La sorpresa fue que no era *Gus* el de los ladridos, sino un perro cuadrado de pelo largo y patas altas que, pese a saber poco del tema, supuse que era una mezcla de varias razas. ¿Un nuevo perro de Ana? No era de su estilo y además no estaba muy limpio. Y Ana jamás había sudado ni olido mal y su misteriosa casa repelería cualquier mota de polvo, de barro y de porquería. Además, la presencia de Ana se detectaba enseguida.

—¡Ángel! —grité.

—¿Qué? —se oyó a lo lejos, desde detrás de la puerta del baño.

El perro me miraba con las orejas tiesas. Debía de proceder de un ambiente poco agresivo.

—¡¿Esta cosa peluda y negra es tuya?!

Cerré la puerta de la cocina para que el bicho no pasara y no lamiera los platos y las sartenes, la encimera y las patas de la mesa, y me adentré por el pasillo. Supuse que mi padre no había llegado porque no estaba el televisor encendido, pero al pasar por el cuarto de Ángel, donde mi padre dormía desde que murió mamá, me llegó un cierto tufo a cerveza.

—Papá —asomé la cabeza—, ¿estás bien?

—He estado tomando algo con los compañeros y me ha sentado mal.

Le pregunté si quería que le hiciera una manzanilla o una tortilla francesa y se tapó la cabeza con la sábana.

—Déjale —dijo Ángel detrás de mí abrochándose los pantalones.

Me vio la cara de susto. Me vio en las pupilas al padre de Juanita. No parecía preocupado. El perro vino hacia él trotando.

—No te preocupes, me ha dicho que no volverá a hacerlo más.

—¿Y tú le crees? —dije a punto de tirarme de los pelos.

—Sí, es mejor creerle que no. La gente mayor tiene mucho miedo y hay que dejar que se le pase —dijo acariciando al perro.

Nunca se lo diría, pero oír a mi hermano hablar así me daba paz.

—¿Y este chucho? No pretenderás que duerma aquí.

—Es de un amigo, he prometido cuidárselo dos semanas.

—¡Dos semanas! Estás loco. ¿Estará vacunado? ¿Por qué no lleva collar?

En compensación, Ángel hizo unos espaguetis de chuparse los dedos.

El nombre del perro era *London*. A mí me gustaba más llamarle *Don*, me costaba menos trabajo, y cuando abría la puerta y lo oía ladrar, la casa no se me caía encima. Mi padre, nada más llegar, le ponía la correa y se lo llevaba a dar una vuelta por el parque y a veces venía más temprano porque decía que no se fiaba de que Ángel o yo lo sacásemos a hacer sus necesidades y respirar aire puro. La verdad era que yo también lo sacaba, y Ángel. En la urbanización no había un perro que estuviese más en la calle que él. A los tres días tenía su hueso de goma y unos bonitos cuencos para la comida y el agua. Una manta, champú y un cepillo para el pelo.

Y conoció a Laura. La olisqueó, meneó el rabo y la acompañamos hasta el conservatorio por el centro del parque, no por fuera como siempre, porque ahora *Don* nos protegía. Las sombras no amenazaban y la luna sonreía.

Después de una semana se había convertido en costumbre que fuese a buscar a Laura con *Don*. Solía apostarme por los alrededores de Zara, que estaba enfrente de su tienda, y cuando llegaba a nuestra altura poco a poco nos íbamos uniendo a ella hasta que ya empezábamos a hablar y Laura dejaba que *Don* le lamiese las manos y también la cara. Era muy buena chica y le gustaba que el mundo no fuese complicado ni raro; en eso se parecía a papá. No podía esperar que diera grandes pasos por su cuenta, tendría que provocarlos yo y hoy iba a ser ese día en que la situación se desatascase un poco más.

Según caminábamos, le dije que la esperaría a la salida de las clases en el bar de la esquina, a cien metros del conservatorio. Quería darle una sorpresa. No le quitaría mucho tiempo. Acarició a *Don* y entró. La cola de caballo le ondeaba sobre la espalda completamente recta de bailarina.

32

Laura, la hora de la verdad

Don estaba atado a un árbol en la puerta del bar. Estaba sentado sobre las patas traseras y noté que me miraba pasar, aunque no volvió la cabeza. No era el típico perro sobre el que la gente se abalanza para acariciarlo. Cuerpo rectangular, patas largas, guedejas colgantes. No entraba por los ojos. Sería como una de esas personas a las que hay que tratar mucho para que te gusten o para quererlas. Uno de nuestros vecinos de la casa de El Olivar tenía un perrito blanco y sin pelo, con el morro rosa y patas cortas, parecía un cerdito. Todos los que se cruzaban con él se agachaban a tocarle la cabeza, y él se paraba para recibir esa caricia. *Don* no esperaba nada. Cumplía con el deber de estar atado al árbol hasta que su dueña saliera.

Nada más entrar, di un paso atrás. Al lado de Verónica había un chico de unos quince años. Fue instintivo. Sabía que no podía escapar, no me dejarían ellos y no me dejaría yo misma.

Verónica se levantó y vino hacia mí. Señaló la mesa y las sillas de madera maciza en que estaban sentados. En cuanto se corría una, parecía que el local se venía abajo.

—Te prometí una novedad y ésta es la novedad —dijo cogiendo al chico por el brazo y obligándole a levantarse.

Él no quería mirarme, no quería saludarme. No

quería estar allí, se dejaba zarandear como un muñeco por Verónica. Cogió un anorak de una silla. Llevaba vaqueros y un jersey de rayas blancas y negras. Tenía las orejas de soplillo y los ojos bonitos, inocentes, como si hubiera saltado de los tres años a los quince. Para Verónica se había quedado en los tres años. Le arrancó el anorak de la mano.

—¿Dónde te crees que vas? Siéntate. Ésta es Laura y éste es Ángel. Angelito —dijo y le dio una colleja cariñosa.

Ángel seguía sin mirarme. Sin embargo, Verónica clavó los ojos en los míos. Parecían somnolientos.

—Ángel es tu hermano. Ha llegado la hora de la verdad.

33
Laura, no
hables tanto

Con una de esas pruebas podría saber de una vez por todas quién era si yo fuese sólo un saco de células. Para mal o para bien yo era lo que ya era. Pero me picaba la curiosidad. De ser verdad que Verónica era mi hermana y el chico delgaducho mi hermano, mi vida habría sido distinta, seguramente no habría estado tan protegida. Verónica me había dicho que ellos apenas veían a sus abuelos. Habría tenido padre, una figura que nada más veía en casa de mis amigas. No me imaginaba cómo habría sido vivir con un hombre en casa. Lilí le prohibió a mamá llevar allí a sus amantes y por eso había temporadas en que vivía fuera. A veces se iba a pintar a Tailandia con su amiga. Lilí decía que tenía un agujero en la mano y que estaba dilapidando la tienda. Menos mal que te tengo a ti, me decía. No se daba cuenta de que para mí lo primero siempre sería mamá y que hiciera lo que hiciera yo estaría a su lado.

De todos modos, ya no veía a mi familia con los mismos ojos. No me veía lo que se dice aire de familia. Se suponía que me parecía a mi padre, que tendría los ojos azules y sería tirando a rubio. Y hasta que lo vi en la puerta del taxi cuando llevó a Verónica al conservatorio, había sido algo así como un espíritu que había fecundado a mi madre, un ser de paso, un meteorito que había depositado la vida en esta casa y había seguido su curso.

Nunca me lo había cuestionado, había aceptado las cosas como eran. Ahora no me bastaba con lo que sabía, la cabeza me bullía y podía empezar por mi padre. Carol tenía padre y madre, Alberto II tenía a Alberto I y había conocido a su madre. Nunca me había sentido tan extraña en familia como en la boda de Alberto II.

La boda fue toda una sorpresa y aprovechamos para comprarnos Lilí y yo unos vestidos de alta costura. Mamá se puso un mantón de Manila precioso. Alberto II era muy callado y lo poco que hablaba lo pensaba mucho. Era casi imposible que metiera la pata. Siempre me había inspirado respeto. Se estaba doctorando en Matemáticas desde hacía diez años y tenía la melena rizada y revuelta como su padre, la nariz recta y fina como su padre, los ojos redondos como su padre y las piernas largas y delgadas como su padre y parecía que sólo hubiese necesitado a su padre para existir y suponía todo un misterio que hubiese tenido bastante conversación para conquistar a una chica tan desenvuelta como su reciente esposa, capaz de arrancarle el micrófono al solista de la orquesta que habían contratado para cantar ella. Al principio la aplaudimos mucho, no lo hacía nada mal, pero luego habríamos agradecido escuchar a un cantante profesional y, sobre todo, relajarnos y no tener que estar aplaudiendo a rabiar. Alguien llegó a decir que se había casado para poder cantar en su boda. Mientras tanto todas bailábamos con Alberto II para tenerle entretenido, y cuando no bailaba bebía y contemplaba embelesado a su esposa, que cada vez se encontraba más inspirada y dueña del escenario.

—Es espectacular —le dije sentándome a su lado y uniéndome a su contemplación.

Tenía más arrugas de las que siempre le había visto, los ojos exageradamente brillantes y la barba le iba saliendo como si hubiesen pasado cuarenta y ocho horas desde que dio el sí quiero.

—No creo que pueda hacerla feliz. Mírala.

La miré con mayor intensidad. Estaba cantando una ranchera y el cantante oficial bailaba con las damas de honor.

—Ella está siendo feliz, ¿no la ves? Y tú también, además, habéis dado un paso muy importante, os habéis casado. Cuando la gente se casa es por algo. Mira mis padres, no llegaron a casarse.

—¿Y tú cómo lo sabes?

Me reí mientras a él se le escurría de la mano la copa de champán y yo la recogía al vuelo.

—Todo el mundo lo sabe, mi madre es madre soltera.

—¿La otra también? —dijo.

—¿Cómo que la otra también? ¿Quién es la otra?

Se me quedó mirando como si estuviera calculando. Su rizada cabellera, que la peluquera había logrado aplacar para la ceremonia, estaba levantándose con más fuerza que nunca.

—¿No ves que estoy borracho? No me preguntes nada.

Se levantó y le cogí de la manga, casi lo tiré.

—¿Conociste a mi padre?

—¡No! —dijo.

Para desprenderse de mi zarpa, trataba de huir de mí, pero yo lo seguía medio corriendo.

—¿Nunca lo viste?

Me esquivaba dando bandazos hasta que se tropezó con un camarero, tiró toda la bandeja de copas y no tuve más remedio que dejarlo estar.

Mamá y Lilí bailaban y bebían despreocupadas. Estaban en familia, con los suyos. Lilí daba vueltas con la silla como una zumbada, y cuando Alberto I logró sentarla en un sillón para que no ocupara la pista ella sola y no atropellara a nadie, se apropiaron de la silla los niños y fue casi peor.

Tras el esfuerzo de cargar con Lilí, tío Alberto no

tuvo más remedio que salir al jardín a respirar. Cogí dos copas de champán y le tendí una.

Me pasó la mano por la cabeza.

—Gracias —dijo—. Hay alguien que se acuerda del padrino.

—Es una boda increíble.

—Sí, increíble. No hay que ser adivino —dijo señalando a la novia— para ver el desastre.

—Bueno, si han dado el paso de casarse es que creen en su futuro

El largo Alberto, con su chaqué y los canosos rizos de medio metro de altos, parecía un director de orquesta. Hizo el gesto de ya está hecho y qué le vamos a hacer.

—A mí —dije— me habría gustado que mis padres se casaran y por lo menos conocer a mi padre. ¿Cómo era?

—Esto sí que no me lo esperaba —dijo para sí—. ¿Quieres otra?

Nunca volvió. Lo esperé mientras veía desde fuera que hablaba con unos y con otros, que bailaba. Tío Alberto era cariñoso y chistoso, siempre estaba de buen humor, aunque también era cierto que nada más lo veía en fiestas de este tipo. Su buen humor, la edad y las gafas de níquel eran lo que le diferenciaba de su hijo.

Entré en la sala y me puse a bailar con él.

—Me he quedado con las ganas de saber si conociste a mi padre.

Se lo dije tan seria que supo que no se iba a deshacer de mí tan fácilmente.

—No quiero mentirte, no lo conozco.

Lo dejé ir. Yo también estaba bebiendo más de la cuenta y también le pregunté a la madre de Carol si había conocido a mi padre.

Carol se había puesto para la boda un modelo que le había dejado una firma de alta costura. No necesitaba comprarse muchos vestidos porque, como era actriz y salía en una serie de televisión muy famosa, le dejaban vestidos preciosos y luego ella los devolvía. Éste era rosa, hecho todo de pequeños capullos. Llevaba el pelo suelto y cuando daba alguna vuelta bailando formaba una cortina de seda alrededor de su cara. No había podido ir a la iglesia porque estaba grabando y todo el mundo lo entendió. Era la famosa de la familia y de la boda. Y hasta ahora no habíamos podido cruzar dos frases seguidas, así que cuando la vi venir hacia mí con dos copas de champán, como yo había hecho con Alberto I en el jardín, me hizo mucha ilusión.

Me dijo que estaba muy guapa, aunque a mí en la peluquería me habían hecho un recogido en el pelo y parecía una muñeca; sin embargo, ella incluso un vestido de capullos rosas, lo llevaba con desenvoltura y naturalidad. La admiraba profundamente.

—Hace mucho que no salimos juntas y que no hablamos —dijo.

Le recordé que la última vez fui a buscarla a televisión y que para mí supuso una aventura porque conocí a casi todos los actores de la serie y estuve charlando con ellos en el cátering. Le dije que era la más guapa de todas las actrices y la que mejor lo hacía. Me cogió la mano y me la apretó. Sentí que estábamos unidas y que por eso la vez que le ocurrió aquello que no se podía nombrar ni con el pensamiento, había recurrido a mí. Entonces me dijo que yo era la única persona de la familia que no era tan charlatana como el resto y que podría tener la boca cerrada. La acompañé a abortar cuando teníamos quince años en un piso donde había un cuarto con una camilla. Nunca había visto tanta sangre y nunca había tenido tanto miedo, pero le juré aguantar y aguanté hasta que pudieron cortarle la hemorragia. Estaba tan débil que no podíamos salir de allí. Tuve que llamar a su casa para decir que estaba conmigo en casa de unas amigas y que nos quedaríamos a dormir. Yo tenía fama de seria y de responsable, así que me creyeron. Al día siguiente, cuando volvió a casa, dijo que había dormido en un saco y que había cogido frío y pudo pasarse el día en la cama. Nunca volvimos a hablar de aquello, queríamos hacer como si no hubiese pasado.

Se tomó un sorbo de la copa y bajó la voz.

—Deja ya de preguntar por tu padre. Hoy todos nos hemos pasado bebiendo. Déjalo para otro día.

—¿Por qué?

—Hazme caso. Por favor, hazme caso. No entiendo qué manía te ha entrado con eso de tu padre.

—¿Por qué no lo entiendes?

—Hasta ahora nunca te había dado por eso.

—Si estuvieras en mi lugar harías lo mismo que yo.

Cuando se dio cuenta de que se le había puesto cara de enfadada, de muy enfadada, la cambió como si fuera de goma, que para eso era una de las actrices que más cobraban en la serie. Ahora estaba alegre y para los que nos veían parecería que estábamos hablando de chicos.

—Yo no sé nada, pero no soy tonta, y tú tampoco deberías serlo. Procura que no te vean venir. Lo primero que aprendí al llegar a la serie fue a esconder la curiosidad y las ganas de aprender. A nadie le gustan los listos.

Yo siempre había estado en la tienda, nunca había tenido que luchar con compañeros de trabajo, no había competido con nadie. No tenía mundo, lo más escalofriante que me había pasado había sido precisamente el desastroso aborto de Carol. Lo segundo más inquietante fue la aparición de Verónica en mi vida y el pozo de sospecha en que estaba cayendo. ¿A quién debía hacer caso? ¿A Verónica la desconocida o a mi querida Carol, a la que conocía desde pequeña? Carol quería mi bien, Verónica no sabía lo que quería de mí. Lo único que sabía es que hasta ahora mi familia era una familia normal.

34

Laura, serénate

Me dijeron que estaba demasiado nerviosa y que tenía despistes en la tienda. Yo no recordaba ninguno, pero por eso son despistes, porque uno no se da cuenta de que los comete. Fue Ana quien dijo que en estos casos lo mejor es acudir a un especialista. Ella conocía a un psiquiatra de gran prestigio, el doctor Montalvo, que me ayudaría a asumir mi condición de hija de madre soltera.

Habría sido inútil protestar, eran tres contra una, y yo estaba acostumbrada a dejarme vencer por mi abuela, no tenía ningún sentido pelear con ella. Prefería mil veces perder a soportar sus caras largas. Todo el mundo opinaba de ella que era encantadora. Y lo era, podía serlo hasta límites insospechados, pero no siempre. También podía enfadarse hasta límites insospechados, y yo, desde que tenía uso de razón, había elegido su lado amable. Así que una de estas tardes llamé al conservatorio para disculparme y a la salida de la zapatería nos marchamos a ver al doctor Montalvo. Como no pude avisar a Verónica, la encontré esperándome en la acera con *Don*. Menos mal que comprendió la situación y no se dejó ver, pero nos estuvo siguiendo hasta la puerta de la consulta, lo que me puso más nerviosa todavía por si Lilí se daba cuenta. Fuese o no fuese mi hermana, no se lo perdonaría nunca. Cuando el doctor Montalvo me saludó me temblaban las manos. Retuvo una entre las suyas mientras me sonreía con una sonrisa que daba mucha tranquilidad. Me invitó a sentarme y acerqué la silla de Lilí a su mesa.

—Es muy fácil obsesionarse y entrar en el caracol, ¿comprendes? —dijo dirigiéndose a mí—. Has hecho muy bien en traerla ahora que aún estamos a tiempo de sacarla de ahí —añadió dirigiéndose a mi abuela—. No hay de qué preocuparse.

Luego pidió hablar a solas conmigo y el doctor Montalvo y yo nos marchamos a otro despacho en lugar de hacer salir a Lilí.

Me dijo que lo que importa es el presente y que aquel pasado que yo ya no podía corregir, ampliar o disfrutar no importaba, no era real. No podía volver a ser una niña y tener un padre, era algo imposible. Lo que realmente había tenido eran mi abuela y mi madre, y eso era lo que me había hecho feliz y la bella mujer que era ahora. Sus palabras en lugar de animarme me deprimían.

—Quítate esos fantasmas de la cabeza o acabarás loca. Vive la vida, ve hacia delante, el pasado no tiene remedio. Y ten cuidado con las amistades, porque alguien desequilibrado tiende a transferir a sus allegados o amigos sus perturbaciones.

Estuvo unos tres cuartos de hora taladrándome el cerebro con sus palabras, un cerebro en el que estaban Verónica, Ángel, *Don* y unos supuestos padres que aún no conocía. Pero es que ellos no eran el pasado, eran más bien el futuro.

Me recetó unas vitaminas y pastillas para dormir profundamente porque, aunque creyese que dormía bien, se me veía en los ojos que no llegaba a la fase REM. Lilí cogió las recetas y dijo que se encargaría de que me tomara la medicación.

35

Verónica
te vigila

Laura tardó en salir bastante más de lo habitual y no venía sola. Empujaba la silla de ruedas mirando al frente, haciéndome comprender que hoy no podría acompañarla al conservatorio. Tuve que sujetar a *Don* para que no se lanzara sobre ella. Me volví a mirar los escaparates cuando ladró. Toda la fuerza que a Lilí le faltaba en las piernas la tenía en la cabeza y se daba cuenta de todo. Había tenido que sacar adelante a una hija viva la virgen y a una nieta robada o comprada. Y esto la habría obligado a no bajar la guardia y estar siempre alerta. Algunas personas se acercaban a saludarla y entonces ella ponía cara de bonachona y salía a relucir su voz aniñada y quejosa, cantarina. Las seguí a distancia.

Laura no se había entaconado, llevaba botas con suela de goma maciza como cuando tenía que andar media hora hasta el conservatorio, pero hoy parecía que se saltaba las clases de ballet. De vez en cuando se agachaba sobre el pelo azulado de la abuela para cruzar unas palabras con ella y a veces se detenían ante algún escaparate, generalmente peleterías, zapaterías que querrían comparar con su propia tienda. Más de una vez los de los establecimientos reconocieron a doña Lilí y salieron a saludarla. Y Lilí repetía sus quejas, sus mimos. Bajaron hasta Serrano y luego subieron hasta Juan Bravo. Estaba segura de que Laura nos sentía detrás, a unos cuantos metros.

Oiría algún que otro ladrido de *Don* y de alguna manera mis pasos, mi presencia. Se tomaron un café, acompañado de un pastel para Lilí, y siguieron su camino hasta la calle General Díaz Porlier, hasta un portal que me sonaba. Laura nos vio de reojo.

Conocía bien el sitio, ahí estaba la consulta del doctor Montalvo, en el cuarto piso. No había duda. Podría ser casualidad y que vinieran a visitar a otra persona. Pero parecía imposible tanta casualidad. Estaban acudiendo a la misma consulta adonde había acudido mi madre. Me daba mala espina. ¿Quién era la paciente, doña Lilí o Laura? No sé por qué me estaba imaginando al doctor Montalvo echándole una charla a Laura sobre la conveniencia de no querer saber demasiado y que sospechar es malo, sobre todo de las personas que más te quieren, de las que te han cuidado y ayudado a ser quien eres. No me extrañaría que el doctor le dijera que estaba mostrando síntomas de trastorno.

No podía esperar hasta que salieran. Mi padre nos esperaba en la parada de taxis de Colón para llevar a casa a *Don*. Así que me encaminé hacia allí y yo también me marché con ellos. Esta vez *Don* tuvo que conformarse con ir detrás.

—Papá, ¿por qué fue mamá al psiquiatra?

—Tenía problemas. Ya sabes, su obsesión.

—Sí, lo sé, pero ¿por qué a ese psiquiatra, al doctor Montalvo?

—Es muy bueno, nos lo recomendaron. Pero era una cabezota, después de tres o cuatro sesiones no quiso volver más. Prefería seguir dándole vueltas a lo mismo.

—¿Quién os lo recomendó, el médico de cabecera?

Se subió las gafas y se las clavó sobre el puente de la nariz.

—Ahora ya nada de eso importa. Entonces importó demasiado. Me enfadé porque dejó de ir y aún estoy enfadado. Estoy seguro de que Betty enfermó de tanto pensar, de tanto angustiarse. El sufrimiento ataca al corazón. Si hubiese seguido con el doctor Montalvo, si le hubiese hecho caso, puede que…

Se estaba derrumbando, ni siquiera se dio cuenta de que tenía que apagar las largas.

—No lo creo, papá, y además mamá fue más libre que muchas personas, ni siquiera el doctor Montalvo ese de las narices pudo con ella.

Se me quedó mirando tanto rato que tuve que indicarle con la mano la carretera.

—Me parece que fue Ana quien la llevó. Había que intentarlo todo —dijo.

En algún momento tendría que ir a ver a María, la ayudante del detective Martunis, para decirle que creía que las piezas estaban empezando a atraerse como si tuvieran imán y que tenía razón, un día encajarían y cada estrella estaría en su sitio y cada planeta con sus lunas y cada padre y madre con sus hijos, y cada hijo con seres que le quisieran bien.

36

Laura en el
cuarto azul

Desde que empecé a encontrarme mal, Lilí y mamá pensaron que lo mejor era trasladarme al cuarto azul, al fondo del piso. Aquí estaría más tranquila, no oiría la silla de ruedas ni la aspiradora ni los ruidos de la cocina. Le dirían a la asistenta que no se le ocurriera abrir ese cuarto. Mi abuela me dijo que llevaba una temporada muy rara, que me preocupaba demasiado por lo de mi padre y que esa preocupación podría volverse crónica. A mí me parecía muy normal y natural que sintiese curiosidad por saber quién era mi padre, pero también era cierto que no era sólo eso, también pesaba todo lo que me contaba Verónica sobre mi verdadero origen. Las dudas no me dejaban vivir, necesitaba saber la verdad y a veces había pensado coger el toro por los cuernos y preguntárselo directamente a Lilí y mamá, pero tampoco quería humillarlas. Si supiesen que yo sospechaba algo así, ya nada sería igual, y nunca podría recuperar su cariño. Me preguntarían qué me habían hecho para que yo creyese a una desconocida antes que a ellas que me habían criado, que habían apartado los peligros de mi camino y cuidado cuando tenía fiebre. Ellas no podían imaginar la carga emocional que estaba soportando queriéndolas como siempre las había querido y al mismo tiempo viéndolas como unas completas desconocidas.

Era el cuarto destinado a los invitados y el que Lilí

usaba en verano para echarse la siesta porque era el más fresco de la casa. Estaba pintado de azul añil y las cortinas eran blancas, por lo que cuando las hinchaba el aire parecían nubes en el cielo. Era muy agradable y decidieron trasladar allí mi escritorio, la ropa, las sillas forradas de terciopelo rosa palo y los libros. Debía seguir el tratamiento recetado por el doctor Montalvo para recuperarme. El trabajo de la tienda, las clases del conservatorio, las preocupaciones me estaban destrozando los nervios. Lilí me dijo que hacía cosas raras, como llevar en el bolso fotos arrancadas del álbum. ¿Para qué quería esas fotos? Si estaban en el álbum era para que pudiéramos mirarlas siempre que quisiéramos, no para que anduviesen perdidas por ahí. Y debía de tener razón porque cada día me encontraba más atontada, más débil. No quería echarle la culpa a nadie, pero Verónica y sus suposiciones me habían roto los nervios.

37

Verónica y la vida perfecta

Ya no me acordaba del futuro que soñaba. ¿Cómo era?, ¿iba a ser médica?, ¿curaría a la gente?, ¿mi madre iba a estar orgullosa de mí? Y jamás imaginé que el pasado fuese tan maravilloso, siempre creí que no habíamos sido lo suficientemente felices por las cosas de mi madre, por la hermana fantasma, por faltarnos algo, por no ser como los demás, y ahora que ese pasado se había llevado a mi madre definitivamente sentía que no podría haber sido otro y que cualquier otro no habría sido mejor. Y me sentía muy afortunada por haber estado allí. El presente era el que estaba vacío, era frío y oscuro como la noche de invierno que veía desde la ventanilla del autobús mientras me dirigía a casa. Por eso cuando apareció el viejo Mateo en su moto, cuando salió del maravilloso pasado en que aún vivía mi madre como de entre una espesa polvareda, yo ya no era la misma. Ya no necesitaba olvidar ni evadirme ni fingir que no tenía una madre enferma, ya no jugaba a nada. Todo era absolutamente real.

Lo vi cuando cogí el telefonillo de la entrada. Al principio creí que era el cartero que traía un certificado. Estaba de lado y miraba hacia abajo. Sus greñas ocupaban la pequeña pantalla del videoportero.

—¿Puedes salir?

No dijo quién era, daba por sentado que estaba muy presente en mi retina. Eran las diez de la mañana. También daba por sentado que no madrugaba. Me estaba tomando un café mientras hacía las camas y pensaba en los pedidos que tenía que servir y en encontrar a Laura para no pensar en mi madre. A veces me hacía la ilusión de que seguía en el hospital, no llegaba a creérmelo del todo, y Ana me había aconsejado que pidiera hora con el doctor Montalvo. Le dije que tal vez, mientras la imaginaba recostada en los cojines étnicos del saloncito de Greta. De la misma forma que un día encontré a Ángel en la leñera, ahora debería encontrar a Laura. Aunque nadie me había impuesto esta obligación, ni siquiera mi madre, el destino me puso delante de las narices la dichosa cartera de cocodrilo y la foto de una niña y ya no podía volverme atrás, no podía dejarlo así, tampoco tenía otra cosa mejor en la cabeza.

—Pasa si quieres —dije.

Estaba hecha un asco con un jersey gordo encima del pijama. Aún no había encendido la calefacción, la casa se estaba ventilando como hacía mi madre, que a veces la ventilaba hasta mediodía. Las flores blancas que un lejano día me regaló el profesor de filosofía en compensación por el mal rato que me hizo pasar se habían marchitado y arrugado completamente en el centro de la mesa de caoba y todavía caía una hoja de vez en cuando. No me peiné, no hice nada, el mundo había cambiado.

Mateo, sin embargo, era el mismo al cien por cien, sin fisura alguna. El pelo, la eterna incipiente barba, la gabardina de su padre, los pantalones pitillo, la profunda seriedad que le quedaba tan bien. No me había duchado y puede que oliese un poco mal cuando me besó. Metió la boca y la nariz entre mi cara y el pelo revuelto y noté que aspiraba algo de mí. Me molestó que me arrebatase sin permiso aunque fuese un poco de mal olor.

—¿Quieres un café? —dije haciéndole pasar a la cocina.

Era consciente de que el ambiente no era el más acogedor del mundo. Había un montón de ropa sucia que tendría que meter en la lavadora de un momento a otro, una sartén y platos en el fregadero y vasos por la encimera.

—No sabía si te iba a pillar en casa.

—Ni yo que madrugaras.

Sonrió por dentro, nunca se reía abiertamente porque perdía todo el misterio y se convertía en un chico bueno y alegre de lo más vulgar.

Cogí una taza al azar, no una de las bonitas, del armarito, y le serví café de la cafetera y leche del frigorífico y metí la taza con la mezcla en el microondas. Le señalé una silla, pero él prefirió un taburete. No se quitó la gabardina. Me encasqueté los guantes de goma y me puse a fregar la sartén.

Él soplaba el café con leche. Se lo tomaba a sorbos mientras me miraba a mí y a los árboles pelados detrás de la ventana.

—Parece un sitio muy tranquilo —dijo.

—Ya ves —dije yo.

—¿Y tu madre? ¿Trabaja fuera de casa?

—No está —dije quitándome los guantes de un tirón y soltándolos en el fregadero.

Me miraba hacer sin saber qué pensar o no pensando nada. Estaba demasiado acostumbrada a creer que la gente que me miraba pensaba en mí cuando a veces no había relación entre una cosa y otra.

Y no me equivocaba, él estaba a lo suyo. Se abrió la gabardina. Debajo llevaba un jersey negro, su color preferido, y del bolsillo interior sacó un sobre.

—Es la invitación de boda.

No moví un dedo para cogerlo. Estaba apoyada en la encimera y me incliné para meter la ropa en la lavadora. Él continuó tomándose el café. Después de poner el suavizante fui hacia la mesa y cogí el sobre, que era de un papel muy bueno, como de tela, y dentro igual. Querían salirse de lo clásico empalagoso, pero una invitación de boda era una invitación de boda. Me miraba un poco asustado.

—No creo que pueda ir, es muy lejos.

—Nos haría mucha ilusión. Patricia me ha insistido.

Me imaginaba a la Princesa realizando su sueño delante de mis narices.

—Voy a ducharme, espérame aquí.

Me duché, me vestí. Tiré las flores marchitas del salón a la basura, pasé un paño por la mesa de la cocina. Dejé la invitación sobre una repisa y le dije que debía hacer algo urgente y que él tenía que echarme una mano.

—Qué bien hueles —dijo cuando me abracé a él en la moto. Él se había puesto un grueso anorak sobre la gabardina.

En Alcalá Meco pregunté por Bea, la funcionaria amiga de la Vampiresa. Le dije que sabía que no era hora de visitas pero que necesitaba hablar con mi amiga de una nueva línea cosmética, todo un negocio que se nos podía escapar en cuestión de horas. El cutis de Bea llevaba la marca nacarada del suero perlado que le dejé en mi visita anterior. No mencioné el dinero que tendría que haberme transferido.

—A ver qué puedo hacer —dijo.

Pasé por los correspondientes controles y al cabo de una hora la vi aparecer en la sala de visitas. Tenía el pelo más largo y había engordado. Ya no parecía una modelo ni una actriz, tenía poco que ver con la mujer sofisticada, con gafas negras de Dior, que me esperaba en su Mercedes junto al colegio Esfera.

—¿Necesitas algo? —pregunté nada más verla—, ¿unas deportivas, algo de ropa?

—Cuanto más viejo sea lo que llevo, mejor —dijo—, así no levanto envidias. Aquí estoy aprendiendo mucho.

Le miraba las arrugas que le estaban saliendo, ella me preguntaba con los ojos qué hacía allí de nuevo.

—Veo que ya no usas las cremas.

—No las necesito para la cara, las necesito para vivir mejor.

—Ya —dije—, a Bea la funcionaria le sientan muy bien.

—Déjala que disfrute.

—El caso es que tenemos trescientas mil pesetas pendientes.

Abrió los ojos hasta recordar.

—Aquí se piensa en otras cosas, lo siento. Ahora comprendo por qué has vuelto. Estaba hecha un lío. No sé qué pensará Betty de mí. ¿Puedo confiar en ti?

El hueso de melocotón se me atravesó en la garganta y casi no podía hablar. Había hecho tantas cosas de las que mi madre no se había enterado...

—Mi madre ahora... es un espíritu.

La veía borrosa, como si ella o yo estuviéramos debajo del agua.

Me cogió la mano.

—Lo siento, lo siento mucho, pobre Betty.

Tenía la mano helada y roja.

Escondí la cara en la manga de la cazadora y lloré. Ella esperó sentada frente a mí con una mano sobre otra. Cuando levanté la cabeza y me sequé las lágrimas, me dijo en voz muy baja: recuerda estos números y ve a esta sucursal de correos, abre la taquilla, hay varios sobres, coge las trescientas mil pesetas de uno de ellos y vuelve a cerrarla. No se lo cuentes a nadie.

—Yo sí quiero contarte algo —dije secándome con las manos esa gran cantidad de lágrimas que salían solas como si hubiese abierto un grifo.

Era increíble que las cosas importantes de mi vida no se las contase a mi amiga Rosana, sino a una desconocida que había intentado asesinar a su amante.

Cuando salí, Mateo se había marchado, no me había esperado, pero no me importaba. Tenía mucho en que pensar. Anduve un rato hasta la estación y regresé en el tren repasando lo que me había dicho la Vampiresa. No le extrañó lo que le pasó a mi madre con Laura. Pobre Betty, dijo otra vez. No le parecía imposible que mi hermana fantasma hubiese aparecido, y se quedó pensativa cuando le dije que hacía varios días que no la veía, que era muy extraño que no hubiese acudido a una cita conmigo y que temía que su abuela y su madre hubiesen detectado mi presencia, que se hubiesen dado cuenta de que Laura sospechaba de ellas y que se las hubiesen ingeniado para mandarla de viaje o para retenerla en algún sitio. También podría haber enfermado ella o podría haber enfermado su abuela.

La Vampiresa movió la cabeza a derecha e izquierda. Todo dependía de lo que hubiese descubierto Laura. Podría estar en peligro. Si Laura se les rebelaba, no sólo la perdían sino que podría denunciarlas.

Nada más salir me apunté en la mano el número que me había dado la Vampiresa. La oficina de correos no estaba muy lejos del centro y fui andando desde la estación pensando en qué pasos dar con Laura. Sacaría el dinero y luego iría a la zapatería con la esperanza de verla atendiendo a los clientes y no verme forzada a hacer nada extraordinario.

Sentí un gran alivio al tener las trescientas mil pesetas en mi poder. Llegué a la caja número cincuenta y nueve, tecleé la clave, saqué uno de los sobres y me encerré en el baño del bar de al lado. Me guardé el dinero y al rato, cuando más jaleo había en la oficina de correos, volví a dejar el sobre. Ahora podría comprar más productos y seguir con el negocio hasta que me matriculase de verdad en la universidad el curso siguiente. Lo importante no era haber engañado a mi madre sino que acabaría haciendo lo que ella pensaba que estaba haciendo: estudiar.

No perdí de vista el interior de la zapatería durante veinte minutos, pero Laura no asomaba por ninguna parte. Sólo estaban una dependienta y doña Lilí en la caja, toda ella de blanco roto, con jersey de cuello vuelto y pantalones. Greta estaría en el piso o con su amante. ¿Y Laura? Era raro que alguien tan joven estuviese enferma más de cuatro días a no ser por un accidente o algo realmente grave. Y de tanto buscar a Laura con la mirada no me di cuenta de algo sorprendente: la silla de ruedas estaba en un rincón, por lo que doña Lilí estaría sentada en una silla, pero lo que me dejó boquiabierta fue verla levantarse e ir andando con normalidad hasta una estantería para mirar el precio de un bolso. Era bastante alta y gruesa, aunque no contrahecha ni deformada. La dependienta fue corriendo a ponerle un chal por los hombros. Doña Lilí no era totalmente inválida, andaba.

No me hacía gracia estar paseándome por ahí con tanta pasta en los bolsillos y menos bordear el parque que llevaba al conservatorio donde daba clases Laura, así que regresé a casa y terminé de limpiar y recoger. Miré con más atención la invitación de boda de Mateo: era bonita, sobre todo el papel. Guardé el sobre para usarlo cuando quisiera impresionar a alguien, rompí la invitación y la tiré a la basura, ya había demasiadas cosas inútiles cogiendo polvo por la casa. Dejé el dinero en un cajón de mi escritorio, debajo de unos apuntes del año anterior. Luego entré en el cuarto de mis padres. Por fin no sentí el hueso de melocotón y unas ganas terribles de morirme. Por fin pude ver el abrigo de visón sin que el universo estallara en pedazos. Pasé la mano por aquel pelo sin igual, como decía mamá, y me lo puse. Sentí una inmensa paz, como si me abrazaran todas las nubes algodonosas del cielo. Saqué el dinero del bolsillo y lo guardé con las trescientas mil debajo de los apuntes y como si una mano me empujara caí en mi cama y dormí hasta que Ángel abrió la puerta y empezó a hacer ruidos como si se quebraran las patas de los muebles, como si se rompiera la vajilla. Se me había olvidado comer.

—¿Qué haces así vestida? —preguntó al verme aparecer con el abrigo.

—Creo que han secuestrado a Laura su madre y su abuela.

—Al principio me has parecido mamá.

—¿Y? ¿Me has oído?

—Esta tarde tengo baloncesto, no pienso ir a rescatarla contigo.

Ángel se había recuperado tan pronto de la muerte de nuestra madre que me tenía preocupada.

—¿Por qué eres así, Ángel?

Se encogió de hombros y abrió el frigorífico. Cogió el cartón de leche y se lo llevó a la boca. Se lo quité de un manotazo.

Creo que lo hizo para provocarme porque era una de las cosas que más rabia me daba. Creo que intentaba que viviésemos nuestra vida.

La recepcionista del conservatorio, como era natural, no me reconoció. Me miró de arriba abajo con satisfacción. De alguna manera, sin darse cuenta, le gustaba la gente de pasta.

—Busco a Laura Valero, la profesora de danza.

—¡Uf! Tenemos un problema con Laura. Hace unos días llamó diciendo que se había roto un pie y que no sabía cuándo volvería. Estamos reubicando a sus alumnos en otras clases.

—¡Ya! —dije—, sí que es un problema. ¿Y llamó ella personalmente?

Movió la cabeza desconcertada haciendo memoria.

—Creo que sí. Ella o su madre. Puede que fuese su madre.

Quizá Ángel no hubiese dicho ninguna tontería y tuviéramos que rescatar a Laura. Ojalá fuese verdad lo del pie. Sólo tenía que ir a su casa. Si me daba prisa, si tomaba el autobús, aún podía llegar antes de que cerrasen la zapatería. Siempre llevaba en la mochila muestras de cremas y podía decir que me mandaba la empresa para enseñarles los nuevos productos y obsequiarles con unas muestras.

No sabía si seguir esperando en la marquesina o echar a correr parque a través. Sudaba con el visón y me lo quité, no estaba acostumbrada a ir tan abrigada. No podía volver a casa con esa incertidumbre, no podría dormir, mientras a Laura Dios sabe lo que le estaría ocurriendo. Y todo por mi culpa. Desde luego, andando ya no llegaría. A lo lejos se veían dos luces altas que podrían ser del autobús, pero cómo arriesgarme. Paré un taxi que milagrosamente pasó por esta zona prácticamente despoblada. Los semáforos se fueron abriendo a nuestro paso. Llegué diez minutos antes de que cerraran la tienda.

Entré en el portal donde vivían y le dije al portero que venía al dentista. Aunque parezca increíble me pareció que me reconocía de la vez anterior porque me dio el paso con la mano. Me quité el abrigo y subí andando porque el ascensor era antiguo, con dos puertas, primero una verja de hierro forjado y luego otra de madera, y tardaba una eternidad en arrancar. Tenía hasta un pequeño banco para sentarse, no era la primera vez que tomaba uno de éstos. En la puerta me puse el visón para causar mejor impresión y llamé al timbre. Esperé. Volví a llamar. Nada. No se oía ningún ruido. Llamé otra vez. Si Laura estaba escayolada no podría moverse, pero podría oírse música, la televisión, algún signo de vida. Me atreví a agacharme y llamar por debajo de la puerta: ¡Laura! No tuve respuesta y no quería que me sorprendiera algún vecino haciendo esto, se lo dirían enseguida a doña Lilí, todo el mundo quería hacerle la pelota. Por lo que conocía del piso calculé más o menos dónde daba la habitación de Laura. Si me situaba enfrente del edificio, a lo mejor me veía.

Precisamente cuando iba a bajar, el ascensor subía ocupado por la masa blanca de su abuela, así que subí unos cuantos escalones sin apoyar los talones —malditas botas ruidosas— y me quedé escuchando junto a la barandilla. Abrir y cerrar las puertas del ascensor duraba lo suyo y sacar a doña Lilí en la silla más.

—Me deprime esto de la silla, ¿es necesario? —dijo Greta, la madre de Laura.

—Me duelen las rodillas, ya lo sabes. Deja de quejarte.

—No pienses que voy a quedarme en casa. Ceno con Larry.

—Eres imposible. Nunca te has responsabilizado de nada, ni de nadie. Si no hubiese sido por mí esa criatura no habría salido adelante.

—Tú te empeñaste. A mí no me hace falta —dijo Greta.

—¿Que no te hace falta? Espera a llegar a mi edad.

—Nunca seré como tú —dijo Greta con odio infantil mientras abría la puerta del piso y empujaba la silla—. Si no fueras tan cabezota… —añadió.

Cerraron la puerta y me desplomé sobre un peldaño. Me recogí el pelo con la mano y me di aire. Si bajaba a la calle no podría entrar de nuevo porque el portero me tenía fichada. Si lograba entrar en el piso, quizá sería peor para Laura. Tampoco se me ocurría hacer otra cosa. Bajé hasta su puerta. Alrededor del felpudo olía al perfume de Greta. Me colgué la mochila como si fuera un bolso. En la mano llevaba las muestras de esencia de seda, de caviar y varias más.

Afortunadamente me abrió Greta, que me intimidaba menos que Lilí, por eso era porque nunca la había mirado de cerca, cara a cara, a pocos centímetros de distancia. Su mirada llegó del país del hielo y de la piedra, llevaba los ojos pintados alrededor con una línea verde, pero no eran verdes, no tenían nada que pudiera dejar embobado a Larry, sin querer los estaba comparando con los de mi madre que estaban atravesados por puntos dorados cuando les daba el sol y pardos cuando llovía. Greta debió de ser bella de niña, guapa de joven y ahora era casi fea.

Pregunté por Greta Valero como si no la conociera. Le dije que estábamos entregando muestras de los nuevos lanzamientos cosméticos a la clientela antigua más distinguida.

Se le iluminó la cara todo lo que esa cara seca podía iluminarse.

—He echado mucho de menos vuestros productos, pero la comercial que venía, una señora muy agradable, un día desapareció. ¿Qué le ocurrió?

Le dije que yo era nueva y que no tenía ni idea. Pasó la mano por la piel del abrigo sin pedirme permiso. Por un instante temí que lo hubiese reconocido.

Le puse en la mano la primera muestra y comencé a explicarle cómo debía aplicársela. Ella me miraba a mí y hacia adentro. No sabía si hacerme o no hacerme pasar hasta que se decidió.

—¿Y dices que tengo que ponerme una gasa encima? —preguntó mientras me conducía a sus dominios étnicos, como los llamaba Laura.

Me invitó a sentarme en los cojines y entrecerró la puerta. Encendió una lámpara de sal. Ella se sentó en la posición del loto. Yo no me quité el abrigo. Le fui explicando las maravillosas propiedades de las cremas y me ofrecí a darle un masaje con la de caviar. Echó un vistazo a mis botas.

Le entusiasmó la idea del masaje y me trajo algodón y tónico. Empapé dos algodones y se los puse sobre los párpados. De fuera llegaba el ruido de la silla de ruedas yendo y viniendo y la voz melosa de Lilí regañando a Laura.

—¡Tienes que cenar!

—Cierra la puerta del todo —me ordenó Greta.

—Relájese —dije sin hacer caso—. Este momento es sólo suyo. Piense que abre un cofre, la tapa es muy pesada, pero al final logra abrirla y va metiendo allí todo lo que no le gusta, los contratiempos del día. Vaya metiéndolos uno por uno y al final deje caer la tapa del cofre con fuerza. Ya no tiene de qué preocuparse. Piense sólo cosas agradables.

Suspiró, y empecé a masajearle la cara sin quitar la vista de la puerta. Hasta que por fin vi pasar a Laura. Tosí y volví a toser. Laura empujó la puerta de mala gana. Al principio no me distinguió bien, pero a los dos minutos abrió la boca. Me puse un dedo en los labios.

—¿Quién está ahí? —dijo Greta.

—Soy yo —contestó Laura.

—Ahora estoy ocupada —dijo Greta.

Laura llevaba una bata abierta sobre un pijama de felpa y unas pantuflas parecidas a las que yo usaba en casa. Bostezó y se pasó el puño por los ojos.

—Terminaremos enseguida —dije yo haciéndole a Laura una seña que no sé si entendió. Al fin y al cabo, ni yo misma la entendía, era sólo una manera de hacerle comprender que estaba aquí por ella.

Laura miró a la derecha y se fue hacia la izquierda, por donde había venido, con ligereza, y al momento aparecieron las negras ruedas de la silla de Lilí.

—¿Qué pasa aquí? —dijo asomándose.

—Por Dios, ¿es que no puedo darme ni un masaje? Mamá, cierra la puerta y vete.

Me dio miedo Lilí. Me dio miedo cómo me miró. Tuve la impresión de que lo había adivinado todo. No le parecía normal que yo estuviera allí.

—Y mañana lo ideal es alternar con el gel de algas. Si

acaso le interesa algún producto no tiene más que pedírmelo.

—Dame un teléfono y te llamo —dijo Greta quitándose los algodones—. ¡Qué suavidad! Aunque no lo creas, me has quitado un peso de encima.

Lilí permanecía en la puerta mirándome, haciendo cábalas, tratando de situarme en toda esta historia.

—A usted le vendría bien una mascarilla de arcilla para la grasa —dije dirigiéndome a ella.

No contestó, estaba pensando. Parecía un general valorando la estrategia del enemigo. Me estaba poniendo nerviosa, más que el tipejo que le robó el abrigo a mi madre, más que el profesor de filosofía. No sabía cómo enfrentarme a estas mujeres. Tal vez podría llamar a Laura y pedirle que se viniera conmigo, pero no estaba segura de en qué punto se encontraba ella, no conocía su situación real y podría quedar en evidencia.

—Bueno, pues ya está —dije colgándome la mochila del hombro.

Lilí no se apartó de la puerta. Me quedé esperando de pie que me permitiera pasar. La silla era como un tanque. Greta, a mi espalda. Noté que se cruzaban una de esas miradas que llaman inteligentes porque valen por una charla de una hora. No cambiamos de posición durante varios segundos. Greta se aproximó un poco más y no pude evitar estremecerme cuando noté su mano en la espalda. La pasó arriba y abajo como haciendo memoria.

—No me gustan las pieles —dijo—. Siempre me imagino al animal muerto.

—A mí tampoco mucho. Es un regalo —dije.

—Y a caballo regalado… —dijo Lilí apartándose de la puerta.

Laura no volvió a aparecer por allí. Creo que se asustó al verme y no querría comprometerme. Tampoco debía de sentirse muy despejada para hacer frente a esta situación, por nada del mundo habría esperado encontrarme en su casa. Se la veía pálida y llevaba el pelo revuelto de recién levantada de la cama. Puede que realmente estuviera enferma, con gripe por ejemplo, pero desde luego el pie lo tenía perfecto. A veces se miente a medias para no dar muchas explicaciones, aunque en este caso un pie roto significaba, de cara a las clases de ballet, que Laura iba a estar recluida en la casa bastante tiempo.

Mientras iba hacia la puerta, procuré recobrar la sangre fría para darme cuenta de cualquier señal que me hubiese dejado Laura con la que decirme estoy bien o estoy mal. Como si fuera tan fácil idear en un momento así toda una estrategia de comunicación. La silla de la abuela iba pisándome los talones. De la cocina llegó un sonido brusco, un choque de cacerolas. ¿Sería ésta la señal?

Al salir y cerrar la puerta, eché una intensa ojeada por el suelo y retiré el felpudo con el pie por si Laura había deslizado alguna nota. Lo hice con mucha discreción porque sentí la mirada de Lilí en la mirilla.

No conseguí pasar desapercibida para el portero. También sentí las cosquillas de su mirada de reojo. En la calle me subí las solapas del abrigo lo que pude y recorrí la acera buscando algún papel que pudiese haber tirado Laura desde la ventana de su cuarto. Miraba discretamente porque ya sabía que Lilí era muy capaz de levantarse de la silla y asomarse por la ventana. No vi ningún papel e imaginaba la desesperación de Laura si es que había tirado algo para que yo lo viera.

Me marché a casa con el peso en la conciencia de que no debía haber dejado allí a Laura. Tenía la terrible sensación de que no la veía más. Y cuando vi a mi padre absorbido por la televisión con barba de dos días y acordándose de mi madre pensé pedirle ayuda y contarle lo que había descubierto y en qué situación se encontraba su hija fantasma. En este momento le creía muy capaz de montarse en el taxi, ir allí, coger a Laura del brazo y traerla con nosotros. Mi padre ahora ya no era tan mirado como antes. El problema es que no iba a ser tan fácil, Lilí debía de tener pensadas unas cuantas cosas para un caso así. Se había enterado de que su familia la buscaba y no iba a consentir que le arrebatásemos el fruto del dinero y el esfuerzo invertido en Laura. Puede que incluso el cariño invertido en ella.

Ángel era un menor y no quería involucrarle en algo tan feo, ya sabía demasiado, ya no estaba teniendo una adolescencia como la de todos los chicos. No debía actuar a lo loco. Si mi madre no lo había hecho, por algo sería. Mi madre había estado en el piso de encima de la zapatería y probablemente también en la casa de El Olivar. Debió de haber un momento en su vida en que las piezas le encajaron bastante bien, menos la de Ana.

38

Verónica comprende

Yo estaba tan absorbida por la extraña situación que podrían estar viviendo Laura, mi padre por su pena y mi hermano por su adolescencia, que me olvidé, a todos se nos olvidó, de que Ángel tenía que devolver a *Don* a su dueño, o quizá no tenía que devolverlo. Nadie mencionó esta circunstancia. A mi padre no le importó encargarse de llevarle al veterinario y después hacer el papeleo correspondiente, lo trajo con un collar precioso. En el taxi puso una mampara que lo separaba de los viajeros y así podía llevarlo en el asiento del copiloto. *Don* no era remilgado, se hacía a todo, comía de todo y no se mareaba. Cuando le cortábamos las greñas se dejaba hacer sin rechistar y mi padre disminuyó considerablemente la ingesta de cervezas, como si *Don* le hubiese convencido de que lo hiciera. Me dieron ganas de decirle a Ángel que había tenido razón y que lo de papá se había arreglado solo, pero me reprimí para no darle alas. Todo el mundo era tan inteligente, todo el mundo sabía algo. María, la ayudante del detective Martunis, me había dicho que las piezas irían encajando y tenía razón, ahora no me costaba tanto saber qué paso dar. No tenía que pensarlo, me venía a la cabeza, como si las piezas se movieran solas, y ahora se situaba en primer plano mi abuela Marita. Era un elemento fundamental que había dejado pasar por alto. Marita era la madre de mi madre y había llegado el momento de que me explicara qué había ocurrido entre ellas para que su hija no la hubiese querido como yo quería a mi madre. Y además necesitaba sacarme de la cabeza el clima asfixiante de la casa de Laura para sentirme capaz de ayudarla.

Convencí a mi padre de que fuésemos a pasar el fin de semana a Alicante con los abuelos. No le di opción. Le dije que le sentaría bien darse un paseo por la orilla del mar. Le dije que *Don* se volvería loco con el agua y tanto espacio para correr ahora que no había bañistas. Le dije que a Ángel le vendría bien ver a sus amigos de las pasadas vacaciones. Le dije que yo lo necesitaba y me puse a hacer las maletas. A mi padre ver a Marita no le traía buenos recuerdos. Propuso que nos marchásemos a cualquier otro sitio, pero no cedí.

Durante el viaje se me atravesó el hueso de melocotón de tal manera que empecé a toser y a toser y tuvimos que parar en un restaurante de carretera con tejas de barro. La vida continuaba tan inexorablemente su curso que no podía soportarlo. Incluso nosotros, que queríamos tanto a mi madre y que tanto nos costaba seguir adelante, íbamos a Alicante en contra de sus deseos y con un nuevo miembro en la familia, *Don*, al que ella nunca conoció. ¿Llegó a darse cuenta de que su hijo Ángel era un joven sabio? Pasé al baño y, mientras orinaba, dejé que la cara se me contrajera al máximo, que se exprimiera y que saliera un poco de dolor.

Aunque me la lavé, se notaba que había llorado todo lo que es posible llorar en cinco minutos. Ni mi padre ni Ángel, acodados en el mostrador, me miraron más de la cuenta. Se imaginaban lo que me sucedía porque también a ellos les pasaba.

Los abuelos nos estaban esperando con el arroz metido en el horno. También Marita había llorado. Para ella debía de ser tremendo que esto ocurriera sin su hija. A pesar de todos nosotros, la vida corría y era imposible detenerla, siempre adelante, adelante, como todas las galaxias girando a gran velocidad hacia algún lugar que puede que ni siquiera exista.

No esperaban que tuviésemos un perro. Ellos tenían una gata. Me alegré de crearle un problema a Marita y que el momento no fuese tan idílico como ella había imaginado, que era lo mínimo que habría deseado mamá.

A los tres nos daba cierto cargo de conciencia disfrutar tanto de esta comida, que yo estaba deseando que terminara para encontrarme a solas con Marita. Mi abuelo se echó la siesta. Estaba agotado. Era él quien compraba, quien hacía la comida, quien recogía la mesa, quien había preparado nuestras camas, porque Marita, al ser tan bajita, daba la impresión de que era muy frágil y de que cualquier esfuerzo podría hacerle daño. Las pocas veces que había estado con ellos había sido así. Ella no hacía absolutamente nada. Por lo menos se había decidido a tener una hija, con lo que le habría supuesto parir. Mi abuelo vivía para cumplir sus deseos. Era muy serio y hablaba poco, parecía que tenía un mundo interior inmenso y que había vivido cosas que hacían que su vida actual fuera una fiesta.

Le dije a Marita que yo recogería y que descansara.

—Gracias, hija —dijo.

No quería enternecerme, puesto que a mi madre no la habían enternecido nunca.

Marita me traía los platos al fregadero y cuando por fin sacudió el mantel se quedó a mi lado mirándome cómo fregaba.

—Tu padre se ha marchado a dar una vuelta con el perro por la playa y Ángel está buscando a sus amigos.

Había ido a la peluquería y le habían ahuecado el pelo, lo que la volvía casi más pequeña. Vio mis ojos clavados en su cabeza.

—Es el color de moda para las señoras de mi edad.

No dije nada, como habría hecho mamá.

—Me alegra mucho que estéis aquí, ojalá que…

—¿Por qué no llegasteis a reconciliaros mamá y tú?

—Ven aquí —dijo cogiéndome del brazo—, luego lo terminará tu abuelo.

Me sequé las manos y la seguí. Hizo que me sentara a la mesa camilla, en uno de los dos sillones de orejas donde tarde tras tarde debían de ver la puesta de sol. Se marchó y al rato volvió con un joyero.

Sacó un collar de perlas, anillos, pendientes, pulseras, más collares en estuches aterciopelados. Se limpió las gafas con las faldas de la mesa.

—Lo guardaba para tu madre, quería dejarle algo de valor, pero la vida no me ha permitido compensarla. Tú serás la heredera.

No supe qué decirle. Mamá habría rechazado aquel joyero con pinta de cofre del tesoro, pero yo pensé que ya que el mal estaba hecho nos vendría muy bien. Cuando asistiera de verdad a la universidad no podría trabajar tanto y luego estaba Ángel y a lo mejor Laura. Y había que pensar que si mi padre sufría un accidente nos quedaríamos al descubierto. Así que lo aceptaría y alargué las manos para coger el cofre, pero Marita se anticipó, lo cerró y se lo llevó.

—Cuando muera ya sabes que es tuyo —dijo a su regreso, y se sentó.

Había sido un espejismo, un toque de atención sobre las miles de tentaciones que podrían desviarme del camino.

—Perdona que sea tan directa —dije—, pero no tenemos todo el tiempo del mundo. ¿Qué ocurrió cuando mamá dio a luz la primera vez?

—No lo sé, no estaba allí y no me lo perdonaré nunca.

Me limité a seguir mirándola.

—Nos enfadamos con ella por quedarse embarazada

sin estar casada. Era nuestra hija y teníamos muchas esperanzas puestas en ella. Ahora habríamos reaccionado de otra manera, pero entonces fue así.

—¿Y qué más? ¿Se marchó y ya está?

—La noche en que se puso de parto me llamó. Ella estaba en Madrid y yo aquí, a cuatrocientos kilómetros de distancia, aunque hubiese salido corriendo no habría llegado.

—¿Y saliste corriendo?

—Era imposible llegar a tiempo. Le dije que saldríamos por la mañana y llegaríamos al mediodía. Le dije que la habíamos perdonado. Tu abuelo estaba de acuerdo, nos podríamos haber matado con el coche de salir de noche.

Contemplaba extasiada sus ojos pequeños, casi de china, debajo de las gafas con una montura de un color parecido al del pelo. Me alegraba saber que mi madre había sido justa.

—Mi padre tampoco pudo estar con ella. Se encontró completamente sola —dije.

Al oír este comentario, reaccionó llena de viveza.

—No, gracias a Dios no estuvo sola.

—¿Cómo?

—Su amiga Ana estuvo con ella en todo momento, desde el principio hasta el fin. Por eso Betty la quería tanto. La socorrió y compartió con ella aquellos terribles momentos.

—¿Hablaste con Ana al llegar?

—Cuando llegamos Ana ya se había marchado. No pudimos llegar al día siguiente porque se nos estropeó el coche, llegamos al otro, cuando Betty ya estaba en casa. Tu padre también estaba allí y se hizo cargo de todo.

—Así que Ana.

—Sí, ella la llevó a la clínica y se encargó del papeleo de la defunción de la niña. Pobrecilla.

—¿Y mi padre lo sabe?

—Creo que sí. Nunca nos hemos puesto a hablar de

aquello, no es plato de gusto. Son cosas que pasan, pero tu madre no lo superó y nos culpabilizó a todos.

—Mamá siempre pensó que la niña estaba viva, que alguien se la quedó al nacer.

Hizo el gesto de cogerme la mano, y yo hice el gesto de coger un vaso que había en la mesa.

—Es normal que le costara hacerse a la idea. No es fácil aceptar que estas cosas nos pasen a nosotros. Y conmigo hubo un antes y un después, nunca volvió a ser la misma hija. Lo pienso una y otra vez, y aunque hubiésemos salido corriendo nada habría cambiado.

—¿Y si no hubieseis renegado de su embarazo?

Marita se secó unas pequeñas lágrimas debajo de las gafas.

—No me lo perdonaré nunca. No sé si ella me perdonó.

Estuve a punto de decirle que no, aunque quién sabe, quizá sí la había perdonado. Mamá tenía un corazón muy grande.

—Se pasó toda la vida buscando a su hija y ahora la busco yo.

Se quitó las gafas para secarse mejor los ojos.

—¿Y qué dice Daniel?

—No tiene nada que decir. Él que haga lo que quiera.

—Hazme caso —dijo—. De eso hace mucho tiempo.

Sentí que los ojos se me convertían en duras piedras, piedras de cien millones de años que ella no podía penetrar con sus pequeñas lágrimas.

Me marché corriendo a la playa a buscar a mi padre. La distancia era de un kilómetro de filas de pareados, adosados, aislados, casitas de playa antiguas, apartamentos y algún hotel. El chalé de mis abuelos era de los años cuarenta, de color amarillento y contraventanas mallorquinas verdes. El jardín, pequeño, enano en comparación con otros, pero con lo necesario: dos palmeras, un limonero, dos naranjos, una buganvilla junto a la fachada, adelfas bordeando el murete y, detrás, un patio de suelo rojo con barbacoa y horno. Era imposible que mi madre no hubiese sido aquí feliz a pesar de Marita. Olía a mar y las pequeñas gotas que traía la brisa se me pegaban a la cara y el pelo. Los pulmones funcionaban a pleno rendimiento y pude seguir corriendo por la parte dura de la arena hacia las lejanas figuras de mi padre y de *Don* que parecía que se había vuelto loco, se acercaba al agua y se alejaba y daba vueltas alrededor de su amo medio saltando. No me cansaba, era como haber caído en el centro de la vida misma. Me crucé con algunos pescadores que llevaban botas altas de goma, las cañas de pescar y cubos de plástico. Era una pena no haber disfrutado más de niños de este paraíso, pero después de hablar con Marita comprendía a mi madre, no podía hacer como si nada hubiese pasado. Lo terrible era que su sacrificio había sido en balde porque hay personas que desde los cinco años hasta la muerte casi no cambian. Unas cambian mucho y otras nada, aunque la realidad es que era difícil saberlo porque a veces lo único que cambian son las circunstancias, la vida, como le había pasado a mi padre, que no creo que antes de nacer yo fuese muy diferente.

Quería darle un susto, pero *Don* no me dejó. Ladró, se revolcó, se me subió encima con sus patazas. Mi padre se giró.

—¿Ya te has cansado de estar allí? —Se quedó mirando el mar respirando profundamente—. Betty no soportaba este sitio, le parecía una cárcel.

—Papá, tienes que tener cuidado con Ana. Marita me ha dicho que estuvo presente en el nacimiento de Laura y que ella fue la que la llevó a aquella clínica.

—Por eso tu madre le tenía tanto cariño. Fue la única que no le falló. Los demás fuimos unos miserables.

—Papá, escúchame, deja ya de mortificarte. Ana es amiga de la familia de Laura.

Me miró, triste, como siempre que se hablaba de este asunto.

—Ya sé que no crees que Laura esté viva, pero existe una Laura y casualmente Ana es amiga íntima de la familia de esta Laura. ¿No te parece extraño?

—Para eso hemos venido, ¿verdad? No para reconciliarnos con la vida de Betty ni para disfrutar de este momento, sino para sonsacarle información a Marita.

Entrelacé una mano con la otra, suplicando.

—Aquí podemos volver cuando queramos, el mar no se va a ir y Marita es un caso perdido, su manera de querer es muy decepcionante. Mamá lo sabía y por eso abandonó.

—¿Y qué tengo que hacer yo?

—Ten cuidado con Ana, con lo que le cuentas, no sé, ¿no tienes curiosidad por ver a Laura?

—¿Es que no podemos dejar las cosas como están? Nosotros no somos nadie para arreglarlo todo. Imagínate que en lugar de hacer el bien hacemos daño a esas personas.

Se quitó las gafas para limpiárselas. Sus ojos me recordaban mucho a los de Laura.

—Nuestras vidas están alteradas desde hace mucho tiempo y no creo que haya sido para mejor, ¿estás segura de que debemos alterar otras vidas?

Lo que mi padre no sabía es que ya estaban medio alteradas y que esta situación era mucho peor que llegar al fondo. No sabía que Laura muy probablemente estaba retenida por su familia y que quizá llegaría el momento en que él no tendría más remedio que actuar. Mi madre no se había atrevido a alterar la vida de su hija Laura y sin darse cuenta había alterado la mía.

—Creo que vuelvo a Madrid, tengo mucho que hacer. No hace falta que vengas, pediré un taxi para que me lleve a la estación.

Me cogió del brazo.

—Espera. Yo prefiero despertarme mañana en casa. Podemos marcharnos dentro de tres o cuatro horas, cuando *Don* esté agotado de correr.

Yo también aproveché para correr y regresé antes que mi padre. El abuelo se había levantado de la siesta y le había preparado la merienda a Marita. Dijo que tenía un pescado extraordinario para cenar.

—Nos marchamos dentro de un rato. Tengo un examen y no lo he preparado bien. Además el perro y la gata podrían pelearse. Lo siento. Vendremos pronto.

Me pareció ver una pena sincera en la cara de mi abuelo. Era curioso que siempre llevase chaleco como los abuelos clásicos. Éste era de pana muy fina. Vestía con mejor gusto que Marita y pese a lo mayor que era tenía una gran mata de pelo cortado al mínimo. Era corpulento y tenía la nariz fuerte como mamá y como yo. Yo me parecía a ese hombre más que a mi padre, con el que había vivido toda mi vida.

Se levantó y dijo con voz quebrada:

—Voy a congelar el pescado.

Salimos de allí a las ocho, después de merendar un poco por insistencia del abuelo. Pero antes Marita me dijo que la siguiera a su cuarto. Abrió un cajón y sacó dos billetes de mil pesetas.

—Uno para ti y otro para Ángel —dijo.

—Espera —dije—. Si el cofre de las joyas es para mí, dámelo ahora.

Se le frunció el ceño ligeramente, no podía disimular el disgusto.

—No es bueno heredar antes de tiempo, luego lo necesitarás más.

—Ahora o nunca —dije.

Salió de la habitación y cerró la puerta. Eligió nunca. Dejé los dos billetes en la consola de la entrada. No miré al abuelo a la cara, no quería saber lo buen abuelo que podría haber sido de no ser un cobarde.

Ángel no encontró a ningún amigo y también le pareció de perlas regresar a casa.

Nunca llegaría a alegrarme bastante de haber hecho este viaje. Comprendía mucho mejor a mi madre. No bastaba con tener a alguien: ni siquiera el amor es suficiente.

39
Laura, lo siento

Tenía sueño, no me apetecía levantarme de la cama. Cuando andaba me mareaba. Todos me decían —Lilí, mamá, el doctor— que necesitaba descansar. Sólo salía para ir al baño. Lo bonito estaba aquí dentro, entre el cielo azul. Mamá solía traerme algo de comer. Me decía que necesitaba reponer fuerzas. La sopa era lo que mejor me sentaba, lo sólido me costaba tragarlo, no tenía hambre. Llegaría el momento en que acabaría saliendo de la habitación azul, pero tampoco lo deseaba demasiado porque no podría manejarme en el mundo exterior. En estos momentos subir o bajar las escaleras para salir a la calle era como subir el Everest. Por la mañana la abuela estaba en casa y me peinaba y me obligaba a cambiarme el pijama. Hueles que apestas, decía, con razón, porque era incapaz de ducharme. Una vez, entre sueños, me pareció que Lilí se levantaba de la silla y venía andando hacia mí y se me quedaba mirando mientras yo estaba en la cama. Tanto sacrificio para nada, dijo, y salió empujando ella misma la silla.

Siempre que se abría la puerta, sentía entre alegría y desasosiego y a veces prefería hacerme la dormida y que volviese a salir la persona que había entrado. Sin abrir los ojos, reconocía a mamá por el perfume que desplegaba con cada movimiento, como si le corriese por las venas en lugar de sangre. Reconocía a Lilí por el ruido de la silla y porque volvía el aire más denso, como si en el cuarto azul hubiese más gravedad que en el resto del planeta. También noté que alguna vez entró Petre por su respiración, una respiración profunda que absorbía todo el aire y lo devolvía caliente, demasiado caliente.

Sin embargo, esta vez tenía los ojos abiertos. Me dio mucha alegría ver que la puerta del cuarto se abría y que entraba Carol y su pequeño *Leo*, siempre pegado a la altura de su pecho y soltando desagradables ladridos. Si pudiera hablar tendría una voz muy irritante.

Desde la boda no había vuelto a verla ni siquiera en la serie; me dormía viendo la televisión.

—Anda, levántate —dijo tendiéndome la bata—. Vamos a sentarnos.

Nos sentamos en las butaquitas de la mesa camilla y *Leo* se tumbó en la cama olisqueando las sábanas y la almohada. Mamá asomó con una bandeja con té y tazas y nos pasó las dos manos por las dos cabezas al mismo tiempo.

—Si necesitáis algo, estoy en mi gabinete.

Se tumbaría en los cojines a leer revistas hasta que llegara Lilí y pudiera marcharse con Larry, al que había hechizado con un conjuro que le vi hacer una vez.

Carol sirvió el té. Estaba guapísima y sin embargo no tenía suerte con los chicos. Yo al menos tenía a Pascual, aunque estuviera en París y nos viéramos en verano, navidad y Semana Santa como mucho. Hoy Carol no se había puesto lentillas y tenía los ojos de su color natural, tampoco llevaba rímel ni maquillaje y parecía más joven. Se quitó el abrigo y los zapatos y suspiró aliviada. Ella no se puso azúcar, yo sí, varias cucharillas. El té me estaba sentando bien.

—No sé qué me pasa, Carol. No me duele la garganta, no me duele nada, no tengo fiebre y no puedo con mi alma.

—Necesitarás descanso.

—Me da miedo tener algo malo.

—No lo creo. Estoy segura de que no. Lo único malo lo tienes en la cabeza.

—¿No tendrías que estar grabando?

—Se ha suspendido el rodaje y he aprovechado para verte. Vengo a decirte algo muy importante y quiero que me entiendas bien y que me hagas caso.

Me puse otra taza del té verde de mamá y más azúcar. Me iba despejando poco a poco.

—No preguntes más por tu padre, que si lo conocían o dejaban de conocerlo. Te has puesto muy pesada con eso. En la boda de Alberto se lo preguntaste a todo el mundo. Comprenderás que a tu madre y a tu abuela no les haya sentado de maravilla.

—Carol, eso no es todo. He conocido a una chica que dice que es mi hermana.

Carol se echó para atrás y separó un poco la butaca de la mesa camilla.

—No digas tonterías.

—Yo también pensaba que eran tonterías, pero puede que sea verdad. Nadie conoce a mi padre, no me parezco a ellas ni a ti y tengo la sensación de que hay gato encerrado. A Lilí le sentó muy mal que cogiera unas fotos de mi madre embarazada y de mí misma recién nacida del álbum y que las llevara en el bolso. Me registró el bolso. ¿Te parece normal?

Esperaba que se cayera de la butaca, que se atragantara, que me mirara con cara de espanto, y se limitó a mover la cabeza y con ella toda su sedosa melena. No puso el grito en el cielo.

—Necesito salir de dudas —dije— sin alarmar a mi madre y a mi abuela. Necesito que me eches una mano.

—¿Qué pretendes hacer?

—Saber más. Seguramente tendré que hacerme algunas pruebas.

Ahora sí que sus ojos sin lentillas parecían asustados.

—No se te ocurra mezclarme en esto. Soy un personaje público. Cuando salgo en la serie sube la audiencia. Estoy en lo mejor de mi carrera. Me niego a que mi nombre aparezca junto a un escándalo como ese de la tele de niños comprados.

Estaba atontada, pero no tanto como para saber que yo no había dicho nada de niños comprados.

—¿Podría ser yo una niña comprada?

Me hizo la señal de que bajara la voz. Ahora hablaba en un susurro.

—Olvídalo todo, por tu bien. Eres hija única, todo esto es tuyo. Tampoco creo que te traten tan mal. Ningún padre es perfecto, todos son un desastre, y tu abuela es capaz de matar por ti. No vuelvas a hablar de padres que no existen, ponte bien, compórtate como antes, hazles olvidar que sospechas. Hazme ese favor.

—Cuando tuve que ayudarte no pensé en las consecuencias —dije.

—¿No ves? ¿Qué clase de padres tengo que tuve que recurrir a una adolescente en un momento así? No merece la pena que remuevas nada. Ningún padre se lo merece.

—Tú lo sabes —le dije mirándola todo lo fijamente que era capaz.

Como respuesta cogió la bandeja y salió. Sonó el timbre de la puerta y *Leo* salió como una bala peluda ladrando a su manera chillona. Debió de abrir Carol porque la oí hablando con alguien que no se distinguía. Cuando volvió ya tenía pensado lo que iba a decirme.

—Te dije en la boda que cerraras el pico y ahora te digo que hagas lo posible para convencerlas de que has entrado en razón. Yo tampoco quiero que sigas con eso, no estoy de tu parte. Lo siento.

Se puso el abrigo, los zapatos y cogió en el brazo a *Leo* como si fuese un pequeño bolso. Se colocó las gafas de sol en la cabeza y el bolso auténtico en el hombro derecho. Era independiente, libre, tenía su propio dinero y cuando salía en televisión subía la audiencia. Si yo hubiese triunfado en el ballet no tendría que estar todo el día pensando en Lilí y en mamá, en que marchase el negocio de la zapatería. Vivía bien y tenía el futuro resuelto, pero no había hecho nada por mí misma. Tenía la sensación de que no me merecía nada. Me metí en la cama desfondada. El té me había espabilado y casi era peor, ya que por lo menos antes de llegar Carol me encontraba somnolienta, tumbada en una barca entre olas. Carol no me quería, estaba menos unida a mí que yo a ella. No le importaba nada lo que pudiera pasarme, mis penas no eran asunto suyo. Ahora me daba cuenta de que ella había sido siempre la auténtica, la importante, la más querida incluso por Lilí. No podía evitar sentirme inmensamente triste, con una tristeza, ahora sí, digna de la consulta del doctor Montalvo. Con gusto me tomaría una de esas pastillas que me hacían descansar tanto para no llorar.

40

Verónica
no descansa

El viaje a Alicante me afianzó en mi relación con Laura y con la memoria de mi madre. Me hizo ver con claridad que lo que estaba haciendo era lo que tenía que hacer. Para mi madre fue mucho peor porque antes que en ella debía pensar en no hacer daño a Laura. La vio crecer y hacerse una mujer sin poder abrazarla una sola vez.

El plan era vigilar la casa de Laura. Me tiré todo el día merodeando por allí por si veía el momento de colarme en el portal, subir al piso y tratar de que Laura me abriese. Seguramente habría muchas otras cosas más inteligentes que hacer, pero no se me ocurría ninguna. No veía más allá de mis narices, de aquel portal y de la zapatería. Junto a ésta había una tienda de antigüedades con muebles como los de doña Lilí y al lado un restaurante que parecía de juguete. Después una joyería clásica y cara del mismo tipo que el cofre de mi abuela Marita. Enfrente y a unos metros de distancia se encontraba la cafetería donde Greta hacía manitas con su novio. Yo reponía fuerzas e iba al baño en una tasca de dos calles más allá, donde no me encontraría con nadie conocido. La primera en llegar todas las mañanas era la dependienta, que imitaba el estilo de Laura, que seguramente debía de ver, oír y callar y que también se estaría tragando el cuento del pie roto de Laura. A veces se quedaba sola un cuarto de hora, media hora, pero no me atrevía a entrar por si me pillaban allí Greta o Lilí.

Mi plan era subir al piso cuando Lilí estuviese en la zapatería, por donde andaba de un lado a otro sin molestarse en disimular que no estaba impedida. Greta era más fácil, podría distraerla con cremas y masajes, a no ser que le estuviera haciendo compañía Larry o Petre, el forzudo que a veces empujaba la silla de Lilí. Claro que podría subir con *Don* y entonces no se atreverían a hacerme nada. Pero no había traído a *Don*, sólo el maletín profesional por si me decidía a abordar nuevamente a Greta.

Había comprobado que se turnaban. Por la mañana atendía el negocio Greta, aunque en realidad todo lo hacía la dependienta y ella se dedicaba a flotar con sus largas faldas entre maletas y zapatos, reflejada en las estanterías de cristal y en los espejos. Charlaba con los clientes, sobre todo si eran hombres, y a veces se le olvidaba que les tenía que cobrar. Entonces hacía gestos de estar sobrepasada por el trabajo y a la mínima se marchaba a tomar un té verde a su cafetería de referencia, el templo de tantas intensas miradas con Larry. Por la tarde, cuando más clientela había, bajaba Lilí. Le empujaba la silla el forzudo, aunque se levantaba al poco rato y guardaba aquel enorme trasto en el cuarto de atrás. Se trataba de la única oportunidad que me quedaba de subir al piso y poder ver a Laura.

A las seis de la tarde Lilí estaba en la tienda bastante entretenida con unos empresarios japoneses que cogían bolsos de Prada como caramelos. El forzudo se marchó hacia el metro y no había visto entrar a Larry en el portal. Era el momento perfecto para subir al piso.

El portero me reconoció y le indiqué con la mano que subía. Él asintió. Dábamos por hecho que iba al dentista. Toqué el timbre de la puerta de Laura con el mismo nerviosismo que en los exámenes de Selectividad. Oí un ladrido. Me quedé paralizada, sin comprender. Era un ladrido chillón, se te clavaba en el oído. Salía por debajo de la puerta, casi podía verse el aliento rozándome las botas. Cuando reaccioné, subí al descansillo. Se me había olvidado que las botas de pitón hacían ruido al andar porque tenían una suela muy buena de cuero hecha a mano, pero no sé por qué desde que las había comprado sólo me las quitaba para dormir y para estar en casa, quizás porque me daban fuerza y me ligaban con Laura y su vida.

Al abrir la puerta, salió un chucho diminuto con un lazo en el cuello. Gruñó todo lo que le daban las pequeñas cuerdas vocales hacia arriba, donde yo estaba. Lo cogieron unas manos de princesa y lo elevaron hacia su boca. Dejó que la pequeña lengua rosa le lamiera los labios.

—¿Qué te pasa, pequeñín? —dijo mirando por el hueco de la escalera—. ¿No ves que se han confundido?

Me sonaba la cara de esta chica. Debía de tener la edad de Laura, aunque, como la misma Laura, casi parecía de mi edad. Tenía un pelo castaño precioso, de un brillo casi irreal, que también me sonaba. Los pantalones se le ajustaban a la perfección, ni una arruga, ni una tirantez, tenía el culo justo e iba completamente erguida. Se metió para adentro haciéndole mimos al caniche, y me senté en el primer escalón, expuesta a que algún vecino me preguntara qué hacía allí, a lo que respondería que estaba esperando el ascensor, pero tenía que concentrarme en la chica que acababa de ver. La conocía. Me presioné la frente con las yemas de los dedos intentando remover las imágenes que había por allí dentro. Lo que había allí era un misterio. Había tantas cosas que me habrían ocurrido y de las que no me acordaba…, era imposible recordar lo que no se recuerda. No se puede obligar a la mente a hacer algo que no quiere. Ya estaba: la chica que acababa de ver era una actriz de series de televisión y también salía en el anuncio de un champú. Su melena cuadrada cayéndole por la espalda era inconfundible. Lo que sucede es que siempre había pensado que tenía los ojos verdes y en cambio ahora los tenía marrones. Sería amiga de Laura o puede que de Greta. Recordaba vagamente haberla visto alguna vez metiéndose en el portal, pero sin poner interés, sin relacionarla con Laura.

Iba a marcharme cuando se volvieron a oír los chillidos del miniperro y unos tacones. Abrió la puerta la actriz, que con zapatos acababa de crecer diez centímtros. Llevaba el perrillo en brazos, sus orejas tiesas y las canicas brillantes de los ojos apuntaban hacia mí. Su dueña llamó al ascensor y luego se lo pensó mejor y bajó andando con cuidado de no torcerse un tobillo. Como actriz no debería bajar la guardia y descuidar su aspecto en ningún momento porque siempre podría ser reconocida y estar expuesta a comentarios.

Ahora sí era el momento de volver a llamar.

Abrió Greta con cara de estar harta de todo. Yo tenía preparada una gran sonrisa.

—Hola —dije—. ¿Me recuerda? Del otro día, el masaje…

—Hola —dijo ella—. Ahora no puedo atenderte.

—Será sólo un momento. Pasaba por aquí y me dije: seguro que quiere probar el sérum de diamante.

Volvió la cabeza hacia adentro. Se oía un sollozo, ahogado por varias puertas. Sería Laura y probablemente no estaba en su cuarto, que era la segunda puerta a la derecha atravesando el salón.

—Si vuelves dentro de un cuarto de hora quizás podamos…

Me resistía a marcharme.

—El caso es que tengo varias visitas…

El sollozo cesó. Ahora llegaba un silencio más llamativo que cualquier grito. Greta no sabía qué hacer. Yo sonreía.

En ese momento sonó el teléfono y con la puerta abierta fue a cogerlo.

—Doctor Montalvo, a ver qué puede hacer, no hay quien la aguante. Sí, unos días fuera le vendrán bien.

Regresó a la puerta dispuesta a cerrármela en las narices.

—Ahora no puede ser, querida.

Querida. Vaya palabra tan antigua. ¿Le llamaría querido a Larry?

Aunque presentí con gran fuerza que Laura estaba tratando de escuchar lo que decíamos, no tuve más remedio que marcharme. Marcharme o pegarle un puñetazo a esta vieja joven, dejarla en el suelo e ir a buscar a Laura. Demasiado engorroso y nada viable, porque no sabía si Laura estaría en condiciones de venirse conmigo. Además nos vería el portero. Antes de que pudiésemos darle el alto a un taxi, los tendríamos encima.

Iban a llevársela a algún sitio para quitarla de en medio y entonces sí que sería difícil rescatarla. Bajé pensativa con la imagen de hace unos días de Laura en pijama y la bata abierta, descolocada, y el pelo revuelto, andando entre muebles oscuros con las pantuflas.

No podía dar vuelta atrás. Yo tenía la culpa de que Laura se encontrara en esta situación y ahora me daba cuenta de que esto es lo que quiso evitar mamá y por eso no entró como una furia en esta casa exigiendo sus derechos. Lo que no sospechó nunca es que Ana la traicionaba. Su lucha fue más ciega que la mía.

41

Laura, el amor es miedo y el miedo es amor

Me pareció oír la voz de Verónica. El otro día, cuando salí del cuarto azul para ir al baño y pasé por los dominios de mamá y la vi, me pareció un fantasma, una de esas visiones que tienen las locas, y me asusté y me encerré de nuevo en el cuarto, porque aquí estaba a salvo y me sentía como un pájaro. Volaba y descansaba, volaba y descansaba. Y ahora su voz. Parecía completamente real. Hablaba con mamá en el recibidor y dejé de llorar. Era como si la voz de Verónica me dijera no tengas tanta pena de ti. Sé valiente y ayúdate, yo no puedo hacer más de lo que hago. Me levanté y pegué el oído a la puerta. No era un sueño y lo comprobaría cuando me durmiese y me despertara, así que me metí otra vez en la cama. Ya no tenía tantas ganas de llorar, algo me había dado fuerza, quizá la voz de Verónica tan arcillosa.

Después sonaron los pasos rápidos de mamá con sus botas de cowboy bordadas en plata. Venía enfadada. No es que se enfadara mucho, sólo se enfadaba si no hacía lo que le apetecía en cada instante, y en éste por mi culpa no habría podido hacer algo.

Abrió con fuerza.

—¿Qué te pasa? ¿No puedes dejar de gimotear como un perro?

—Mamá —dije, y al decirlo noté que esta palabra

350

era falsa. ¿Serían todas las madres como era la mía conmigo? Ahora yo cargaba con todo el trabajo de la tienda y gracias a eso ella podía estar mucho con su Larry, pero de pequeña siempre fui una carga y más de una vez mi abuela y ella discutieron delante de mí de una manera que me hacía muy infeliz, porque discutían por mi culpa—. Lo siento —dije—. Estoy cansada.

—Yo sí que estoy cansada de estar aquí todo el día metida. Por la tarde aquí y por la mañana en la tienda, y ¿cuándo vivo?

—Yo no tengo la culpa.

—Sí que la tienes. Lo has fastidiado todo. Está muy feo que vayas por ahí preguntando quién era tu padre y arrancando fotos del álbum. ¿A quién se las has enseñado? Si tienes algo que preguntar, pregúntamelo a mí. —Se había sentado en la cama y movía las manos como si quisiera llevarlas al cuello y estrangularme—. ¿Sabes quién era tu padre? ¡Nadie! Un polvo de una noche de verano. Podría haberme deshecho de ti y no lo hice, y total ¿para qué?, para tener disgustos y más disgustos.

Volví a llorar, y ella me abrazó. Me pasó dos veces, no más, la mano por el pelo como hacía siempre.

—Cuando venga tu abuela no quiero que te vea así. Al fin y al cabo yo soy tu madre.

No supe qué quería decir con esta frase. La retuve junto a mí aunque sabía perfectamente que estaba deseando largarse a leer sus revistas.

—Quiero volver a la tienda —dije consciente de que le estaba mojando su jersey morado preferido—, quiero ponerme bien y que todo sea como antes.

Por fin logró separarse de mí.

—No va a ser fácil, ya conoces a tu abuela. Cuando pierde la confianza en alguien…

—Ha sido una tontería. No quiero que seas esclava de la tienda.

Me miró muy seria, sin creer lo que le decía.

—Vivíamos tranquilas y ahora…, no sé…, has complicado las cosas.

—Ayúdame a ser como antes.

—Ahora, cariño, la última palabra la tiene el doctor Montalvo. Tendrá que evaluarte para ver si puedes salir a la calle.

Me tumbé sobre el costado derecho, de espalda a la puerta. Si Pascual estuviera aquí podría ayudarme. Le habría contado lo de Verónica y él, por ser científico, habría sabido distinguir la verdad de la mentira. Pero Pascual y yo cada vez teníamos menos de que hablar, cómo iba a soltarle que mi familia no es mi familia, que cuando nací me arrancaron de mi madre verdadera y que ahora me han encontrado. ¿Qué iba a hacer él desde París, desde su laboratorio y su bata blanca?

Por la noche Lilí entró en el cuarto. Empujaba la silla mamá. Traía sobre las piernas una bandeja con sopa, pan, agua, leche, una manzana y las pastillas que ponía en una cucharilla.

—Dice Greta que estás mejor.

Me incorporé en la cama, y mamá dobló la almohada para que pudiera apoyarme mejor.

—Péinala —dijo Lilí—, mira qué greñas tiene. No me digas que has recibido a Carol con esa pinta.

—No sé —dije—, no me ha dicho nada.

—Siempre estás con Carol —dijo mamá enfadada—. Carol por aquí y Carol por allá. Lo único que tiene es que sale en televisión. No es mejor que yo en nada ni… que Laura.

Lilí no contestó, no le hizo falta, Carol estaba por encima de todo lo que su hija y su nieta pudiésemos llegar a ser. Mamá salió levantando una ventisca con la falda y volvió con un cepillo. Me lo pasó con furia, sin reparar en que podían caer pelos en la sopa. Desde luego no era como Carol, que escanciaba el té como una japonesa. Cuando ya me había tomado medio plato, Lilí me puso una pastilla en la boca. Me las metía con sus propios dedos cortos y gordos, se dejaba las uñas un poco largas para estilizarlos. Si hubiese podido, habría metido la cabeza para ver si me las tragaba, pero como no podía y la lengua, los dientes, el paladar y todos los pliegues y huecos a los lados de la lengua eran míos y nadie podía conocer y dominar este terreno, me atreví a desobedecer a Lilí y a esconder la pastilla en un recoveco. Aunque fuera inevitable que se deshiciera un poco, no tendría el mismo efecto que tragarme la pastilla entera.

—Termínate la sopa —dijo Lilí.

Yo no quería hablar mucho para que la pastilla no se moviera ni se deshiciera más deprisa.

—No quiero más, estoy muy cansada.

—Llevas todo el día en la cama, no puedes estar cansada.

Lilí me miró con la mirada que ponía cuando algo le resultaba sospechoso, antipático, cuando su cerebro le recomendaba que no se fiara. Por eso siempre me daba miedo mentirle o enfadarla, por la mirada sobrehumana que salía de sus ojos. Cuando iba al colegio envidiaba a los compañeros que eran capaces de mentir a sus padres sin preocuparles las consecuencias, sin temer ninguna auténtica represalia. Decían: me han castigado, sin miedo, sin darle importancia. A mí no me castigaban y sin embargo el que le ocultara algo a Lilí, el que quisiera hacer algo por mi cuenta escamoteándoselo hacía que ella me apartara del mundo tan increíblemente agradable que sabía crear. Me negaba su voz cantarina, sus abrazos, sus negros ojos llenos de pequeñas estrellas que disparaba sobre las personas que le caían bien cubriéndolas de resplandor. No gustarle a mi abuela era hundirse en la oscuridad y la soledad más absolutas, y por eso siempre me sentí diferente de los otros niños, que no tenían una abuela como Lilí. Generalmente tenían dos y podían compararlas, también contaban con algún abuelo y un padre. Yo no los echaba de menos y no me imaginaba cómo sería la vida con tantos hombres en la familia. Me parecía bastante la existencia de Alberto I y Alberto II y casi le agradecía a Lilí que no le hubiese consentido a mamá meter a ningún Larry en casa. Como mucho los recibía en sus dominios, y de ahí iban a la calle.

Cerré los ojos y apoyé la cabeza en el cabecero. No podía moverme sin tirar la bandeja.

—Tienes que comerte la pera —dijo como quien dice: sé que tienes la pastilla en la boca y, cuando abras la boca para morder la pera y masticarla, por narices vas a tragarte la pastilla, a mí no puedes engañarme porque soy Lilí, no soy ninguna de esas abuelas tontas con nietas listas que hacen con ellas lo que quieren. No quieres más sopa porque has escondido la pastilla en algún hueco.

—Bueno, ya está bien, déjala dormir —dijo mamá—. No creo que vaya a salir corriendo.

—Ahora te preocupas de ella —dijo Lilí con su característica voz de enfadada, mirándola directamente, retándola.

Mamá se cruzó de brazos contemplando la lámpara del techo. Lilí ya no la impresionaba

—¿Dónde estabas cuando tenía cuarenta de fiebre? —dijo Lilí fuera de sí apoyando las manos en los brazos de la silla a punto de levantarse—. Y cuando había que hablar con los profesores, cuando se caía, cuando había que cambiarle los pañales, cuando echó los dientes. Y ¿dónde estabas cuando ocurría lo que ocurría? Estabas en tus cosas, con tus amigos, en Tailandia, pintando todos estos cuadros —dijo refiriéndose a los cuadros que adornaban casi todas las paredes de la casa y que mamá pintaba siempre que venía de Tailandia con la cabeza llena de ideas.

Yo continuaba con los ojos entrecerrados y cerrados y me resbalé un poco más en la cama cuidando de no tirar nada.

—La gran idea fue tuya, no mía, yo no necesitaba nada.

—Lo hice por ti, para que no estuvieras sola. Siempre has sido una inconsciente y huyes de la vejez, pero un día la vejez te dará el alto y entonces te acordarás de tu madre y de lo que hice por ti.

—No quieras ser la madre perfecta. Lo hiciste por ti y sólo por ti. Yo fui tu excusa.

—¡Ya está bien! —dijo Lilí—. Hablaremos de eso en otro momento.

Noté que se acercaba más a mí y abrí los ojos al notar algo frío en los labios.

—Vas a beber agua —dijo.

Sus dedos gordos y aplastados se reflejaban en todas las caras del cristal.

Procuré no hacer saliva para que la pastilla no se desgastara. Ésa era mi principal preocupación. Oía hablar a Lilí y a mamá mientras me concentraba en no deshacer la pastilla. Y creo que mi abuela sabía que le estaba escamoteando algo.

No tenía más remedio que beber. Traté de hacer presión con el lado izquierdo de la lengua sobre la pastilla para que no le entrara agua pero de una manera que no me obligara a forzar la cara ni a hacer ninguna mueca rara.

El trago de agua fue definitivo, aunque no suficiente por el gesto de Lilí. Tenía un sexto sentido que la alertaba si no lo controlaba absolutamente todo.

Le sonreí un poco, porque al hablar hubiese movido la pastilla y volví a cerrar los ojos. Mamá retiró la bandeja.

—Venga, ya está bien —dijo.

La puso en las rodillas de Lilí, se acercó a mí, me dio un beso en la frente. Me escurrí completamente hacia abajo y me tapó con el edredón.

Noté su beso como algo extraño porque no me había besado muchas veces. No era la típica madre, había algo que tenían las madres de mis amigas que no tenía la mía y que no era fácil de explicar, pero tampoco había sido mala conmigo. De pequeña, recuerdo que a veces ponía música y bailábamos y me dejaba que le pintara las uñas. Íbamos de compras y al cine si no le daba guerra. Muy pronto comprendí que me compensaba comportarme como le gustaba a mamá. Me compraba ropa bonita para que estuviera guapa en nuestras salidas, aunque a veces no podía evitar caerme o ponerme enferma o salir llorando del colegio y eso le enfadaba, y por eso yo no quería por nada del mundo ser un problema para ella. Ahora estaba siendo un problema y debía de estar muy fastidiada, pero también debía de dolerle verme en esta situación.

Y por fin oí las ruedas de la silla ir hacia la puerta y, antes de cerrarla, a Lilí se le ocurrió apagar la luz.

—Sueña con los angelitos —dijo como cuando era pequeña, con la diferencia de que yo ahora era mayor y ella vieja, y no se fiaba de mí ni yo de ella.

Me saqué con el dedo la pastilla y la iba a pegar en la sábana, pero lo pensé mejor y metí la mano bajo el colchón. Ahí la pasta blanca que dejase la pastilla al restregarla se notaría menos. Procuré pasar bien el dedo por el hueco en que prácticamente se había deshecho. Tendría que haberla dejado entre las encías y la mejilla y no entre las encías y la lengua, donde se concentra más saliva. Necesitaría enjuagarme la boca y escupir; de todos modos, había tragado parte del sedante y notaba un poco de ese bienestar que odiaba últimamente. No era normal que no quisiera sentirme flotando, en las nubes. No era normal que lo que más me apeteciese fuese salir a la calle y sentirme helada y sola. ¿Qué habría hecho Verónica en esta situación? Ella jamás se encontraría como yo, no tenía miedo a desagradar. No le habría aterrado no conseguir la aprobación de Lilí, seguro que había discutido muchas veces con su madre. Parecía que nadie le había dicho nunca, ni padres, ni profesores, lo que tenía que hacer.

Quizá lo que acababa de hacer con la pastilla demostraba que estaba trastornada. Ningún loco sabe que lo está y al fin y al cabo yo estaba en esta habitación y en la cama porque lo había recetado el doctor Montalvo, un psiquiatra. No estaba así por capricho de mi abuela ni de mi madre y no tenía por qué sospechar del doctor, ni tampoco tendría que sospechar de Lilí ni de mamá porque esta situación las sobrecargaba de trabajo. Seguramente me curaría cuando dejase de sentirme amenazada constantemente y cuando dejara de pensar que las personas que más me querían eran mis enemigas. Lo más razonable sería dejarme llevar por ellas, pero sabía que mi locura me lo impediría.

Me desperté de pronto. Antes de abrir los ojos ya estaba despierta. Noté claridad en la habitación porque los párpados no son lo bastante gruesos para cubrir toda la luz ni toda la oscuridad. Notaba un resplandor rosa sobre ellos, y una sombra sobre el resplandor y el aire de un brazo al moverse. Estaba echada sobre el costado izquierdo, de cara a la puerta, a la lamparita y a la presencia que se movía. E hice lo que no debería haber hecho bajo ningún concepto, abrir los ojos y ver a Lilí de pie mirándome. Me asusté, casi grité. Hacía mucho que no la veía fuera de la silla. No la recordaba tan enorme con su pijama blanco y el pelo blanco. Me miraba sin parpadear, analizándome.

—Tengo sed —dije.

—Estás soñando, no tienes sed de verdad. Cierra los ojos.

Le hice caso. Me volví hacia el otro lado y cerré los ojos. Apagó la lamparita y salió y no me atreví a moverme, ni a abrir los ojos en la oscuridad, me tapé la cabeza con el edredón como cuando era niña y había hecho algo que sabía que iba a disgustar a Lilí. Ahora sí quería dormirme y que la terrible visión de mi abuela de pie fuese un sueño. No lo conseguí porque me dormía un rato y al despertarme Lilí, alta, grande y erguida, seguía siendo real. Y cuando entró la luz de las siete de la mañana seguía siendo real.

Me levanté, abrí la ventana, respiré el aire frío y me estiré. No tenía la cabeza como siempre, estaba embotada, pero podía moverme, andar y me consumían las ganas de salir afuera y ser uno más de los que van por la calle al trabajo, a los estudios, a lo que sea. Echaba de menos la zapatería y hablar con la gente. Me volví hacia la puerta, de un momento a otro podría entrar Lilí. Dormía muy poco, se despertaba mucho. ¿Vendría en la silla o andando normal? Acababa de comprender que siempre le había tenido miedo y que estaba a punto de perdérselo. Siempre había creído que era respeto y un amor grandioso, pero acababa de descubrir en mi cabeza embotada que sobre todo era miedo. Cuántas veces el amor es miedo y el miedo es amor.

No era el momento de salir corriendo, no tenía suficiente fuerza, no estaba preparada. No podía tirar toda una vida por la borda, aún no era capaz de plantarme en la calle en pijama y con el pelo revuelto, siempre había deseado ser perfecta. Y además, si no estaba loca, serían dos contra una. Cerré la ventana y volví a la cama. No sé cómo podría soportar otra mañana metida aquí con Lilí vigilándome. Hasta ahora no me había preguntado cómo se las arreglaba sin mí para vestirse y peinarse estos días.

Normalmente lo hacía yo antes de bajar a la zapatería y daba por hecho que Petre la ayudaba a ducharse por las noches antes de que yo regresara de clase. Ahora consideraba completamente posible que se duchase ella misma.

Desde luego, si Verónica no hubiera entrado en mi vida, nada de hubiese ocurrido, yo habría seguido siendo la misma, no habría sentido curiosidad, no me habría obsesionado y no habría enfermado de los nervios y mi mundo no se habría desmoronado, porque pasara lo que pasara mi relación con la familia ya no sería la misma, ni siquiera con Alberto I y Alberto II, que enseguida le fueron con el cuento a Lilí de lo de mi padre. Tampoco podía esperar ninguna ayuda de Carol.

Estuve dando vueltas en la cama hasta las ocho. Entonces empecé a escuchar a Lilí llamar perezosa a mamá. La tienda se abría a las diez, pero si no la iba despertando ya no bajaría hasta las once.

Entró con la silla, que apenas cabía entre la cama y el armario, y que movía ella misma dándole a las ruedas. Se acercó a la ventana y descorrió las cortinas con mucha fuerza. Qué bien se había metido en el papel de inválida, ¿lo haría para darme pena? Quizá cuando se le pasó el problema de las rodillas le había tomado gusto a que yo la atendiera y al doble juego, a parecer más débil de lo que era. Resultaba desconcertante verla estirando el brazo todo lo que podía y pasando ese rato tan incómodo sin necesidad.

—¿Qué tal has pasado la noche?

Fingí encontrarme como cuando me tomaba la pastilla, atontada y somnolienta, sin ganas de levantarme.

—Bien. Soñé que te veía de pie junto a mi cama.

—¿Ah, sí?

—Me asusté porque me parecías más alta que cuando andabas.

—A ver si ahora vas a tener alucinaciones.

No dije nada. Me levanté para ir al baño tan despacio como cuando me tomaba la pastilla, apoyándome mucho en la cama y poniendo la mano en la pared para andar. Al volver el armario estaba abierto y Lilí iba examinando la ropa colgada en las perchas una por una. Me dio muy mala espina. No pregunté. Me senté en la cama.

—¿Por qué no tratas de desayunar aquí? —dijo mamá entrando como un vendaval y colocando la bandeja en la mesita redonda que había junto a la ventana, con las sillas tapizadas en terciopelo rosa, y donde habíamos estado charlando Carol y yo hacía mil años.

Me levanté de la cama y me dejé caer en la silla. Ante mí tenía un vaso de leche, dos rebanadas de pan con mantequilla y una naranja.

—¡Cuánta comida! —dije, aunque la verdad es que tenía hambre.

—Ya estamos como siempre —dijo mamá que llevaba un vestido largo de algodón con un cinturón ancho en la cadera y una rebeca encima. Se había puesto unas botas de ante de la tienda de las más caras. No le dije nada, se suponía que no estaba en condiciones de percibir estos detalles. En mi estado normal a veces tenía que hacerle ver el precio de las cosas que cogía de la tienda. Entonces se enfadaba conmigo, pero yo prefería congraciarme con Lilí que con ella.

Lilí salió con enorme esfuerzo y aproveché para comérmelo todo con auténtico placer; parecía que me estaba enchufando gasolina con una manguera, iba sintiéndome con más energía y fuerza. Mamá se entretenía mirando el armario y probándose alguna cosa mía, aunque mi estilo no le gustaba, le parecía demasiado elegante. Yo, sin embargo, era incapaz de ir como ella, como si viviera en Ibiza en una caravana. Cuando Lilí apareció de nuevo miró la bandeja donde no quedaba ni una miga y me pidió que me acercara a ella. Me agaché junto a sus piernas, y sus dedos y sus uñas pintadas de rosa no me pusieron la pastilla en la punta de la lengua como otras veces sino que la empujaron hacia adentro y sentí los dedos en la lengua. Me volví hacia la bandeja para beber y en el trayecto de dos pasos hice lo que pude para arrinconar la pastilla donde tenía pensado. No fue posible ladearla tanto, pero pude cerrar con la lengua ese canal para que el agua no la empujara hasta la garganta. Estaba decidida a seguir loca pero enterándome de lo que ocurría.

Me volví hacia ella con el vaso en la mano.

—Bebe más —dijo—. La medicación hay que tomarla con un vaso entero de agua.

Bebí para no enojarla y para disipar sus dudas y al volverme para dejar el vaso en la mesa empujé la pastilla con la lengua entre las encías superiores y la mejilla, un hueco más seguro que la parte de abajo porque la saliva llegaba menos. Y de pronto me crucé con los ojos apagados de mamá, que forzosamente tenía que haber visto ese movimiento de la boca. ¿Lo relacionaría con la pastilla? ¿Se lo diría a Lilí? Contuve las ganas de suplicarle con la mirada que no dijera nada, que sería un secreto entre madre e hija, y en lugar de eso le pregunté si iba a ponerse lo que estaba cogiendo de las perchas. Mi hablar era cansino y lento aunque ya estaba en condiciones de hablar casi normal pese a la pastilla.

No me contestó.

—Si te portas bien, puede que nos vayamos de viaje —dijo Lilí detrás de mí.

Mamá tenía colgadas en el brazo varias blusas y el jersey blanco de angora que reservaba para las ocasiones especiales y que no podía ponerse cerca de algo negro porque lo llenaba de pelo. Tampoco podía meterse en la lavadora porque se destruiría. Necesitaba unos cuidados especiales que ahora no importaban nada. A la mierda el jersey de angora.

—Aún no estoy bien —dije mirando a mi abuela y tratando de mover la boca lo menos posible.

—Por eso, necesitas recuperarte en otro sitio al aire y al sol.

Me dejé caer en la silla con un golpe seco.

—No puedo andar casi.

—Nosotras y el doctor Montalvo te ayudaremos —dijo mamá cogiendo a lo loco ropa con la que no se podría hacer ninguna combinación aceptable. Tampoco esto importaba. No quería que me llevaran a ningún sitio.

—¿Cuándo nos vamos?

—Cuando diga el doctor —dijo mamá dejando el fardo de ropa sobre la cama—. Ya verás, es un sitio muy agradable. Unas vacaciones.

—¡Por Dios, Greta! —gritó Lilí con su voz llena de notas musicales—. No hace falta que deshagamos la casa.

Me levanté y me metí en la cama, tirando parte de la ropa al suelo. Se suponía que estaba siempre medio atontada.

—Habría que ventilar la habitación —dijo Lilí—. Túmbate en el sofá y luego te traemos.

Mamá no quiso porque yo dormida pesaba como una muerta y ya tendrían tiempo de ventilar cuando la habitación estuviera vacía.

Escuché sus palabras boca arriba con los ojos cerrados, exactamente como una muerta, deseando sacarme de la boca lo que quedaba de pastilla.

—Echa la cortina —dijo Lilí.

—Es igual —dijo mamá—; cuando se queda frita, se queda frita.

Suspiré y por poco me quedo dormida de verdad durante los minutos que tardaron en recoger la ropa y algunos zapatos y salir. No abrí los ojos nada más oír la puerta porque me parecía percibir la presencia de Lilí, esa energía que desprendía su persona y que a la gente le atraía tanto, como si dentro del cuerpo tuviera magma, imán. Además no había oído con claridad el correr de las ruedas hacia la salida, era poco trecho pero suficiente para hacer ruido. Me eché sobre el lado izquierdo dándole la espalda y estuvimos así unos cinco minutos. Procuraba respirar cada vez más fuerte mientras mi corazón casi movía la cama. Por fin escuché las ruedas y otra vez la puerta, y la energía disminuyó bastante. Sin embargo, antes de meter la pata me volví del otro lado y entreabrí los ojos. No había nadie. Me metí el dedo en la boca, arrastré la pastilla, la unté en el colchón y me limpié la boca todo lo que pude; me escupí los restos en la mano y también la pasé por el colchón, que sería lo último que mirarían. Me enjuagué la boca con un sorbo de agua e hice lo mismo. Aunque aún tenía algo de sueño, cada vez me encontraba más dueña de mí. Calculé qué podría ponerme si huyera porque mamá había dejado el armario medio vacío. No había cerrado las puertas y vi unos pantalones de crepé negro de mucha caída que tenía que ponerme con tacones altos para que no arrastraran por el suelo, y no servían. Afortunadamente mamá no había visto las deportivas con las que iba andando a ballet. Me levanté sin hacer ruido y las oculté debajo de la cama. El día era maravilloso, con un cielo muy azul por unas partes y ligeramente gris por otras por la polución. Las ventanas de las casas de enfrente parecían diamantes gigantescos. Ya tenía una camiseta y un jersey y busqué desesperadamente unos vaqueros; no podría correr con los pantalones de crepé, me caería. También necesitaría algo de abrigo, un anorak o el chaquetón tipo marinero. No estaban. Saqué del cajón unos calcetines gordos y unas bragas, me las cambié y las usadas las empujé en la balda de arriba hacia un rincón. Metí los calcetines en las deportivas. Aunque lo que estaba haciendo podrían parecer cosas de chalada, no sentía que estuviese loca ni confusa, al mirar el cielo tenía la misma alegría de siempre y ganas de volver a mi vida normal. No me encontraba diferente, a quienes encontraba diferentes era a mi abuela y mi madre. Eran las mismas y no eran las mismas. Definitivamente tendría que marcharme con los pantalones del pijama, con el jersey encima no resultarían tan llamativos. Eran de franela con muñequitos, un regalo de Lilí. Y necesitaría dinero. El cenicero del salón, que usaba Ana cuando nos visitaba, estaba lleno de monedas. Nada más llegar, Ana las volcaba en un lado y dejaba allí consumirse el cigarrillo. ¿Y adónde iría? Ni siquiera sabía dónde encontrar a Verónica. Podría llamar a alguna amiga, aunque estaba segura de que la pondría en un compromiso. Podría ir al conservatorio, pero allí conocían a Lilí y la adoraban y les convencería de que yo no estaba bien de la cabeza. Lilí era muy superior a mí. No debía acudir a nadie que también conociese a Lilí. Ya se me ocurriría algo si era capaz de salir de aquí, porque en cuanto llegase el doctor y me examinase las pupilas con su pequeña linterna sabría que no me tomaba la medicación.

Repasé bien dónde lo había dejado todo y me acosté con ánimo porque ya tenía la ropa para salir de aquí. Ahora sólo debía planear la forma de hacerlo. Cuando se quede la habitación vacía, habían dicho. Aquí estaba todo lo que tenía, la ropa, los libros, el escritorio. Todas mis posesiones cabían en un espacio de quince metros cuadrados. Si me marchaba, ya no heredaría la zapatería y todo el trabajo hecho lo habría tirado por la borda. La realidad era que trabajaba mucho y que mi abuela apenas me pagaba con eso de que todo era mío. Ahora me daba cuenta de que nada era mío en realidad y de que de marcharme tendría que empezar de cero. El escritorio lo había comprado yo, era muy bonito, de madera labrada, me daba pena no volver a contemplarlo ni volver a sentarme ahí para hacer la contabilidad de la tienda o para evaluar a mis alumnas y planificar las clases. A veces mi abuela, cuando llevaba horas concentrada en el escritorio, me traía un vaso de leche y se quedaba mirando lo que hacía. Incluso arrimaba una de las sillas tapizadas en terciopelo rosa y me daba su parecer, o nada más miraba y me decía: qué dedos tan bonitos tienes. Y yo ahora estaba pensando cómo huir de ella, algo que jamás me habría imaginado que podría suceder.

Oí la silla acercándose a la puerta, aunque estaba segura de que por el piso iría andando normal. La silla me ponía nerviosa. Serían las doce y media, y volví a hacerme la dormida. Y cuando llegó junto a la cama fingí que me despertaba. Me eché disimuladamente el pelo sobre la cara, no quería que me analizara.

—¿Qué hora es?

—Mediodía. ¿Quieres agua?

Negué con la cabeza. No me fiaba. Traía sobre las rodillas unas agujas de tricotar muy largas y lana blanca.

—Estoy haciéndote un jersey —dijo.

—No sé si viviré para llevarlo —dije separando mucho las sílabas.

—No digas tonterías. Volverás como nueva y yo tendré listo el jersey.

No sabía que supiera hacer punto, nunca había tenido tiempo de ser hogareña, debía sacarnos adelante a su hija, a mí y a sí misma, y no siempre había sido fácil, como aquella época en que no se vendía absolutamente nada y tuvo que rebajar los artículos un cincuenta por ciento perdiendo mucho dinero, hasta que se le ocurrió anunciarse en unas cuantas guías turísticas y la suerte cambió. Y también aquella vez en que mamá desapareció cuatro meses sin dar señales de vida y debía ocuparse completamente de mí. Yo tenía unos ocho años y una vez la pillé llorando y preguntando en voz alta qué había hecho ella para merecer una hija tan ingrata. Yo enseguida traté de no hacérselo más difícil y de que no tuviera queja de mí para compensar todas las que tenía de mamá. Volvió a los cuatro meses como si no hubiese pasado nada, con una colección de cuadros pintados por ella y unos cuantos piojos que nos contagió. No nos podíamos imaginar lo que era Tailandia, le habría gustado nacer allí y se habría quedado a vivir de no ser por nosotras, en cuanto pudiese volvería, dijo. Lilí colgó los cuadros por las paredes y no le reprochó nada, igual que si no hubiese pasado. Cuando seas mayor deberás cuidar de ella, me dijo. Es un desastre, pero es mi única hija y soy capaz de cualquier cosa por ella, de cualquier cosa.

Ahora todo aquello quedaba en otra vida, no tenía nada que ver con el presente.

Lilí sacó las agujas, se caló las gafas de cerca y empezó a contar los puntos.

—Como cuando eras pequeña, ¿te acuerdas? Tú hacías los deberes y yo hacía jerséis, bufandas.

Me quedé mirándola con los ojos muy abiertos, jamás la había visto haciendo jerséis ni bufandas, ni siquiera sabía que tuviese esas agujas. Pretendía que recordásemos una escena falsa, tan falsa como ésta. Por aquel entonces, Lilí iba a buscarme a la salida del colegio y me traía a la tienda; en el cuartito trasero me esperaba un bocadillo envuelto en albal y mientras me lo comía me ponía con los deberes. De fuera llegaba el murmullo de la clientela y por encima la cantarina voz de Lilí. La trastienda olía a cuero y a cajas de cartón y a veces en lugar de estudiar me dejaba fascinar por los cierres dorados de los bolsos y los adornos de los zapatos de fiesta. A la hora, Lilí o mamá, si no estaba de viaje, me llevaban en el coche a ballet, donde tenía clase hasta las nueve de la noche todos los días a las órdenes de Madame Nicoletta, que decía que tenía mucho futuro como bailarina y que ayudó a Lilí a fantasear con la idea de ser la abuela de una de las primeras bailarinas del Ballet Nacional.

A Madame Nicoletta siempre la vi envuelta en turbantes y pañuelos de seda sobre unas mallas negras, de modo que casi no se le veía el pelo ni el cuerpo. Siempre la vi reflejada en los enormes espejos de la sala de danza como si flotara, como si se elevara al techo. El caso es que yo en mi interior sabía que no era brillante, que era bastante limitada, y cuando empezaron a rechazarme una y otra vez en las pruebas le pregunté por qué no había sido sincera con mi abuela y conmigo, y entonces ella me abrazó entre sus pañuelos. Ha sido mucho mejor para ti, créeme. Al cabo del tiempo se jubiló y yo ocupé su puesto en el conservatorio. Y ahora creía comprender lo que trató de decirme. Lilí me trató mejor durante la larga época que creyó que yo la iba a hacer famosa por ser la abuela de una gran estrella del baile. Cuando el sueño acabó, yo ya era lo suficientemente mayor como para protegerme de ella.

Lilí nunca me trató mal, Madame Nicoletta exageraba, aunque algo debió de ver en ella o en mí que se me escapaba.

—¿Cuándo nos iremos?

—Cuando el doctor tenga tiempo vendrá a examinarte y, si estás en condiciones, nos iremos. Al mediodía o por la noche. Nos da igual, el equipaje está hecho. Verás qué bien lo vas a pasar.

Acomodé la cabeza sobre la almohada y cerré los ojos, sopesando con quién me sería más fácil escapar. A las cinco Greta sustituiría a Lilí. Greta era más ágil y no me sería fácil llegar a la puerta, y además podría estar con Larry y serían dos contra una. Lilí tardaría unos segundos en levantarse de la silla; además, por su peso y su edad no podría correr. Tampoco convenía dejar pasar el tiempo y dar lugar a que llegara el doctor porque entonces no tendría nada que hacer. El problema sería Petre y aunque no se oía ningún ruido debía asegurarme.

—Petre podría ayudarme a ducharme antes de irme —dije.

—Petre no está. Te ayudará Greta.

Podría saltar de la cama, coger las deportivas que estaban a los pies y el jersey doblado en la balda central del armario. O podría levantarme bostezando, ponerme el jersey, coger las zapatillas y salir pitando. Lilí tardaría en comprender que huía y tardaría unos minutos en reaccionar. Yo tenía ganas de saltar, volar. Antes de que pudiera avisar al portero ya estaría en la calle. Metería los pies en las zapatillas mientras bajaba las escaleras. Quizá no me diese tiempo a coger la calderilla del cenicero del salón, pero según estaban las cosas eso era lo de menos. ¿Me atrevía? ¿Salía de la cama? La silla de Lilí estaba encajonada en la cama y aunque se levantara de golpe tendría que moverla para salir, lo que me daría tiempo de llegar a la puerta. Pero lo mejor sería no alarmarla al principio.

Me deslicé hasta el borde y separé el edredón cansinamente, con trabajo. La suerte estaba echada. Lilí me miraba hacer. Me senté en la cama como si estuviera agotada por el esfuerzo y con el pie atraje las zapatillas. Cambiaba de planes, iba a ponérmelas ya. Me agaché y quité de dentro los calcetines tranquilamente. Metí los pies. Lilí desde el otro lado no podía ver lo que hacía. Dejé los calcetines entre los muslos.

—¿Se puede saber qué haces? —dijo barajando seguramente la posibilidad de levantarse.

Volví la cabeza hacia ella. Tenía ganas de llorar, ¿por qué me daba tanto miedo?

—Nada. Quiero estar sentada un poco.

Volví a oír el chocar de las agujas y entonces me levanté como un rayo y tiré del jersey del armario. Lilí soltó un grito, dirigió una aguja hacia mí con el brazo estirado y, tal como había previsto, trató de levantarse.

No me entretuve con el cenicero. Abrí los cerrojos, cerré y salté volando mientras me metía el jersey por la cabeza. Al final había dejado los calcetines en el suelo de la habitación. Salí andando normal delante del portero, que me miró extrañado. Me llamó, seguramente querría preguntarme si ya estaba mejor. Le dije adiós con la mano mientras aceleraba el paso. Corrí todo lo rápido que pude, pero me faltaban las fuerzas. Bajaba la calle Goya corriendo como si hiciera footing. Sudaba y me daba miedo desmayarme: había tomado tantas pastillas y había dejado de tomarlas tan de repente... No, no debía pensar eso. Una mano me empujaba, los velos de Madame Nicoletta me hacían ligera como una pluma. Cuanto más lejos llegara, mejor. Ojalá hubiera sabido dónde vivía Verónica, pero nunca llegué a profundizar en su vida. Tenía sed. ¿Y si buscaba a su padre? Se llamaba Daniel y su parada de taxis principal, según me dijo Verónica, estaba en la plaza de Colón. Miré hacia atrás. Estaba segura de que Lilí y Greta ya estaban subidas en el Mercedes y les resultaría muy fácil dar conmigo. Podrían contarle a cualquier policía que estaba en tratamiento y que me había escapado. Ni siquiera llevaba el DNI conmigo, así que el policía sólo tendría que verme la pinta para dudar de mí y hacerles caso.

Tuve que apoyarme en la pared del Museo de Cera para respirar y localizar visualmente la parada. No tenía tiempo que perder. Me decidí por la más cercana y prácticamente me abalancé sobre dos taxistas que hablaban con las puertas de los coches abiertas.

—Por favor, ¿conocen a un taxista de nombre Daniel? Es muy urgente.

—¿Daniel? ¿Daniel? ¿Su apellido?

Era increíble, Verónica lo sabía todo de mí, y yo no sabía ni cómo se apellidaba. Me encogí de hombros.

—Es un hombre alto y bien parecido, con gafas. Su hija se llama Verónica.

—¡Ah! Daniel —dijo uno.

—Es un caso de vida o muerte, ¿puede localizarlo?

Me miraron de arriba abajo y luego se miraron entre ellos. Estaban hartos de cosas raras, y yo era rara. Me pasé las manos por el pelo para arreglármelo un poco.

—Tengo que hacer una carrera —dijo el otro.

—Por favor —le dije al que quedaba—. Sólo quiero que le diga que Laura, la amiga que está buscando Verónica, está en peligro y le necesita. Él lo comprenderá.

—Tendría que llamar a la central y no sé si querrán darle ese mensaje tan personal.

—Es muy sencillo, si él no quiere hacerme caso no lo hará —dije mirando a todas partes, escrutando los coches que pasaban a nuestro lado.

Lo hizo. Llamó a la central. Un pasajero se subió al taxi y él me deseó suerte por la ventanilla.

No sabía qué hacer, si esconderme para que no me descubrieran Lilí y Greta o dejarme ver por si venía el padre de Verónica. Opté por refugiarme en la puerta de un banco, lo bastante amplia como para que pudieran dormir varios mendigos a cubierto. Era difícil saber si el Mercedes habría pasado y si me habrían visto, pero debía esperar, debía confiar en que Daniel quisiera echarme una mano. También a él le atormentarían las dudas de si era o no mi padre, y si no le atormentaban, le picaría la curiosidad. ¿Y si no venía? Tendría que ir pensando en dónde pasar la noche. Podría ir a casa de los padres de Pascual y explicarles mi situación, aunque también a Lilí tarde o temprano se le pasaría por la cabeza esa posibilidad y tendría que marcharme porque Lilí era persuasiva y muy lista y era mi abuela y no era razonable que nadie pensara que una abuela quisiera hacerle daño a su nieta.

A los veinte minutos, prácticamente decidida ya a pedirle a alguien dinero para el metro, vi andar de un lado para otro por la fila de taxis al que parecía Daniel y me lancé hacia él. Llevaba vaqueros, un anorak sin cerrar y una camisa blanca debajo.

—¿Daniel? —dije al llegar a su altura.

Me miró de arriba abajo, como sus compañeros, muy serio, un poco asustado.

—¿Laura?

Le tendí la mano, helada, por el frío y porque no me corría la sangre. Sin embargo, había dejado de aterrarme ver el Mercedes venir hacia mí.

Daniel se quitó el anorak y me lo puso por los hombros.

—Tengo el taxi al final. Vamos.

Anduvimos en silencio y con rapidez. Cuando llegamos me quitó el anorack y lo metió en el maletero. Me dijo que me sentara delante porque no podía dejar de trabajar. Cerró las puertas y se volvió hacia mí.

—¿Tú eres...?

—Sí, soy Laura, Verónica dice que ella podría ser mi hermana y usted mi padre.

—No sé si te ha dicho que no estoy de acuerdo con esa teoría. Mis hijos son Verónica y Ángel. Me gustaría dejar esto claro antes de seguir adelante.

Cabeceé afirmativamente.

—Está claro que necesitas ayuda. ¿Qué te ha pasado?

Le pedí que nos marchásemos de allí porque mi abuela nos podría localizar en cualquier momento. Puso el coche en marcha.

—Yo aún no he comido y seguro que tú tampoco.

42

Verónica ante
el peligro

Con las trescientas mil pesetas compré más productos. A mi madre no le habría hecho gracia que perdiese un trabajo tan bueno y que tanto esfuerzo le había costado consolidar. Al mediodía estaría libre para acercarme por la zapatería y comprobar si había algún cambio en la situación de Laura. Esta vez subiría al piso con productos para Greta. En cuanto viese las cajas negras y doradas, las cremas perfumadas para el cuerpo, no se resistiría y me llevaría a sus dominios, y cuando estuviera allí ya me las arreglaría para sacar a Laura de su cuarto y del piso.

Esta vez me llevé al polígono una mochila para no tener que cargar con una caja en los brazos. La encargada me dijo que había llamado una clienta preguntando por una comercial de mis características que le había entregado unas muestras de una línea que se estaba lanzando y que quería saber dónde localizarla. Por la descripción que le daba, la encargada le dijo que podría ser yo, pero que no estaba autorizada a proporcionarle mis datos personales. Le di las gracias por ser tan discreta mientras rogaba a las fuerzas del universo que Greta no soltara mi nombre delante de Ana porque entonces también las piezas encajarían para ellas.

Con la mochila iba como la seda. Con ese pedido podría servir a tres o cuatro buenos clientes y ganarme casi medio millón de pesetas, aunque por supuesto la primera sería la Vampiresa. No quería que pensara que había sacado de la caja postal más dinero del acordado, quería que supiese que podía fiarse de mí. Encerrada, sin ningún control sobre su vida y su dinero, podría tener pensamientos desesperantes.

De todos modos, el polígono industrial estaba más lejos del metro de lo que suponía. Creía que la vez anterior había tenido una falsa impresión por el peso y la incomodidad de la caja donde acarreaba los botes, tarros, frascos…, pero había tardado media hora en llegar y algo más para volver. Total, con el rato que había estado en las oficinas, llevaba más de dos horas sin ir al baño ni beber agua, apenas había desayunado. Me metí en un bar cerca de la boca del metro y pedí un café con leche, cuyo primer sorbo me abrasó la lengua, y un vaso de agua. El camarero me dijo que la tortilla estaba recién hecha y pensé que no sabría, una vez que llegara al territorio de Laura, cuándo podría comer, así que acepté y de la barra pasé a una mesa, me descargué de la mochila y le pedí al camarero que le echara un ojo mientras iba al baño. Regresé ligera como una pluma. Era un bar impersonal, con las mismas tapas en las mismas vitrinas de todos los bares, el camarero era como todos los camareros y yo como todos los clientes, la tortilla estaba deliciosa, los rayos de sol rompían el frío y calentaban un trozo de mano, una rodilla, media cara. La vida maravillosa, si no fuera porque…

Me levanté sobresaltada. ¿Qué me pasaba?, ¿cómo podía relajarme así? Parecía que había caído en el limbo de las cosas normales y que me costaba llegar a la orilla y salir. El camarero se sorprendió de que después de estar mirando las musarañas tuviese de repente tanta prisa. En el fondo había sido un intento de dejarlo todo, de que el mundo de Laura y el mundo en general siguiera su curso sin meter yo las narices en todo.

Bajé corriendo las escaleras del metro. Me llevaba

tres cuartos de hora llegar a Goya y las paradas eran más largas que nunca, siempre había algún gracioso que impedía que las puertas se cerraran a tiempo. No tenía justificación y no me extrañaba que se me hubiera pasado el plazo de matrícula de la universidad. No sabía dónde tenía la mano derecha. No sé cómo pensaba salvar a Laura de su familia si no era capaz de salvarme a mí misma. Lo peor fueron los trasbordos con escaleras kilométricas hacia los infiernos y riadas de gente que no paraban de entrar e impedían que se cerraran las puertas. Todo estaba en contra.

Llegué atolondrada y sudando alrededor de las dos y media. Todavía estaría Greta en la zapatería y Lilí arriba. Prácticamente pegué la cara al escaparate esperando ver ondear las faldas de Greta, pero la única que atendía a los clientes era la dependienta. Quizá habría ido a comer a la cafetería de siempre, por lo que me fui para allá. Tenía que asegurarme de que nada más hubiese una persona con Laura en el piso.

En la cafetería no había rastro de ella ni de su Larry. Volví atrás, otra vez a la zapatería. Nada. Crucé enfrente del portal de la casa, amparada por el pórtico de Zara. Me sabía de memoria la fachada de la casa. Era de color crema, los adornos en blanco con miradores de cristal y ventanas un tanto pequeñas, de épocas en que nadie quería que se supiese lo que ocurría dentro. Casas hechas para que no entrara el frío, el calor ni ninguna mirada curiosa.

Estaba decidiendo si subir o no —¿qué podían hacer, matarme?—, cuando vi un coche aparcando en segunda fila. Lo miré sin interés, simplemente porque se movía en mi campo de visión, que era el portal y el camino que iba y venía de la zapatería a la vuelta de la esquina. Por eso me costó unos segundos darme cuenta de la trascendencia del momento. El doctor Montalvo, el psiquiatra de mi madre y al parecer de Laura, salió del coche y con paso rápido se metió en el portal. Llevaba un abrigo hasta los tobillos que le quedaba demasiado ajustado —se creería más delgado de lo que era y quizá también más alto— y el bigote sobresalía de su persona como una amenaza. Si el doctor Montalvo estaba allí para llevarse a Laura, es que no había tiempo que perder. Esperaría en el portal para cruzarme en su camino y le pediría a Laura que viniese conmigo. Al doctor podría empujarlo con la mochila, Greta a pesar de su apariencia juvenil no dejaba de ser vieja, con una patada en la espinilla me la quitaba de encima, y Lilí no estaba como para correr detrás de nosotras. ¿Y si Laura no podía correr? Pero todo el plan se vino abajo cuando asomó el bosnio que a veces empujaba la silla de la falsa inválida, se subió al coche del doctor Montalvo y tras aparcarlo bien volvió a la casa. Con éste ya no podría. Tendría que tratar de que Laura se viniese conmigo por las buenas.

Me sujeté bien las asas de la mochila e iba a cruzar la calle para esperar al grupo en el mismo portal cuando vi un taxi y una larga pierna conocida que salía de él. La pierna de Ana, el cuerpo entero de Ana, con la que tampoco podría porque era tan fuerte como yo. Llevaba un abrigo beis desabrochado y zapatos planos. Se pasó la mano por el pelo y miró a los lados. Estaba tan profundamente seria que parecía fea.

43

Laura con
su padre

Entramos en un pequeño restaurante que tenía una hornacina verde en la fachada para la carta y tejadillo falso. Me sentía desnuda, sin dinero, sin nada, me parecía que todo el mundo me miraba y le pedí que nos sentáramos en un rincón.

La gente del local lo conocía y me miraron con curiosidad, o a mí me lo parecía. Tenía la sensación de que la humanidad entera, el sol y los planetas nada más tenían ojos para mí porque iba sin calcetines, con los pantalones de muñequitos del pijama, despeinada y con cara de enferma.

Fui al baño mientras Daniel pedía los menús. Me lavé las manos, la cara, traté de peinarme con los dedos y me enjuagué la boca a conciencia para echar cualquier resto de medicamento.

Daniel se había situado de cara al baño, yo de cara a la entrada. En la mesa había un cestillo con apetitosas barritas de pan y aceitunas en un plato. Me sirvió agua. Estaba fría y rica y enseguida trajeron una sopa de verduras humeante.

—Cuando terminemos la sopa, hablamos. Te sentará bien.

La saboreé cucharada a cucharada. En el fondo había sido tan sencillo ser libre…

—Imagino que ha sido Verónica quien te ha metido en este lío.

—Es más que un lío, toda mi vida está patas arriba.

Daniel no podía hacerse una idea de cómo era mi aspecto normalmente. Nunca, nunca me habría imaginado en un restaurante con esta pinta. Parecía una de esas pesadillas en que me veía en el andén del metro desnuda de cintura para abajo.

—¿Le parezco una trastornada?

—No lo sé. ¿Te parece lógico lo que haces?

—Nada es lógico. No es lógico que un día apareciera Verónica diciéndome que mi familia es otra y que he vivido engañada hasta los diecinueve años.

—¿Hasta ese momento nunca habías salido en pijama a la calle?

Sonrió después de decir esto y yo también reí.

—Creo que hasta ahora no me he atrevido a ser una mujer.

Con el segundo plato me sentí mucho mejor. Me tomé todo el pescado, la ensalada y no dejé ni un panecillo vivo. Ya no distinguía si era por hambre o por afán de supervivencia: no sabía lo que iba a ser de mí el resto del día y no debía desperdiciar nada.

—He salido huyendo —dije saboreando un trozo de tarta de frambuesas—. Y no tengo claro si he huido de ellas o de mí misma.

—Estarán buscándote.

—Hoy iban a llevarme fuera de Madrid, al campo, a una residencia de locos, creo. He decidido escaparme antes.

—¿No exageras un poco?

—En eso no. Tenían el equipaje hecho y sólo faltaba que llegara el doctor Montalvo.

A la legua se notó que se sorprendía. Tuve que repetirle el nombre del médico.

—El doctor Montalvo es psiquiatra y es al que se le

ha ocurrido la idea de encerrarme en una casa de reposo. A mi madre y a mi abuela les parece bien, a la única que no le gusta es a mí.

Estaba pensativo. A veces se subía y se bajaba las gafas y se pasaba la mano por la cara.

—¿Tenéis una amiga que se llama Ana?

Asentí.

—¿Y tiene un perro que se llama *Gus*?

Asentí.

—¿Qué hacías antes de ser una vagabunda?

Volvimos a reírnos discretamente.

—Me encargo del negocio. Una zapatería en la calle Goya, se llama…

Afirmaba con la cabeza como si todo lo que le contaba lo hubiese vivido antes.

—También soy profesora de danza —dije preguntándome si alguna vez podría volver al conservatorio. Por lo menos en ese dinero no mandaba Lilí.

Le sorprendí observándome el pelo y las orejas. Bajó la vista a la taza de café. Yo me tomé dos, necesitaba espabilarme completamente.

Cuando salimos a la calle ya no tenía tanto frío y me pareció que acababa de salir al mundo. Acababa de recibir el primer soplo de aire y de sol sin la sombra de los chales blancos de Lilí. Ahora era como cualquier chica de mi edad, como cualquiera.

—Te llevaré a casa, yo tengo que trabajar. Con un poco de suerte estará Ángel, que se supone que a estas horas estudia.

Me miró sonriente.

Ángel llegó al mismo tiempo que nosotros arrastrando a *Don*, que quería jugar un poco más y que se abalanzó sobre mí al verme. Ángel se paralizó. No entendía nada. No dijo nada. Miró a su padre.

—Que se duche y se ponga cómoda. Prepárale el cuarto de invitados.

—En el cuarto de invitados estoy yo.

—Pues el sofá. Habrá sitio para uno más, ¿no?

En cualquier otra circunstancia me habría sentido incómoda, una intrusa, pero hoy sólo me preocupaba dormir caliente y a salvo, sin tener que esconder en la boca ninguna pastilla.

44

Verónica
debe actuar

No había pasado un cuarto de hora cuando se levantó la puerta del parking del edificio y expulsó un Mercedes conducido por el bosnio con Lilí a su lado, y Greta, el doctor Montalvo y Ana detrás, él en el centro y ellas en las ventanillas, y por un instante tuve la impresión de que la mirada de Ana y la mía se cruzaron hasta que ella la desvió a la calle. Una falsa impresión. Tampoco había contado con la posibilidad de que salieran directamente del parking ni de que Laura no fuera con ellos. ¿Qué le habría pasado? No era lógico que la dejasen sola. Todos tenían cara de estar pasando algo gordo. Por muy enferma que estuviese podrían haberla bajado al parking y metido en el coche. Me temblaron las piernas. Me habían temblado cuatro veces en mi vida: en la desaparición de Ángel cuando era pequeño, al ingresar mi madre en el hospital, cuando murió y ahora. En el examen de Selectividad hizo su aparición el hueso de melocotón, pero no llegaron a temblarme las piernas. El cerebro adonde primero debía enviar los mensajes chungos debía de ser a las piernas.

Pues mensaje recibido. Laura se encontraba en peligro si es que no la habían quitado ya de en medio. No podía llamar a la policía, no tenía pruebas de nada. Cogí la mochila del suelo, me la colgué a la espalda y entré en el portal. Del techo colgaba una araña de cristal palaciega, los suelos eran de mármol blanco con motas negras, la barandilla de brillante madera de doscientos años unida a una delicada forja de hierro como la verja del ascensor.

Esta vez el portero salió disparado de detrás del mostrador, también de brillante madera de doscientos años.

—Voy al dentista —dije sin detenerme, sin mirarle.

Se me cruzó delante.

—¡Alto ahí! No vas a ningún sitio.

Ya me habían identificado y habían extendido la alarma entre los suyos. Lo pensé sin palabras, casi sin pensamientos, mientras le daba un empujón al portero tal como había imaginado dárselo al doctor. Estaba escrito que acabaría atacando a ese hombre de traje azul marino, capaz de estar sentado ocho horas mirando la puerta.

—Déjeme en paz —grité.

Él tenía más fuerza que yo, pero yo tenía más rabia y estaba harta de tanta pamplina.

Subí tan rápido como pude. Los tarros de la mochila chocaban entre sí. Al llegar a la puerta pulsé el timbre sin quitar el dedo y gritando: ¡Laura!

¡Laura! ¡Laura! El portero también subió por la escalera, cabreado, rojo. Me cogió por el brazo.

—¡No me toque! —grité.

—Acabo de llamar a la policía.

—Muy bien. Así veremos qué le ha pasado a Laura, ¡cómplice!

Un vecino abrió la puerta.

—¿Qué ocurre, Braulio? ¿Le ha sucedido algo a doña Lilí?

El portero me miró con asco.

—¿Qué dices de Laura? Laura se marchó corriendo hecha una loca hace… unas cuatro horas.

—Pobre Lilí —dijo el vecino.

Bajé las escaleras de dos en dos con el molesto ruido de los tarros a la espalda y el de las botas en el mármol. En la calle titubeé por dónde tirar. ¿Hacia dónde habría ido Laura? Cuesta abajo, seguro, hacia Colón. Sería la tendencia natural de cualquiera que huye y mucho más si se está tan débil como ella. Debió de enterarse de que la llevaban a algún sitio y decidió huir, y ellos estarían buscándola. Por una vez, no se dejó llevar, tuvo iniciativa, así que en el improbable caso de que todo fuese una equivocación y yo estuviese rompiendo una familia, por lo menos Laura habría aprendido a no obedecer y rebelarse. Y en el fondo ella era más rebelde que yo porque yo estaba haciendo lo que mi madre habría querido que hiciese sin ni siquiera tener que pedírmelo. No sé por qué me creía mejor que Laura. Cada uno tiene la vida que tiene.

Cuánto agradecería ahora la moto de Mateo, podríamos buscar a Laura por todas partes.

45

Laura,
somos nosotros

Me duché con el gel y el champú de Verónica. Era para pelo rizado como el suyo y mientras me lo secaba me llamó la atención que nadie hablase de la madre, que nadie la mencionara. Verónica apenas hacía referencia a ella, y algo en el ambiente me decía que no debía preguntar. Era como si me persiguieran los secretos, como si siempre hubiera algo innombrable a mi alrededor. También me pregunté qué cara pondría Verónica cuando me viese con uno de sus pijamas.

Ángel me preguntó si quería que preparara el sofá y descansar un rato, pero sólo pensar en dormir me daba náuseas. Le dije que preferiría sacar a pasear a *Don* y que podría ponerme alguno de sus chándales viejos. Elegimos uno de hacía tres años, cuando Ángel medía medio metro menos, y un anorak. Se vino con *Don* y conmigo y me preguntó qué me apetecía para cenar, pero no me preguntó qué me había pasado ni cómo había encontrado a su padre ni nada de nada. Y no es que no tuviese curiosidad ni que yo le fuera indiferente, es que lo sabía ya, más o menos se lo imaginaba.

—Me alegra que hayas sido valiente —dijo y tiró un palo para *Don*.

El parque era espacioso, con césped y árboles grandes, debía de ser muy alegre en verano y muy melancólico en invierno, como ahora. Me sentía un fantasma en este parque de mi otra vida. Con mi hermano de mi otra vida.

Estuvimos hablando de baloncesto, que era lo que más le interesaba, hasta que regresamos.

La casa era un adosado con un pequeño jardín algo descuidado. Se notaba que no estaban mucho en casa. La cocina era grande y me gustaba la mesa de madera maciza, muy usada. Ahí habría desayunado antes de irme al colegio si hubiese vivido con ellos, y no habría importado que se me cayese la leche porque estaba llena de manchurrones. El salón era clásico y había una mesa de caoba del estilo de los muebles de Lilí. A *Don* le habían colocado una manta junto a las cristaleras que daban al jardín, con un hueso de goma y una pelota. En una pared había una fotografía ampliada y enmarcada de la que sería la madre y que se parecía mucho a Verónica. Era un auténtico fantasma entre tantos detalles familiares. En esta otra casa no había nada mío, ni un solo recuerdo. Aunque trajera aquí el escritorio de madera labrada y las sillas forradas de terciopelo rosa palo y las pantuflas con cara de perro y todos mis zapatos y bolsos y mi ropa, mi pasado no estaría aquí. Pero no quería que Ángel pensara que era una desagradecida y traté de estar lo más animada posible. Le pedí que no se preocupara por mí y que estudiara.

Ya no me preocupaba que Lilí me buscara, ya no tendría que hacerse la inválida. Me tumbé en el sofá y me entretuve en escribir en un cuaderno los números de teléfono que recordaba, los nombres, las direcciones. Hice una lista de mis alumnas, porque en cuanto la situación se solucionara quería volver a las clases.

Claro que la situación no podía solucionarse, sino aclararse. En cuanto todo se aclarara recuperaría las clases, me ofrecería a dar más cursos y con ese dinero podría compartir un apartamento con alguien. Con la ayuda de Verónica enseguida me haría con un pequeño guardarropa y me olvidaría de los zapatos de diseño. Sería como la gente de mi edad y todo lo que tuviese sería auténticamente mío y no de Lilí. Me alegraba haberme marchado con, como suele decirse, una mano delante y otra detrás.

Ángel puso música en su cuarto y *Don* de vez en cuando levantaba la cabeza y me miraba. Había oscurecido. Era de lo más extraño.

46

Verónica
te busca

No podía dedicarme a dar vueltas sin sentido. Si yo fuese ella, le habría pedido ayuda a alguna amiga. No nos había dado tiempo de hablar de nuestras vidas, sólo de nuestras familias, la familia lo ocupaba todo en un momento en que para la gente de mi edad tenían mucha más importancia los amigos y la calle. La persona más alejada de su madre y su abuela de la que tenía noticia era su prima Carol, la actriz, a la que ella parecía admirar mucho. Quizá cuando fue a verla idearon un plan para liberarla, podría haber estado esperándola con el coche y haberla llevado a casa de algún amigo o a algún hotel. Carol debía de ganar mucho dinero.

Para no hacer un viaje en balde, llamé por teléfono desde una hamburguesería a la cadena de televisión que emitía la serie. Dije que era periodista y que necesitaba localizarla para hacerle una entrevista. Tuve que esperar hasta que me dieron el número de su representante. Se llamaba Nacho, y Nacho, después de unas cuantas mentiras mías, dijo que dentro de una hora hacía un descanso en la grabación y podría atenderme.

Llegué antes de tiempo a la dirección que me dio y la esperé en una sala destartalada donde había unos canapés y bocadillos muy poco tentadores que seguro que Carol, para mantener su delgadez, ni tocaba. También había unas grandes jarras con café y me serví un poco en un vaso de plástico que no parecía usado. No sabía cuánto se alargaría el día. Me encontraba destemplada y no me quité el abrigo; a mis pies estaba la mochila, que podría hacer pensar que ahí llevaba grabadora o cámara de fotos. Por eso, cuando alguien me preguntaba qué hacía allí, contestaba que era periodista, miraban la mochila y me sonreían. Y de la misma forma reaccionó Carol cuando al fin apareció vestida normal, no como en la serie, situada en un espacio intemporal entre el siglo XVIII y principios del XX.

Llegó sonriente, encantadora. Dijo que acababan de grabar un capítulo impresionantemente bueno.

—Ha sido increíble, emocionante —dijo mirando la mochila—. No me he quitado el maquillaje por si vais a hacerme fotos.

Seguramente pensaba que vendría alguien más o hablaba en plural refiriéndose a la revista para la que supuestamente trabajaba.

—Antes de empezar —dijo— quiero que sepáis que esta serie no es una serie cualquiera. Está dirigida a una audiencia por encima de la media…

Tuve que detenerla. No me parecía bien que hiciera este sobreesfuerzo para nada. Se le notaba un cierto cansancio en los ojos aunque ella intentase reavivarlos constantemente.

—¿Sabes dónde está tu prima Laura? —dije poniendo ante ella la palma de la mano para que parara.

Y de pronto todo el cansancio del mundo le afloró en los ojos. Desapareció la sonrisa que le alisaba la cara y se le echaron encima cinco años. Sin duda era mayor que Laura, más vieja en todos los sentidos, había tenido que tragarse muchos sapos para llegar hasta aquí mientras que a su prima se lo habían dado todo hecho. Me miró con ganas de matarme.

—Soy amiga de Laura —añadí.

No dijo nada, apretó las mandíbulas. Estaba profundamente decepcionada y arrancó de una caja toallitas húmedas para limpiarse el maquillaje. No me habría gustado estar en su pellejo y sufrir esta frustración, que una pelagatos como yo se riera de mí.

—Ha desaparecido, se ha marchado de su casa esta mañana y pensé que podría estar contigo. No se me ha ocurrido otra manera de acercarme a ti. Lo siento mucho, no soy periodista.

Su mirada se blindó, la expansión de hacía un momento se replegó, la cordialidad desapareció. Se levantó y sus largas piernas anduvieron hacia la mesa del cátering. Se puso un vaso de agua mientras seguía limpiándose la cara, se lo bebió y se volvió hacia mí. Lanzó las toallitas a la papelera. Había tenido tiempo de rehacerse y pensar.

—¿Qué es eso de que ha desaparecido?

Le conté todo lo que sabía, todo lo que había visto sin omitir ningún detalle. Ella bebía agua y escuchaba. Nunca había visto un pelo tan brillante como el suyo, caía de su cabeza como raso.

—Son cosas de familia, tú no deberías meterte.

—Me siento culpable por lo que le está ocurriendo —dije.

De pronto lo comprendió.

—¿No serás tú esa que dice que es su hermana?

—¿Te ha hablado de mí?

Hizo una mueca de contrariedad.

—Lo que has hecho es muy grave. La has desorientado y desequilibrado. No sabe lo que hace. Espero por tu bien que no le pase nada malo.

Tenía razón, la realidad era que antes de entrar en su vida el mundo de Laura era normal y no era peligroso, mientras que ahora sí. Por algo mi madre no había seguido adelante, porque antes que nada contaba la seguridad de Laura. Yo había actuado a lo loco, con rabia por haber tenido que soportar durante toda mi vida su fantasma.

Recogí la mochila del suelo. Ahora me daba cuenta de que pesaba una barbaridad. Era increíble cómo había podido subir y bajar las escaleras de la casa de Laura corriendo. Iba a decir otra vez lo siento, pero para qué, lo hecho hecho estaba y ya no había remedio. Si ahora pudiera volver atrás quizá dejase las cosas como estaban.

E inesperadamente Carol tuvo un gesto que me sacó de las sombras en que acababa de caer. Echó café en un vaso y me lo tendió. Lo cogí, aunque no pensaba bebérmelo; ya me había tomado uno.

—¿Azúcar?

No, no quería azúcar, pero sentía alegría por poder tener una aliada de la otra parte.

—En cuanto sepas algo, llámame, éste es mi número —dijo escribiendo en un trozo de papel—. Estoy muy preocupada.

Me acompañó hasta la salida entre saludos de la gente que pasaba por allí; era muy conocida y admirada, y respondía con una alegría fresca y maravillosa que debía de esconder en alguna parte de su cuerpo para estas ocasiones. Nunca había estado tanto rato al lado de alguien famoso como Carol, sólo una vez cuando vino al instituto un escritor y me firmó un libro.

Si Laura no estaba con Carol, no se me ocurría a quién, que yo conociera, podría haber pedido ayuda. No sabía a quién acudir, y ella necesitaba ayuda. La Vampiresa ya me advirtió de que Laura vivía amenazada por un peligro latente. Sólo faltaba que alguien lo destapara y ésa había sido yo. Las piezas habían dejado de encajar... ¿Qué hora era? Quizá pillase aún abierta la oficina del detective Martunis. No tuve más remedio que tomar un taxi que acababa de quedar vacío. Le dije al conductor que era hija de taxista y que se trataba de un caso de vida o muerte. El taxista conocía a mi padre y no me cobró la bajada de bandera. Al cuarto de hora estaba entrando en Martunis Detectives y estaba viendo a María en su sitio hablando por teléfono, sin que ninguna palabra se le escapara a un centímetro de la boca.

Me señaló con la mano los silloncitos grises.

Ya estaba en el lugar de la paz y la serenidad. Era raro que coincidiese con otros clientes, como si existiesen varias puertas secretas por donde entrar y salir. Tampoco estaba nunca Martunis en su mesa detrás del panel. La luz de María estaba encendida, la de los silloncitos estaba encendida, la de Martunis, no. Abrí una de las revistas de la mesita baja y la hojeé sin enterarme de lo que veía. María hoy no se sobaba el pelo, lo llevaba recogido artísticamente, una pieza de orfebrería encaramada en la cabeza. Y toda ella encaramada en unos tacones de aguja plateados.

—¡Vaya! —dije cuando vino hacia mí.

No pasaría desapercibida en ningún espacio terrestre. Se sentó en el otro silloncito y se echó hacia delante para hablarme. Se le veía el sujetador con el relleno más grande del mercado. Espalda ancha, poco pecho, manos enormes, mirada firme. Me sentía muy segura junto a ella.

—Encontré a Laura, mi hermana fantasma, y se ha escapado de su casa. Creo que está en peligro. Me dijiste que no perdiera detalle, que las piezas irían encajando y ahora todo se ha venido abajo.

Miró hacia el techo unos segundos para atar cabos y luego volvió a mí.

—He venido hace nada de una boda y no estoy al cien por cien.

Iba a refrescarle la memoria, pero una de sus manos trazó un no en el aire.

—Si las piezas no encajan es porque te has saltado algo, te has ofuscado, has tirado por el camino equivocado. —Me pasó la mano por la cara para que cerrara los ojos, olía muy bien—. Relájate, no pienses en nada, deja la mente en blanco. Seguro que llevas un tiempo forzando las cosas sin saber por dónde tirar. Dale una oportunidad a tu intuición.

Dale una oportunidad a tu intuición, ¿podía tomarme esto en serio? Abrí los ojos cuando ella retiró la mano. Acomodó su ancha espalda en el silloncito.

—Una vez, cuando empecé a pilotar mi avioneta, me encontré perdida en una masa de viento muy jodida y si no hubiese tenido la intuición de dejarme llevar, si hubiese opuesto resistencia para ir en la dirección que yo quería, probablemente ahora no estaría contándotelo.

—Yo tengo la culpa de lo que le esté pasando, espero que alguien la ayude y que su madre, su abuela, el doctor Montalvo, el bosnio y Ana no la hayan encontrado.

No necesitaba que le contara pormenores para tener una idea del cuadro general. Cuando ella entraba en las vidas ajenas era porque esas vidas estaban torcidas, rotas, eran extrañas. Nada le sorprendía.

—Laura huye y ellos la buscan para taparle la boca. Tú la buscas para protegerla. No es nada del otro mundo.

Abrí la mochila y saqué un frasco de sérum de rosas.

—Te irá muy bien —dije examinándole la piel, dura y con las profundas huellas de algunos granos de la adolescencia—. Cuando no busco a Laura, vendo cremas.

—No te preocupes, por experiencia sé que estás a punto de dar con algo importante.

No se merecía el regalo, no me había ayudado. No me extrañaba que mi madre decidiera investigar por su cuenta. Menuda agencia de mierda. Martunis nunca estaba, nunca había clientes, y María me daba consejos budistas. Decidí marcharme a casa a dejar la mochila con los tarros, a ducharme y tomar algo y probablemente a contárselo a mi padre para salir en el taxi a buscarla, aunque no sabía dónde. ¿Quiénes serían los amigos de

Laura? ¿Llevaría dinero encima? Mi casa no estaba lejos, así que fui andando mientras dejaba la mente en blanco como me había dicho María. En el fondo le hacía caso, no sé por qué.

Las luces estaban encendidas. Ahora, siempre que me iba acercando a la hilera de adosados de mi calle y llegaba a nuestro número, a nuestra verja, y veía luces mortecinas del porche, se me atravesaba el hueso de melocotón. A veces me parecía que una sombra cruzaba de un lado a otro de la ventana de la cocina y me marchaba corriendo al parque a dar unas vueltas. Menos mal que *Don* con sus ladridos me hacía volver a la realidad constantemente. En cuanto me acerqué se puso a alborotar. Él no necesitaba verme para saber que estaba llegando a casa.

Abrí con la llave y casi me tira con sus patazas.

—¡Ángel! —grité.

En el salón nada más estaba encendida la lamparita de pantalla amarilla que daba una luz muy agradable. La luz del jardín también estaba encendida y se veían las plantas. No sé por qué parecía que veía la casa con otros ojos. De la habitación de Ángel, del cuarto de invitados, llegaba música. Dejé en el armario de la entrada la mochila con los tarros y el abrigo y no tuve más remedio que aporrear la puerta de Ángel.

—¿Qué? —dijo quitándose uno de los cascos.

—Ayúdame a quitarme las botas.

Entré y me senté en la cama. Tiró de ellas.

—¿Qué te ha dicho? —dijo.

No entendía.

—Ella. ¿Qué te ha dicho?

Él estaba asombrado y yo también. No entendía nada. Se quitó los cascos del todo y salió al salón. Le seguí. Encendió las luces y entonces la vi tumbada en el sofá. Se levantó. Llevaba ropa de Ángel y mía. Yo estaba atontada.

—Lo siento —dijo—, no se me ocurrió otro sitio donde ir.

Me senté en una de las sillas alrededor de la mesa de caoba.

Las piezas acababan de encajar. Se me olvidó el detalle de que Laura podría recurrir a nosotros. Y no quería pensar en lo que mi madre habría dado por este momento porque por ella había encontrado a Laura y ella había decorado esta casa y ella era su madre y la mía y la de Ángel, y seguramente su misión había consistido en reunirnos a todos.

—No sé si soy vuestra hermana —dijo—, francamente no siento nada especial en esta casa, pero creo que es imposible que Lilí y Greta me quieran como los hijos deben ser queridos.

Ángel me miró interrogándome sobre quiénes eran Lilí y Greta.

—Aquí estás segura —dije sabiendo que en algún momento tendría que contarme cómo había llegado hasta aquí.

Laura era un meteorito caído de otro mundo y de otras vidas. Y por esta noche se había acabado la aventura, ya no tenía que salir a buscarla por esas calles de Dios. Le pregunté si quería ayudarme a hacer la cena. Entramos en la cocina y, pasando la mano por la mesa de roble macizo, dijo que le gustaba mucho. Sólo me quedaba cumplir con la promesa que le hice a Carol. Saqué el papel y marqué el número en el supletorio colgado en la pared. Casi no me dio tiempo a preguntar por ella porque la mano de Laura cortó la comunicación. Meneo la cabeza a los lados. Estaba a punto de derrumbarse y no era para menos.

—No te preocupes —dije—. No sabe que estás aquí.

—Puede que yo haya exagerado —dijo.

—Bueno, ahora vamos a hacer la cena, mañana lo verás todo con más claridad.

47

Laura, sal
de tu vida

Mi gran preocupación, mientras preparábamos los espaguetis con una salsa desbordante de calorías y la ensalada, era la llegada de mi supuesto padre. No me creía capaz de soportar esa tensión. Podía con Verónica y Ángel, pero el taxista me impresionaba mucho. No sabía qué decirle. Uno de mis grandes defectos era no ser natural ni espontánea, tenía que pensar siempre lo que iba a decir, me quedaba paralizada ante cualquier novedad. Cuando era pequeña, Lilí siempre tenía que obligarme a saludar a la gente y a contar cómo me iba el colegio, pero también me sermoneaba siempre con eso de no dar información ni detalles sobre nuestra vida. Un pensamiento agrio, y en el fondo siempre había sabido que mi vida podría ser bastante agria si no hacía lo que Lilí quería.

Verónica no me preguntó nada. Puso música y tarareaba, y me dijo que aliñara la ensalada como a mí me gustase. Luego puso a enfriar unas cervezas y troceó una barra de pan. Vio cómo miraba el pan y la cerveza y me dijo que no tenía por qué salir de mis costumbres.

—Toma lo que te apetezca —dijo—. Nosotros somos un poco primitivos.

Ellos y yo separados por millones de kilómetros de vida. Aunque tuviésemos los mismos genes, no teníamos los mismos gustos ni el mismo pasado.

—Al rato de marcharte de tu casa, salieron todos a buscarte, todos los que yo conozco —dijo Verónica.

Me preguntaba si ya habrían vuelto a casa y qué estaría haciendo Lilí. Era más fácil imaginar a mamá, quería decir Greta, encendiendo velas en sus dominios para relajarse o quizá se estuviera relajando con Larry. Greta no pensaba a largo plazo, a no ser que planease algún viaje a Tailandia.

—No sé si estoy bien de la cabeza.

Verónica terminó de limpiar la mesa con una bayeta y se me quedó mirando.

—Si tú estás loca, yo también lo estoy y también lo estaría mi madre. Por lo menos no somos peligrosos. No retenemos ni drogamos a nadie contra su voluntad.

—No estoy segura de que me retuvieran —dije—. Eran órdenes del psiquiatra.

—¡Ja! —dijo ella—. Menudo psiquiatra. El doctor Montalvo, lo conozco. Según él yo no iba a salir del caracol si te buscaba.

También a mí me dijo lo del caracol, pero me callé. Me intrigaba más que Verónica hablase de su madre en pasado. Todo apuntaba a que había muerto y al parecer ella fue quien empezó a buscarme. Tampoco yo le pregunté, debían de haber vivido momentos muy tristes.

—Vamos a cenar —dijo Verónica—, hoy papá vendrá tarde. Llama a Ángel, por favor. Está al final del pasillo.

Fue un alivio no tener que volver a ver tan pronto a mi supuesto padre, no tener que hablar sobre la posibilidad de que yo fuese su hija. Hubiese preferido que todo fuese una confusión y que Verónica y yo nos hiciésemos las mejores amigas del mundo y que Lilí no hubiese pretendido sedarme y que Greta siguiera siendo mi madre. No es que fueran una abuela y una madre ideales, pero era lo que había tenido y a quienes había querido. Y, del mismo modo, no sabía tener un padre porque nunca lo había tenido.

Me costaba incluso andar, nunca había estado tan agotada. Era curioso: había flores por todas partes y no todas naturales. En el cuarto de baño de abajo caía hiedra de una repisa y colgaba de un rincón una enredadera de plástico. En la cocina también había muchas macetas con plantas, en el salón ficus, troncos del Brasil y otras que no conocía. En el pasillo había un ramo muy colorido. Vi entreabierta una habitación que debía de ser la de Verónica, en color malva, con ropa tirada encima de la cama y por el suelo y otra habitación con la puerta cerrada. La abrí por curiosidad. Fue como abrir una nevera, había una cama de matrimonio perfectamente hecha y debía de hacer tiempo que no entraba nadie. Dejé de husmear y llamé a Ángel, pero tuve que abrir la puerta para que me viera. Creo que al principio se sorprendió: seguramente por un momento se había olvidado de que yo estaba aquí.

Cenamos hablando de películas. Ellos optaron por los espaguetis, yo más por la ensalada. Verónica se tomó una cerveza, Ángel, coca-cola y yo agua. Tenían muy poca idea de música clásica y de danza, así que me adapté a su terreno. Verónica iba a estudiar Medicina y Ángel Astronomía, aunque también le gustaría ser taxista como su padre.

Verónica dijo que le tocaba a Ángel pelar las naranjas, que para eso no había dado ni clavo en la cena. Él no protestó, debían de tenerlo así establecido. Tenía los dedos muy largos y la naranja al final de ellos parecía la bola del mundo. Su pelo era como el mío y la piel clara también, éramos parecidos y eso me intimidaba y creo que también a él. Cuando ya había pelado las naranjas, Verónica le preguntó si se había lavado las manos. Un poco tarde, ¿no?, dijo él limpiándose con una servilleta de papel. Trataban de hacer como si no pasara nada, como si todas las noches cenáramos juntos. Como si yo entendiera sus bromas. No tenía hermanos ni seguramente una familia auténtica. Viéndoles, me parecía que me lo había perdido todo.

Las sobras no había que tirarlas, se guardaban para *Don*. Preferían darle las sobras que no esas bolas de los supermercados. Verónica también obligó a Ángel a recoger la mesa y nosotras fregamos los platos. Así no había que meterlos y sacarlos del lavavajillas. Estábamos terminando cuando se oyó la cerradura de la puerta. El corazón me dio un salto. El padre llegaba por fin. Verónica hizo como que no oía y yo me sequé las manos aunque no habíamos terminado porque pensaba que tendría que dársela para saludarle.

—Hola —dijo asomándose a la cocina.

—Hola —dijo Verónica. Yo no dije nada.

—Veo que ya estáis en marcha —dijo el padre y puso en la mesa una caja atada con la fina cinta de algodón de las pastelerías—. He traído postre.

Tenía una voz serena, agradable. Era muy atlético y tenía gafas y el pelo claro como Ángel y yo, y los ojos azules como yo.

—¿A ver? —dijo Verónica cortando la cinta—. Pasteles de crema. Nos los tomaremos viendo la tele. Te hemos dejado espaguetis.

Dijo que no tenía hambre y que se tomaría una cerveza. La sacó del frigorífico y se la empezó a tomar en la misma lata.

Yo no quería estar viendo la tele con ellos y no podía tomar dulces si quería volver al conservatorio. No estaba acostumbrada a estas cosas.

—Estoy cansada —dije.

—Claro —contestó Verónica—. Mañana será otro día.

El padre se había sentado en el sofá con la cerveza y se quedó mirando cómo desaparecíamos por el pasillo. Verónica abrió el cuarto malva que yo había visto un rato antes, y en ese instante me di cuenta de que yo tendría que dormir en el sofá del salón y que en ese caso ellos no podrían quedarse un rato viendo la televisión juntos.

—Me parece que he metido la pata —dije.

—Vas a dormir aquí. Ya es hora de que usemos todas las habitaciones.

Retiró las ropa que había sobre el edredón y sacó del armario unas sábanas limpias, pero no cambié la cama. No tenía ganas. Por una noche me libraba de ayudar a desnudarse a Lilí, de ponerle el camisón, de cepillarle el pelo y de estar un rato largo charlando con ella tumbada en la cama hasta que le entraba sueño. Creía que era agradable hasta que la vi levantarse de la silla de ruedas, ponerse en pie y lo dulce se convirtió en agrio. No necesitaba engañarme para que hiciese todo aquello por ella.

El día amaneció gris, con algún rayo de sol. Me despertaron los ladridos de *Don*. Oí a Verónica regañarle. Olía a café. La ventana daba al jardincito y enfrente había geranios arrugados y rosales que florecerían en primavera. En el escritorio había libros y apuntes y una agenda grande con las tapas de piel. Estaba muy usada, con direcciones y cantidades y muchas anotaciones. Con un poco de orden el cuarto resultaría muy agradable. Al ir al baño pasé por el dormitorio de matrimonio; la cama estaba deshecha, con unos pantalones del padre encima, y ya no salía frío. Encontré el cuarto de baño libre y procuré ser rápida duchándome por si alguien quería entrar, ya que no sabía qué hora era. Entre las ocho y las nueve. Usé el champú de Verónica, su gel y no me atreví a darme crema por el cuerpo, sólo un poco en la cara. Me sequé con la toalla más seca y me marché corriendo por el pasillo semienvuelta en la toalla, para no tropezarme con nadie. Tenía presente en la mente mi cuarto de baño con una hilera de perfumes en una estantería de cristal y varios juegos de difusores para el pelo. Verónica usaba un secador muy corriente con el que no se podía hacer gran cosa.

Me puse la ropa del día anterior. Tendría que decirle a Verónica que no había logrado coger ni un euro. Me avergonzaba ser un problema para ellos.

La ducha me confortó, e increíblemente, con el problemón que tenía encima, había dormido a pierna suelta. Toda la vida preocupada por mi futuro, dejándome la piel en la tienda, que era mi futuro, y ahora que acababa de perder el futuro, me sentía bien.

Fui hacia la cocina, con cautela por si me encontraba con el padre. Afortunadamente sólo estaba Verónica. Me dio un buenos días alegre y dijo ahí están las tazas, ahí los churros, los pasteles que sobraron anoche y el café y la leche. Me preguntó si había dormido bien. Le conté que me sentía muy bien, sin un euro y sin futuro, pero bien.

—¿Aún crees que estás loca? —dijo.

48

Verónica,
tanta alma

Ya no había vuelta atrás. Ahora todos estábamos metidos en el ajo. ¿Y si me había equivocado? ¿Y si mi madre cortó esta vía porque era falsa? Al menos Laura era mayor de edad y dueña de sus actos, yo sólo le había hecho ver algunas cosas que no encajaban en su vida. Y además, en cuanto nos hiciésemos las pruebas saldríamos de dudas.

Mi padre me emocionó. Seguro que mamá estaría orgullosa de él. Trajo a Laura a casa, la salvó de las garras de Lilí y Greta y por la noche trabajó hasta las tantas para que no se sintiera incómoda; luego trajo unos pasteles, y por la mañana se marchó temprano por lo mismo. Y cuando por la noche nos quedamos solos viendo la televisión nos dio un abrazo a Ángel y a mí y nos dijo que no podía comprender por qué un hombre del montón y sin imaginación como él tenía tanta suerte y la vida le había dado unos hijos con tanta alma. Dijo que siempre estaba deseando llegar a casa para vernos, y tuvo que quitarse las gafas y limpiárselas con el pico de la camisa porque se le empañaron. Dijo que siempre le había fallado a Betty y que no lo entendía, porque para él no había habido ni habría más mujer que ella. Dijo que era muy torpe. Ni Ángel ni yo queríamos seguir escuchando esas cosas tan íntimas, pero nos retuvo para decirnos que no consentiría que nadie le faltara el respeto a Laura.

Fue un alivio que sonara el teléfono. Nos miramos dudando si cogerlo. Eran las once y no queríamos más problemas. Contestó nuestro padre.

—Hola, Ana. Sí, todo bien. Claro, el tiempo pasa rápido… Es muy tarde, mañana tengo que madrugar. Te lo agradezco mucho, pero mejor otro día.

La desfachatez de Ana no tenía comparación con nada. Esperé a ver la reacción de mi padre.

—Era Ana. Está por aquí cerca y me proponía que les diésemos una vuelta a los perros por el parque.

—No puede saber que Laura está aquí, pero quiere asegurarse. Están desesperados —dije.

—No nos pongamos paranoicos —dijo mi padre.

—Tiene razón Verónica —terció Ángel—. Papá, reacciona. Ana está metida hasta las cejas en esto, y el respeto a Laura y a nosotros nos lo perdió hace muchos años.

Nos quedamos mudos mirando a Ángel. Nunca había tomado partido tan abiertamente por nada ni por nadie.

—Dos más dos son cuatro, papá. Esta gente tiene algo que ocultar y algo muy gordo —dijo Ángel, que a partir de ese momento merecería ser mayor de edad.

¿Empezaban a encajar las piezas en la cabeza de mi padre? Debía de sentirse muy mal por haberse empeñado en que ese problema no existía. María tenía razón una vez más: no se puede ir contracorriente.

Se levantó para irse a la cama y entonces le dije que Laura estaba en mi cuarto, Ángel en el cuarto de invitados, él en el dormitorio de Ángel y su habitación vacía. Yo tendría que dormir en el sofá.

—Está bien —dijo—. Ángel puede volver a su cuarto. Hay camas para todos.

Si Laura no se hubiese escapado y no hubiera venido a nuestra casa, mi padre nunca habría dado el paso de volver al dormitorio de matrimonio. Mi madre ya no existía y no podía mover los hilos para que esto sucediera, pero sí creía que los había movido en vida y que, sin ella saberlo, había dejado este momento dispuesto y arreglado, y yo sentí una felicidad que desde su muerte no creía que pudiera volver a sentir.

Le dije a Laura, cuando la vi en la cocina, que eligiera de mi armario lo que mejor le quedara porque debía de tener dos tallas menos que yo. Lo primero que haríamos sería ir a comprarle ropa interior y algún vaquero, lo que necesitara. Me dio las gracias y salió a hacer unos estiramientos al jardín y lo que ella llamó un saludo al sol, y al pasar por el salón noté que miraba el retrato de mamá. Sólo tomó café con leche y una pera.

Al verla con mis mallas y mi plumas imaginé que echaría mucho de menos su ropa de diseño y los fantásticos zapatos que llevaba en la tienda. Cogí un billete del millón de pesetas que había dejado mamá para montar mi hipotética clínica.

Era una faena que no le hubiese dado tiempo a Laura de coger el bolso en casa de Lilí, porque tenía carné de conducir y podríamos haber ido en el coche de mamá. A ella le habría encantado ver a sus dos hijas en su coche yendo de compras. Sacudí la cabeza para pensar en otras cosas, como tomar el autobús hasta el centro comercial. Estuvimos tres horas probándonos ropa. Laura entendía mucho de tejidos y marcas y dijo que me iban los rojos, verdes y marrones y que si había probado alguna vez a cortarme el pelo.

—Ana llamó anoche por teléfono —le dije mientras buscábamos supergangas en H&M—. Quizá deberías llamarles, decirles que estás bien y que te dejen en paz.

—Tengo que pensarlo —dijo.

—¿Por si estás loca y ellas tienen razón?

—He confiado mucho en ti, ¿no te parece? —dijo.

—Por eso, cuanto antes sepamos la verdad, mejor. Creo que deberíamos hacernos unas pruebas.

Las pruebas no le importaban. Quería saber qué había ocurrido. Tenía que comprenderlo, no podía quererrnos de repente, ni nosotros a ella por muy positivas que fuesen las pruebas. Ella no iba a vivir con nosotros. No podía ser en cinco minutos una hija y una hermana. Simplemente deseaba saber si había hecho lo correcto y si su familia era un fraude. ¿De verdad había una conspiración contra ella para que no supiese la verdad? Esto es lo que le hacía pensar que estaba trastornándose.

Laura rechazaba el camino más corto y nosotros, mi padre, mi hermano y yo, no podíamos darlo por zanjado después de todo lo que había pasado. Me encontraba desfondada.

—¿Tú no tendrías que estar en clase? —dijo de pronto.

—Se me pasó el plazo de matrícula. Mi madre murió creyendo que iba a la facultad todos los días.

—Lo siento.

—Deja de decir lo siento, no sirve para nada.

Con todo el cargamento de ropa nos sentamos en una falsa plaza de un falso pueblo en el centro comercial. A veces a Laura se le escapaba «Lilí dice...», «a mamá le gusta...». Tendría que pasar mucho tiempo para que sintiese resquemor por lo que le habían hecho. Se sentía dolida, pero aún no comprendía, no podía despojarse de los afectos. Estábamos bajo un tejadillo que simulaba una casita con sus jardineras y todo.

—Con el tiempo te alegrarás, estoy segura. Yo me alegro de haber dado contigo y comprobar que mi madre tenía razón y que no malgastó lo mejor de su vida buscándote.

Incomprensiblemente no se interesaba mucho por mi madre, que posiblemente era la suya. No me preguntó qué le había ocurrido ni cómo era. Le costaba trabajo sustituir a Greta por alguien que ni siquiera podía ver.

Yo me estaba tomando un capuchino y ella un té verde.

—Ahora iremos a ver a alguien que nos aconsejará sobre lo que tenemos que hacer —dije.

Afortunadamente María acababa de llegar de la calle y cuando nos echó la vista encima pareció comprender. Se quitó un abrigo de zorros, lo metió en un armario disimulado en la pared y se estiró un suéter elástico ajustado como una venda a su ancha espalda y a su ancho pecho. Se hizo una caracola con el pelo mientras nos escudriñaba.

—No os parecéis en nada —dijo.

Se me escapó una sonrisa porque era el reconocimiento del triunfo.

—Es más como mi padre y mi hermano —dije.

Nos invitó a sentarnos en los silloncitos grises. Ella se sentó en la mesa baja encima de las revistas. Se apoyó en las palmas de las manos y echó la cabeza para atrás como si estuviera tomando el sol. Laura la miraba con los ojos muy abiertos, nunca había visto un detective.

—Te presento a Laura. Se escapó y están buscándola. No sabemos de lo que serán capaces.

Laura volvió la cara hacia mí, asustada. Según iban pasando las horas iba borrando de su mente el miedo que había sentido y seguramente iba recuperando a las antiguas Lilí y Greta.

—¿Tenéis ya pruebas…?

—A Laura le interesa más saber cómo se apropiaron de ella su madre y su abuela que saber si es mi hermana. Cree que no está bien de la chimenea.

Como era habitual en ella, María no se sorprendió, lo encontró lógico.

—Me parece lo más sensato, es mejor despejar las dudas sobre la familia adoptiva y luego sentirse libre de seguir o no. Podéis empezar pidiendo un certificado de nacimiento en el Registro Civil. Ahí figurará el hospital donde nació. Id allí y solicitad ver el registro. Una cosa os llevará a otra, y no os fiéis de nadie.

Laura miraba a María con ganas de decir: abandono, vuelvo a mi vida ya hecha, es la única realidad que conozco, vosotros sois extraños para mí. Por eso yo debía aturdirla y no darle tiempo para pensar. Si ella no quería saber, yo sí.

Miré el reloj.

—Si salimos corriendo, llegamos a tiempo —dije levantándome y yendo hacia la puerta. Laura me seguía cargada con las bolsas. Me detuvo en seco la voz de María.

—Gracias por el sérum. Lo que hizo Betty bien hecho está.

49

Laura, no
vuelvas atrás

La madre de Verónica y Ángel, la esposa del taxista, se llamaba Betty y se había obsesionado con la idea de encontrar a una hija dada por muerta al nacer. Y creyó que esa hija era yo. Verónica tomó el testigo cuando ella enfermó, el padre soportaba resignado esta obsesión y Ángel vivía al margen. Ahora todos estábamos pringados, ninguno podíamos decir que no supiésemos nada. Yo no sabía qué pensar, qué sentir. Se suponía que tendría que querer saber la verdad, pero me daba vértigo seguir adelante. Ojalá fuese la persona normal que siempre creí que era. En el fondo ni siquiera envidiaba a Carol. Para Verónica era muy fácil investigar mi verdad, mientras que la suya la mantenía a salvo y en paz. La verdad era un veneno que iba tomándome poco a poco.

No necesitaba que un certificado me dijera dónde nací. Siempre supe que nací en la clínica Los Milagros. Mamá ingresó a las cuatro de la madrugada y a las once del día siguiente vine al mundo. A mamá no le gustaba recordar el parto y cambiaba de conversación enseguida. La que más explicaciones daba siempre era Lilí, que estuvo con ella de principio a fin. Disfrutaba contándolo, aunque con algún cambio en los detalles, cosas de la edad. Nunca había hecho caso de eso.

Y Los Milagros era la maternidad que aparecía en la partida. ¿No ves?, le dije a Verónica. Y ella me dijo que hasta que no encajaran los datos no diésemos saltos de alegría.

No me importó ir, más de una vez se me había pasado por la cabeza ver el lugar donde abrí los ojos por primera vez. En algunas puertas había centros florales y pasaban monjas con niños en las cunas. Era imposible ser así de pequeño e indefenso y llegar hasta aquí sin ayuda, mucha ayuda. Cuando solicitamos en la recepción el registro de nacimientos del 12 de julio de 1975, una monja nos preguntó por qué lo queríamos. Yo iba a decirle la verdad, pero Verónica se adelantó y dijo que en el Registro Civil estaban reformando los archivos y se había extraviado mi partida de nacimiento, por lo que necesitaban un certificado del hospital. La monja que llevaba aquello dijo que teníamos que pedirlo por escrito. Ya me daba media vuelta cuando oí a Verónica decirle que quería hablar con el director del centro. La monja dijo que al director no se le podía ver así como así, que tenían un trabajo monumental, que no podían perder el tiempo con burocracias. Verónica insistió en que no se marcharía si alguien no atendía la solicitud.

—Ustedes tienen la obligación de enseñarme el registro, lo sé.

En mi colegio jamás se nos habría ocurrido contestarle así a una hermana. La mayoría eran agradables si sabías cuál era su mundo y no las obligabas a tener que salirse de él. Algunas compañeras se empeñaban en que por dentro tenía que ser como por fuera y dentro era por dentro. Precisamente Verónica estaba cayendo en esa trampa y no salía del caracol, como diría el doctor Montalvo. Tuve que tirar de ella para marcharnos.

—Perdónela, hermana —dije—. Tiene mucho carácter.

Fuimos hacia la salida y volvimos a entrar, nos alejamos por un pasillo, subimos al primer piso. Las bolsas con las compras daban a entender que íbamos cargadas de regalos.

—Nadie nos va a enseñar los registros —dijo Verónica.

—Ya veremos.

Estaba buscando mi presa. Verónica se desesperaba porque todas las monjas le parecían iguales y quería lanzarse sobre cualquiera para preguntar. Calma, le decía, si nos precipitamos la fastidiamos. Y de pronto, allá a lo lejos, la vi. Era mi monja. Joven, buena, resignada, de las que en el colegio tenían relegadas hasta que se curtían o se quedaban para abrir y cerrar las puertas. Ésta empujaba el carro de las comidas. Al entrar en las habitaciones ponía cara de alegría. Le dije a Verónica que me esperara.

Me acerqué a la hermana y le dije que yo había estudiado en un colegio de su misma congregación, lo que era verdad. La directora del colegio era sor Esperanza, también verdad, no sabía si ella la conocería, y me había encomendado darle un recado a la encargada del registro de nacimientos, pero no encontraba el registro y tenía mucha prisa. Me acongojaba no poder darle el recado porque era importante. Trató de indicarme cómo llegar a la recepción para que me informaran allí. Pero yo no tenía tiempo porque entraba dentro de nada a trabajar y si me retrasaba me echarían.

Se llamaba sor Justina y tenía que terminar de repartir las comidas. Puse cara de enorme tristeza y entonces ella dijo que la esperara unos minutos. Verónica, apoyada en la pared, me veía hacer. Yo esperaba de pie en el pasillo y aproveché para escribir en un trozo de papel mi nombre y fecha de nacimiento. La hermana Justina me sonreía cada vez que entraba y salía de las habitaciones y le dio una enorme satisfacción deshacerse de la última bandeja y decirme que la siguiera por los pasillos. Verónica venía a distancia con las bolsas.

Bajamos a la planta menos uno y llamó a la puerta de registros. No abría nadie, pero la hermana se encargó de encontrar a la encargada. Era una seglar o una monja sin hábito.

—Bueno, yo las dejo, tengo mucho que hacer —dijo sor Justina.

—Perdone que la moleste. Me envía la directora del colegio Santa Marta, sor Esperanza, para saludarla y pedirle un favor.

—Vaya, ¿qué tal está la madre? Hace mucho que no viene por aquí.

Tardé en reaccionar por lo menos un minuto. ¡Conocía a la madre Esperanza! Aunque no era tan raro perteneciendo a la misma congregación. Así todo era más fácil, a no ser que le diese por llamarla por teléfono.

—Está de viaje y me ha encargado comprobar un dato en los registros, me parece que tiene mucho interés.

Esperé hasta que hizo un movimiento positivo y saqué el papel que había escrito. Casi me desmayo cuando se levantó con pinta de buscar el tomo correspondiente. Llevaba una abundante melena rubia natural cortada a tazón y tenía ojos azules y saltones como dos peceras. Los dientes delanteros separados, las pantorrillas gordas. Zapatos de poco tacón, medias de lycra, jersey amarillo de lana hecho por ella misma y blusa blanca con cuello bordado, seguramente también por ella misma, asomando por el jersey. No podía dejar de fijarme en ella, se me estaba clavando en el cerebro. Detrás de mí, a unos metros, esperaba Verónica alguna señal por mi parte.

Abrió el registro y empezó a pasar el dedo. Al llegar a la fecha señalada frunció el ceño y me miró extrañada. Mi cara era de angustia, ya no podía disimular más.

—¿Qué ocurre? —pregunté.

Cerró el libro.

—Hay un error. No puedo darle ese dato a la madre.

Hice el gesto, sólo el gesto, de coger el tomo.

—A ver, yo lo encontraré. No puedo irme así.

—Yo hablaré con ella, no te preocupes.

—¡Verónica! —grité.

En dos minutos llegó haciendo un ruido terrible con las botas de pitón y las bolsas de papel.

—Ahí está el registro —dije señalando el libro de tapas de cartón imitando mármol que la encargada apretaba en las manos. La sorpresa trabajó a nuestro favor. Estaba tratando de asimilar la presencia de esa chica con abrigo de visón cuando Verónica soltó las bolsas, pasó al otro lado de la mesa y le arrebató el libro.

—Busca —me dijo mientras se interponía entre la encargada y yo.

La encargada levantó el teléfono y Verónica lo colgó.

—No se te ocurra gritar o te parto la cara —le dijo con esa voz tan profundamente nasal.

Me temblaban los dedos y tenía la vista vidriosa. Estaba tardando más de lo razonable en encontrar la fecha de mi nacimiento y mi nombre. La encargada intentó salir, pero Verónica le pegó un empujón.

—Llamaremos a la policía —dijo la encargada entre enfurecida y asustada.

—Sí, a lo mejor a la poli le va a gustar ver este registro. Por cierto, no busques más, nos lo llevamos.

Y Verónica hizo lo que había visto mil veces en el cine: arrancó de cuajo el cable del teléfono, por lo que la encargada tardaría más en dar la voz de alarma.

Metí el tomo del registro en una bolsa y salimos corriendo. Seguro que cuando llegásemos a la puerta de salida estarían esperándonos, pero no era el momento de pensar, no había dónde elegir. Nos cruzamos con sor Justina y le pregunté: ¿la salida más rápida?, llego tardísimo al trabajo.

—Por ahí, por urgencias —dijo.

En la calle seguimos corriendo y nos metimos en un taxi, no podíamos arriesgarnos. Miramos a ver si nos habíamos dejado alguna bolsa. Estaba todo. Le dimos al taxista la dirección de la casa de Verónica y abrimos el tomo. Nunca había buscado mi nombre en ninguna lista con tanta angustia. Miramos varias veces para comprobarlo porque éramos conscientes de que estábamos nerviosas. Ese día, a esa hora y con mi nombre sólo había una defunción. Verónica me pasó el brazo por los hombros.

—¿Y qué más daba si tu nombre no está ahí? Estás aquí, que es lo importante.

Ya estaba tocando la verdad con la mano.

—¡Vaya chapuza! —dijo Verónica.

—Éstas ya son pruebas, ¿verdad? —dije yo.

—Vas a ponerte tu ropa nueva, vamos a tranquilizarnos merendando algo y después saldremos de caza.

Parecía que Verónica se empeñaba en desmoronar mi mundo. Me estaba irritando su melena rizada, que a la mínima me rozaba la cara, el olor a cuero de las botas, el anillo de la cobra, el visón de su madre y esa voz capaz de parar en seco a un león. Quería llegar al fondo de mi vida, y yo empezaba a hartarme de ella y de su casa llena de flores de plástico. La miré de reojo. No la soportaba.

—¿Cuándo vamos a terminar con esto? —dije.

No me contestó, iba pensando en cómo machacarme un poco más.

50

Verónica lucha contra el viento

No pude abrir la puerta con la llave, lo que significaba que había otra llave clavada en la cerradura por dentro y con dos vueltas echadas. Volví a intentarlo y llamé al timbre.

Noté un ojo en la mirilla y a continuación la llave y otro cerrojo adicional que pusieron mis padres cuando de pequeños a veces nos quedábamos solos.

—¿Qué ocurre? —le pregunté a Ángel limpiándome los pies en el felpudo.

—No lo sé. Ha venido un hombre muy cachas con acento raro y me ha preguntado por Laura.

Ángel echó otra vez el cerrojo. No me hacía gracia que fuese a convertirse en un miedoso, sería algo que en el futuro le quitaría mucho atractivo.

Soltamos las bolsas en el sofá.

—¿Me habéis comprado algo?

Le contesté con otra pregunta.

—¿Llevaba el pelo rapado al uno?

—Sí.

—¿Tenía la cara redonda?

—Sí.

—¿Iba poco abrigado?

—Sí.

—¿Era un poco más alto que yo y menos que tú?

—Sí.

—Pues entonces es Petre —intervino Laura—. No sé para qué lo quiere Lilí si puede andar perfectamente.

Por fin empezaba a reconocer la realidad. Ángel saltaba de una a otra sin entender.

—Yo también la vi andando en la tienda cuando te tenían retenida.

—Estaba enferma —puntualizó Laura.

Era mejor no tratar de convencerla, sería como luchar contra el viento. Era ella quien debía aceptar su propia vida.

—Le pregunté quién era —dijo Ángel—. Y él no contestó, volvió a preguntar por Laura. Dijo que tenía que darle un recado muy importante. Le dije que aquí no vivía ninguna Laura, creí que era lo mejor. Después me puso la manaza en el pecho y me empujó hacia adentro. Llevaba un sello de oro en el anular. Entró y cerró la puerta. Estaba seguro de que iba a sacar un arma. *Don*, el pobre, ladraba desesperadamente desde el porche, tras la puerta de cristal. Ojalá hubiese podido atravesarla, le hubiera dado un buen susto al matón ese.

—¿Sacó un arma? —preguntó muy preocupada Laura

Ángel negó con la cabeza.

—Miró por la casa, en las habitaciones. Menos mal que dejé mi cama perfectamente hecha. Menos mal que alguien es ordenado en esta casa. Vio tres usadas y una sin usar. Se marchó sin acabar de creérselo. En la puerta dijo que le dijera a Laura que su abuela estaba muy enferma y necesitaba verla.

A Laura se le descompuso la cara. ¿Sería verdad? Quizá el disgusto de su huida la hubiese hecho recaer. No tuve más remedio que gritarle para que saliera del trance.

—¡Cuando escapaste estabas aterrada!

—Me sugestioné —dijo con la mirada perdida.

—¿No te das cuenta de que están compinchados?

413

Sólo Ana conoce esta casa y sólo ella les ha podido dar la dirección. ¿Te parece normal entrar en una casa a la fuerza y amenazando?

—Lilí debe de estar desesperada —dijo como poseída.

—¿Y tu madre? ¿A tu madre le da igual?

—Ella es más fuerte y más joven.

—No tanto —dije pensando en la diferencia de edad entre su madre y la mía.

—No sé qué hacer —dijo—. No sé si llamar para ver si de verdad está enferma.

—Lo que quieras —dije armada de paciencia aunque me estaba sacando de mis casillas—, pero antes vamos a echarle otro vistazo al registro de Los Milagros y nunca mejor dicho.

No protestó. Se sentó en el sofá y lo abrió sobre mis vaqueros, que hacían que dentro de ellos sus piernas parecieran aún más finas. Encendí los apliques de la pared. El jardín estaba siendo invadido por un gris oscuro que deshacía el tiempo y el espacio, la verdad y la mentira.

Ángel se sentó a su lado observando el libro con curiosidad. La luz de los apliques caía sobre sus cabezas, frente, orejas, nariz, manos. Qué parecidos eran. No podía ser casualidad. Mamá, tenías razón, tu hija está viva y se llama Laura

—Podría ser de verdad una confusión, estás demasiado convencida —me dijo Laura.

—Y tú estás empeñada en creer lo que quieres creer.

Me arrepentí nada más decirlo. No podía exigirle que fuera como yo. A mi puerta no había llamado nadie diciendo: mira, somos tu nueva familia, esa de ahí era de atrezo. Mi madre nunca llegó a dar este paso seguramente por respeto a Laura.

—No quería decir eso —dije.

Ángel le retiró el libro con delicadeza y se puso a estudiarlo.

—Cuántas defunciones de recién nacidos. Parece una epidemia —dijo.

Llevamos el libro a la mesa de caoba, nos sentamos en tres sillas y empezamos a pasar hojas intensamente, aunque con más serenidad que antes.

—Tú no has sido la única, huele a mierda que apesta —dije. Laura no contestó. No querría más enfrentamientos conmigo—. Es anormal que hayan muerto tantos niños en un mismo hospital —continué.

—Parece muy gordo, una de esas noticias que abren el telediario —añadió Ángel.

—Bueno. Vete a estudiar —dije— y cuando estés solo en casa, si llama alguien, no abras; papá lleva llaves. Dejaremos a *Don* dentro.

—¿Y me olvido de todo? —dijo sin ninguna gana de estudiar.

—Sí. De la mañana a la noche te olvidas de muchas cosas que no deberías olvidar, como sacar a *Don* al parque, por ejemplo. Así que olvida también esto hasta... que yo te lo diga.

—Me encanta veros discutir —dijo Laura melancólica mientras Ángel enfilaba el pasillo a grandes zancadas—. Yo nunca he tenido un igual en casa con quien pelear.

—Si quieres puedes meterte con Ángel, a él le va la marcha. Le vuelve loco que se le regañe y se le mande hacer esto y lo otro y no hacer ni caso, como si estuviera sordo.

Sonrió con una ligera amargura. Ahora cualquier gesto de Laura tenía un matiz añadido, y su vida también tenía una historia añadida.

Cada vez admiraba más a mi madre: cómo había echado el freno ante el precipicio de Laura, cómo se había aguantado las ganas de montar la de Dios. Sabía que si se pisaba la línea del respeto, como acabábamos de pisarla todos, podría ocurrir cualquier cosa. Petre había cruzado el umbral de esta casa sin permiso y le había puesto la mano encima a mi hermano, había entrado en nuestras habitaciones. Daba miedo pensar hasta dónde podrían llegar. Laura no dejaba de pasar las hojas del libro de registro. Cogió un folio y un bolígrafo y empezó a apuntar. Era víctima sin saberlo. Nosotros también éramos víctimas. Ángel acababa de pasar un mal trago. No era tiempo de miramientos.

—¡Laura! —grité sacándola de su doloroso ensimismamiento—. Vamos a hacerle una visita a la actriz.

51

Laura, visítala

Todo el mundo sabe lo que es una pesadilla, todo el mundo ha tenido alguna, incluso los más felices y alegres sueñan cosas raras y terroríficas. Así que lo que me estaba pasando a mí no era nada especial.

Verónica vino por detrás, me cerró el libro de registro y se lo llevó probablemente a esconderlo porque a estas alturas sería vox pópuli que lo habíamos robado. Me dijo que nos marchábamos a ver a Carol. Se me aceleró el pulso, necesitaba descansar, asimilar las novedades. Tenía que hacerme a la idea de cómo iba a presentarme ante Carol. Carol era mi prima adorada, admirada, no se portó bien conmigo cuando estuve enferma en casa, pero éstas eran ya palabras mayores. Me daba miedo que por mi culpa se destruyera el mundo.

Le pregunté a Verónica si teníamos algún plan y me contestó que no teníamos tiempo de hacer ninguno, que nos dejaríamos llevar por el viento. No me parecía serio, era como si yo improvisara mis clases: resultarían desastrosas.

Me quedé paralizada, mientras ella escondía el libro, hasta que oí una voz.

—¡Cámbiate de ropa, por Dios! Para eso hemos ido a comprar.

Últimamente me hablaba gritándome, la estaba sacando de quicio. A mí me repateaba toda ella. De todos modos, yo no podía ofrecer ninguna alternativa. Saqué, del pack de oferta de cinco bragas, una. También me puse el sujetador y los vaqueros nuevos y un jersey negro de cuello vuelto. Encima Verónica se empeñó en que me pusiera un abrigo de visón. Dijo que me pegaba más que a ella. Me pasé su cepillo por el pelo y le grité que estaba dispuesta para marcharnos.

La esperé contemplando el retrato de Betty. Sonreía pero tenía la mirada triste. Greta casi nunca sonreía, pasaba de la seriedad a la risa, pero jamás estaba triste ni melancólica. Betty irradiaba mucha fuerza, energía humana, y aunque ya no estuviera se notaba en el ambiente que había estado. Seguramente era una persona de sentimientos sinceros, llena de pasión, con inclinación al bien y con bastante mal gusto para la decoración. Era una pena no haber llegado a tiempo de conocerla.

—Era guapa, ¿verdad? —dijo Verónica detrás de mí.

No contesté. Me sobrepasaban los sentimientos que debería tener y no tenía. Empezaba a mortificarme no sentir nada hacia mi verdadera madre.

—Antes de marcharnos debemos tomar algo. Mi madre siempre decía que no había que salir a la calle con el estómago vacío. Voy a hacer café.

Se tomó un café con leche con una magdalena y tuve que convencerla de que yo tenía bastante con un té. Ya era bastante con que cambiase la vida a mi alrededor, no hacía falta que yo también me convirtiera en otra persona.

Fuimos a esperar a Carol a su apartamento. Con las ganancias de la serie se había comprado uno con vistas al paseo de la Castellana. Muebles blancos, moqueta gris, gran ventanal, manga larga en verano y manga corta en invierno. Había que quitarse los zapatos en la entrada y no tenía armarios, sino un vestidor forrado en madera también blanca. No se duchaba, se bañaba con sales y velas encendidas. En la cocina no había guisado nunca, como mucho se hacía un té.

El conserje me reconoció y me dijo que no había llegado, pero que estaría al caer.

—Hoy después de la grabación tenía ensayo —dijo orgulloso de Carol como todos los que la conocíamos.

Nos sentamos en los sofás del vestíbulo y nos pusimos a hojear revistas. Por la hora en que se despidió de ella Verónica cuando fue a verla a televisión no tardaría mucho, como reconoció el conserje. Seguro que le daba buenas propinas para que le fuera fiel. En eso se parecía a Lilí, que también le soltaba grandes aguinaldos y un sobre de vez en cuando a nuestro portero.

Carol siempre había querido ser famosa e importante y sufría mucho con los fracasos y los desaires; nunca se encontraba valorada como ella se merecía y una vez intentó suicidarse tomándose algo, no llegué a enterarme con qué fue, pero antes del final me llamó y vine corriendo. Ella no podía ni llegar a la puerta, así que me abrió el conserje. Le dije que tenía fiebre y lo despedí. Vi tan mal a Carol que estuve tentada de avisar a una ambulancia, pero antes le metí los dedos y empezó a echarlo todo. Se los metí varias veces hasta que no quedó nada, luego le di agua y venga agua. A veces la vomitaba y a veces no y se quedó dormida. Estuvo durmiendo muchas horas. De media en media hora le levantaba la cabeza y la obligaba a beber para que no se deshidratara. No tenía ni idea de si estaba bien lo que hacía, lo que parecía seguro es que ya no se moría y que habíamos evitado el escándalo, que cuando se pusiera bien sería lo que más le preocuparía. Mientras dormía recogí de la moqueta gris de su cuarto la vomitona, que básicamente eran ríos de babas verdes. Usé kilómetros de papel de cocina y no encontré guantes, así que procuraba no mirar detenidamente lo que limpiaba. Apestaba tanto que también estuve a punto de echar la papilla. El caso es que cuando por fin despertó dijo que se encontraba bien y no tuvo que ver las huellas del desastre. Le hice un té, lo único disponible en la cocina. Me preguntó si el conserje había sospechado algo. Nadie se había enterado de nada. Qué buena eres, me dijo, y me pidió que me quedase con ella aquella noche. Ella misma llamó a Lilí para decirle que estaba en su apartamento. A Lilí todo lo que hiciese Carol le parecía bien y deseaba que a mí se me pegase algo de su talento para poder presumir de mí.

No me traía buenos recuerdos, el apartamento. Siempre que entraba en él me olía un poco a vomitona, incluso el vestidor.

Conociendo la entrega del conserje a Carol, me acerqué y le pedí que por favor no la llamase por teléfono para avisarle de nuestra visita porque queríamos darle una sorpresa que le iba a hacer mucha ilusión. Le hemos preparado una fiesta en un restaurante, dije.

Estábamos sentadas de forma que no nos viera al entrar, lo que hizo a los tres cuartos de hora. Seguramente se había quedado perfeccionando su personaje, era incansable, y nunca me había atrevido a pensar que no triunfaría a lo grande.

Cuando ya no tenía escapatoria, a no ser que saliera corriendo delante del conserje, nos levantamos para saludarla.

—¿A que es una sorpresa? —dijo Verónica.

Ella echó una mirada al conserje, no entendía cómo no la había avisado, y yo me encaminé a los ascensores.

—No te entretendremos mucho —dijo Verónica.

—Podemos tomar algo aquí al lado —dijo Carol.

—Me encantaría conocer dónde vive una actriz —dijo Verónica—. El único famoso que he conocido es un escritor que me firmó un libro en el instituto.

Yo esperaba con la puerta abierta. No tenía más remedio que aceptar invitarnos.

—No tengo nada que ofreceros —dijo—. Le diré a Germán que nos suba algo.

Germán era el conserje, que no se había dado cuenta de nada y nos miraba risueño.

Abrió la puerta de entrada y ya sabía yo que a Verónica le impactaría ver aquel ventanal desde donde se veía gran parte de Madrid. Era chocante que alguien tan joven ya tuviera ese tren de vida.

Verónica se desplomó en uno de los sofás de piel de ternera blanca sin quitarse la cazadora. Yo me quité el visón y lo dejé sobre un brazo porque sabía que a los cinco minutos estaría sudando.

Carol tenía cara de haber llorado en los ensayos por imperativo del guión y se nos quedó mirando de pie.

—Estoy cansada —dijo.

—Tendrías que ver el vestidor —le dije a Verónica tontamente para distender.

—Queremos aclarar algunas cosas. Dile a Laura que Greta no es su madre biológica ni Lilí su abuela.

—No seas ridícula. ¿Quién te crees que eres para exigirme nada?

Verónica no sabía que Carol tenía que batirse el cobre a diario con auténtica gentuza y que ella en comparación era un alma cándida.

—Laura te admira, se merece saber la verdad —dijo Verónica.

Verónica no sabía que alguien con un objetivo tan claro en la vida como Carol no puede caer en sentimentalismos y ella no quería mancharse las manos con mi drama.

—Yo también la quiero a ella, por eso te pido que no te metas en nuestras vidas. ¡Desaparece!

Las miré. Conocía a Carol de toda la vida. Jugábamos de pequeñas y la ayudé en el aborto y en el intento de suicidio, y me preocupaba que no pudiera soportar alguno de los reveses que sufría continuamente. Era lo más parecido que había tenido a una hermana. A Verónica la conocía hacía poco, no me importaba nada, no lograba que dejara de resultarme ajena y a veces cargante; decía que era mi hermana, pero me faltaba encontrarla en mis recuerdos.

—Carol, ¿por qué no me ayudas? En el fondo no me gusta haber llegado hasta aquí, pero he llegado y tú eres como mi hermana —dije.

—Ya te dije que no quiero escándalos. Sólo me faltaba esto.

Me levanté y me puse el abrigo. No sé por qué, el abrigo me daba una fuerza extra, como si nada ni nadie pudiera penetrar su coraza.

—Si no quieres que todo el mundo sepa lo que tú y yo sabemos y no saben ni siquiera tus padres, ni por supuesto Lilí, ya puedes empezar a hablar.

—¿Y tú dices que me quieres?

Verónica se levantó.

—¿Dónde dices que está el vestidor?

Carol y yo le señalamos la habitación del fondo.

—¿No tienes calor? —dijo Carol en el registro amable de sus tonos de voz.

—No importa —dije sentándome.

Ella continuó de pie. Estar de pie le permitía no estar mirándome de cerca a la cara.

—Eres adoptada. Nunca te lo dijeron para que no te sintieras diferente. Yo me enteré hace unos diez años. Para mí no cambiaba nada, como comprenderás. ¿Qué más daba? Adoptada o no, todos te queríamos y tu madre era tu madre y tu abuela, tu abuela. En los momentos difíciles siempre he recurrido a ti.

Las piernas se me aflojaron y me alegré de estar sentada. Era la primera vez que me decían la verdad a la cara. Alguien muy cercano de la familia lo confirmaba. Era adoptada. Verónica tenía razón.

—¿Cuándo pensaban decírmelo?

Se encogió de hombros.

—No es tan importante y les preocuparía tu reacción.

—¿No es importante que yo sepa quién soy?

—¡Por Dios! No te pongas trágica. Una madre que te quiere en lugar de otra que, pobrecilla, no podría criarte.

A Verónica el vestidor no debió de arrebatarle porque apareció de una manera que, aunque las botas no sonaban en la moqueta, parecían sonar. Se plantó ante Carol. Yo en este momento no habría podido levantarme. Parecía que me habían aflojado todas las tuercas.

—Pero eso no es todo, ¿verdad, Carol? ¿Cómo la adoptaron?, ¿dónde?, ¿existen papeles de adopción?

—No sé nada más. Y espero que esta confesión no te haga sufrir.

Sí que me hacía sufrir, pero nunca sufriría tanto como ella.

Le hice una señal a Verónica de que nos íbamos.

—Cuídate —le dije a Carol— y no hagas tonterías, pero si las haces no me llames a mí.

Me sentí muy desgraciada según bajábamos en el ascensor. No debía sentir cariño por Carol. Debía despegarme de ella, no me convenía.

Verónica no me miraba a la cara, no hablaba, estaba respetando mi intimidad. Cuando pasamos por la mesa del conserje nos preguntó por la sorpresa de Carol.

52

Verónica vuelve

Laura era una mujer hecha y derecha y su pena resultaba más pesada y más dura que los huesos y el cuerpo de una niña. Después de la escena con Carol, le dio por no hablar. Estaba como en trance. Encima no podía contraponer mi pena a la suya recordándole y lamentándome de que hacía poco me había quedado huérfana de madre, que también era su madre. Yo habría sido partidaria de forzar a la actriz a que cantara por todo lo alto, pero Laura aflojó la cuerda porque no era capaz de saber más de momento. En el instante en que se confirmó lo principal, que no era hija biológica, todo lo demás era posible. La habían engañado, habían fingido con ella y su familia en pleno sabía más sobre ella que ella misma. Era imposible imaginar todo lo que estaría pasando por su mente.

No quería llevar esta tristeza a casa si podía evitarlo. Debía tratar de distraerla, de airearla, y sin decirle nada nos encaminamos hacia el polígono donde estaba el local de ensayo de Mateo. Laura, sumida en su mundo, se dejaba llevar, arrastrar casi, por el metro y las calles.

Volvía a Mateo con mi hermana fantasma y sin mi madre, como si se cerrara un círculo, aunque ésas eran tonterías, el círculo jamás se cierra.

Desde fuera se oía la música. Hasta entonces Laura no se había dado cuenta de por dónde íbamos. Miraba las farolas y las casas como si nunca hubiese visto una farola ni una casa, ni a seres humanos andando.

—¿Dónde estamos?

No contesté. Vi la moto de Mateo junto a otras, lo que significaba que aún no había empezado su nueva vida en la casa de campo. Laura me siguió hacia adentro. Pedí dos latas de cerveza. Le di una a Laura, y la miró con aprensión. No bebía alcohol y no tomaba grasas ni dulces. Se merecía haber triunfado en la danza. Empezaron a tocar una canción compuesta por Mateo que estaba a un palmo, sólo a un palmo, de ser melancólica y bonita. Laura empezó a seguir el ritmo con la cabeza sin llegar a salir del abismo. Las luces estaban más bajas de lo habitual o a mí me lo parecía. La Estaca se acercó a nosotras y me dio un porro con toda la saliva de sus labios rojos en el papel. Le di una calada con asco y se lo pasé a Laura. Venga, no vas a ser menos que Greta, dije. Aspiró con aprensión.

—¿Quién es? —preguntó la Estaca.

—Una amiga. Se llama Laura.

—¿Te gusta? —le preguntó a Laura señalando con la cabeza el grupo.

Los dejé hablando. Sería un alivio que se enrollaran. Le vendría bien alguien como la Estaca que la sacara de su estupor. La Princesa me miraba apoyada en la barra y fui hacia ella.

—¿Otra vez por aquí? —dijo.

—Vengo a felicitaros. No podré ir a la boda.

—¿Te hemos invitado?

—Ya te he dicho que no voy a ir.

Su piel, sus ojos y el pelo no resultaban tan radiantes como otras veces. No brillaban en la penumbra del local.

—¿Quién es la de los pellejos?

Contesté con otra pregunta.

—¿Qué tal el rancho? ¿Lo tenéis ya preparado para la vida maravillosa?

Se enfadó, creyó que me estaba riendo de ella cuando tendría que haberle dado igual porque había conseguido lo que quería, la vida de Mateo, su presente y su futuro.

Me tiró lo que le quedaba de coca-cola en el vaso a la cara. Afortunadamente no estaba lleno, pero por desgracia me salpicó la cazadora. Laura llegó corriendo de dondequiera que estuviese y me tendió una servilleta de papel tras otra.

La Princesa estaba frente a mí esperando mi respuesta. Yo no tenía ganas de mirarla. La Estaca le preguntó por qué había hecho eso. A los dos minutos la música cesó y llegaron hasta nosotros Mateo y todos los que estaban esperando que nos tirásemos de los pelos la Princesa y yo.

Me saludó, no se atrevió a darme un beso, tenía los ojos asustados. Poco a poco, desde que le conocía, se le había ido poniendo esa mirada de estar viendo cómo alguien va a matarte. Quizá le aterraba que su novia se enterase de que nos habíamos visto un par de veces.

—Sólo he venido a felicitaros. No podré ir a la boda —dije—. Ya me voy.

Laura se fijó en la cobra del anillo de Mateo y le examinó con más detenimiento.

La Princesa se apalancó sobre él.

—Perdónala —dijo Mateo—. Está muy nerviosa con los preparativos.

La luz subió un poco de tono y me pareció que la Princesa tenía los párpados y la cara acorchados.

Pasé a un baño, que más valdría llamar retrete, para lavarme la cara. Los manchurrones de la chupa cuando se secasen no se notarían. A la salida me esperaban Laura y la Estaca con otro porro liado. Le pegamos un par de caladas y le dijimos que teníamos que marcharnos. Nos acompañó hasta el metro.

—Mateo se va a arrepentir de lo que va a hacer toda su vida —dijo la Estaca para caerle bien a Laura.

Durante el largo trayecto hasta casa, Laura y yo sólo cruzamos una frase.

—Él tiene otro igual —dijo mirándome el anillo—. ¿Te lo regaló?

—Sí, hace ya mucho tiempo.

No podía imaginarse la Princesa lo agradecida que le estaba, el bien que nos había hecho esta noche. Era un ángel y ella no lo sabía.

Ahora Laura ya tenía muchas más cosas en que pensar y no tenía cara de angustia. Llevaba unos números apuntados en el dorso de la mano, que serían el teléfono de la Estaca.

La otra frase que cruzamos a la salida del metro fue:

—Siento lo que te ha hecho ésa.

—Menos mal que ella estaba por allí, necesitaba urgentemente un poco de coca-cola en la cara.

Nos reímos moderadamente sin traicionar nuestra tragedia.

Al salir del metro Laura se arrebujó en el abrigo; se encontraba bien en él. Debía ser para ella, yo ya había tenido a mi madre.

En casa se veía luz desde fuera, aún no se habían acostado.

53
Laura
entre flores

Cuando llegamos a la casa de las flores, como la llamaba para mí misma, el padre nos esperaba viendo la televisión. *Don* salió a recibirnos, por lo visto habían decidido trasladarle definitivamente al salón. Aunque hasta ahora había evitado llamarle de ninguna manera, el cerco se iba estrechando y consideré que lo más apropiado sería, si no tenía más remedio, llamarle por su nombre, Daniel. Verónica y él evitaron los saludos con besos para no incomodarme. De todos modos, se levantó y se acercó a nosotras. Olía a cerveza.

Ya le había contado Ángel la visita de Petre y le agradecí a Verónica que no le relatara el episodio de Carol en mi presencia, porque si yo era adoptada él podría ser mi padre. Y tener delante a mi padre, que además era el padre de Verónica, era como haber viajado a Marte por un agujero de gusano en cuestión de horas. Dije que si no les importaba me marchaba a la cama.

Me quité el visón, que tantas veces habría llevado la Betty del retrato, y le pedí por lo bajo a Verónica algo para dormir. Necesitaba descansar, olvidar, regresar a la tierra, y tomar posesión de mi vida porque después de tantos años dependiendo de Lilí y Greta, de no haber dado un paso sin su aprobación, ahora estaba libre y sola. Todo lo que hacían Verónica y su familia no era por mí sino por ellos, todos necesitábamos tranquilizar nuestras conciencias y nuestro espíritu. Sin embargo, Lilí y Greta lo único que querrían sería no sentirse en peligro. Dudaba si Carol les diría que me había confesado que yo era adoptada. No lo creía, sería ponerse en evidencia. ¿Qué estarían haciendo? ¿Seguirían buscándome? Quizá lo mejor sería ir a verlas y pedirles que me dejaran en paz. Me llevaría mis cosas y nos despediríamos. Por lo menos sabía qué paso dar cuando me levantase. Les exigiría que dejaran a esta familia en paz y que no se les ocurriera enviar al bosnio a asustar a un chico que nunca le había hecho daño a nadie. También cerré los ojos pensando en la invitación que me había hecho el amigo alto de Verónica, Valentín, para ir a la boda de Mateo y la chica que le había tirado a Verónica la coca-cola. Dudaba si ir a esa boda no sería traicionar a Verónica.

Cuando me desperté olía a café. Me duché rápidamente y ni siquiera me sequé el pelo con el difusor. No quería que Verónica tuviera que esperarme. Me puse la misma ropa del día anterior y entré en la cocina.

El padre y Ángel ya se habían marchado.

—Tengo que ganar algo de dinero —le dije a Verónica, que estaba terminando de desayunar.

Me puse un té y me comí una manzana a mordiscos, sin gana.

—Anoche estuve pensando que voy a ir a ver a mi…, a Lilí y Greta. Necesito coger mi ropa, mis libros, la documentación, necesito sacar dinero del banco, no tengo mucho, pero no puedo ser una carga para vosotros.

—Ni se te ocurra. ¿Aún no te has dado cuenta de en qué estás metida? Mejor para ti. Y no te preocupes por el dinero, mamá pensó en eso.

A Verónica también le había dado por pensar por la noche y dijo que teníamos que hablar con Ana. Ana había acompañado a su madre a la maternidad Los Milagros cuando se supone que nací. Daba por hecho que yo sabía dónde vivía, pero era Ana quien siempre venía a casa; Greta, que yo supiera, no iba a la suya. Parecía que existía en la naturaleza tal como la veíamos, como una nube, un árbol, un pájaro. Entonces Verónica me enseñó los recibos de un supermercado que un día encontró en la chaqueta de Ana.

—Tiene que vivir cerca. Aquí debe de comprar las cosas de diario —dijo—. Es cuestión de ir por allí a tratar de localizarla. Además tiene un perro y la gente se acuerda mucho de los perros.

A estas alturas de la historia Ana sospecharía que podríamos haberla relacionado ya con las dos familias y Verónica no creía probable que viniera por aquí, aunque se quedaría con las ganas de ver a Daniel porque estaba segura de que si hubiese podido se lo habría arrebatado a Betty.

El supermercado era pequeño y estaba frente al Retiro, a donde llevaría al perro para que corriese. Teníamos que preguntar por ella pero ¿a quién? No era cuestión de meter la pata porque, si preguntábamos a la persona equivocada y alertaba a Ana, podríamos perderla de vista para siempre. Notábamos su presencia, nos la imaginábamos acercándose al supermercado. Nos la imaginábamos paseando a *Gus*. Nos la imaginábamos charlando con algún vecino. Era como si la estuviéramos viendo, pero no se nos ocurría nada para dar con ella. Qué desesperación. Se nos escapaba de la punta de los dedos. Entonces me acordé de cómo analizaba a la clientela en la zapatería. Lilí me enseñó a no fiarme de las apariencias, a detectar el dinero detrás de las caras y el aspecto, aunque no debió de ser muy buena profesora porque no había logrado desenmascararla a ella.

Descartamos a los empleados del supermercado, que se trasladarían la pregunta unos a otros hasta que se enterase la propia Ana, a los porteros de los edificios cercanos, perros viejos acostumbrados a no dar información importante. Descartamos también a los jóvenes, tan metidos en sus historias que no se enteran de lo que tienen alrededor. También a los ejecutivos que se pasan el día fuera de casa. Le preguntaríamos a un matrimonio de jubilados con pinta de llevar toda la vida en el barrio.

Salieron del supermercado y tomaron toda la calle adelante. Iban despacio, hablando. Él jugueteaba con las llaves en la mano, por lo que la casa estaba cerca. Ella también llevaba un visón y me alegré de habérmelo puesto porque encontrarse con una igual le daría confianza. Le dije a Verónica que se rezagase mirando algún escaparate, cualquier cosa, porque su cazadora no encajaba con los gustos de esa mujer.

Cuando iban a abrir el portal me acerqué sonriente. Mi cara tirando a redonda, el pelo tirando a rubio, los ojos del color del cielo y el visón ofrecían todas las garantías para que me escuchasen y trataran de ayudarme.

Les dije tímidamente que era la sobrina de una señora que se llamaba Ana, alta, distinguida, que tenía un perro lanudo que se llamaba *Gus*. Había perdido la dirección exacta y me daba una vergüenza horrible que se enterara. Había llegado de Nueva York por la mañana y nada más dejar las maletas en el hotel venía corriendo a saludarla.

—Esa señora vive dos casas más arriba —dijo ella—. Siempre la veo cuando lleva el perro al parque.

Estaba contenta por haberme ayudado, por poder contestarme a lo que le preguntaba. En la zapatería también aprendí que no importa lo que se diga, podría haber dicho que venía de la Luna y habría dado igual, porque nadie escucha todo, lo que importa es el tono y el aspecto general.

—Gracias. Me ha salvado la vida —dije mientras se metían en el portal.

Dos casas más arriba no sabíamos qué hacer. Era una de las pocas casas bajas de la zona, una rareza que debía de costar un pico.

Llamamos a la puerta, me subí la solapa del abrigo y

me puse de espalda frente al videoportero. Así vería a alguien, pero no me reconocería.

Precaución innecesaria porque abrió una empleada uniformada de rosa. Tras ella, al fondo, se divisaba el verdor perenne de un jardín.

—Dígale que están aquí sus sobrinas —dijimos y nos metimos dentro antes de que pudiera reaccionar.

—Por favor, esperen aquí —dijo advirtiéndonos de que no la siguiéramos.

Pero la seguimos. La empleada empezó a tensarse.

—He dicho que esperen.

—Somos de confianza —dijo Verónica—. La conocemos de toda la vida y queremos darle una sorpresa.

—Sean lo que sean no pueden pasar sin permiso.

—Échenos la culpa a nosotras —dije yo con una sonrisa que la intranquilizó más.

Se quedó parada, clavada al suelo. No pensaba continuar.

—No sea tonta, ¿cree que la va a echar por esto? —dije. No se movió.

—Cuando se entere de cómo nos estás tratando se va a cabrear —dijo Verónica con su subterránea voz—, así que tira para delante.

—¿Crees que me das miedo? —dijo la empleada.

—No quiere decir eso —tercié—. Es que nuestro avión sale dentro de tres horas y le tenemos que dar un recado muy importante a Ana.

—Haber empezado por ahí.

Llevaba zapatos de enfermera y no hacían ruido sobre la tarima. Estábamos cruzando unos trescientos metros de plantas tropicales y muebles tailandeses, de camas con mosquiteras y divanes, de enormes jaulas con pájaros. Hasta que por fin aterrizamos en una piscina acristalada en que nos tuvimos que quitar el abrigo y la cazadora. Ana salió del agua y la empleada la envolvió en una toalla de un kilómetro de largo y un metro de rizo.

Se quedó espantada al vernos.

—Hola —dijo Verónica.

A mí no me salían las palabras. A ella tampoco, no hacía nada más que secarse el pelo con un enorme pico de la toalla.

—Lo siento —dijo la empleada—. Ya les he dicho que no se podía pasar. ¿Las conoce?

—Gracias, Asun. Tráenos té.

Se enrolló la toalla alrededor del pecho y se sentó en una tumbona.

—¿Dónde está *Gus?* —dijo Verónica.

Ana no contestó, estaba calculando cómo salir del atolladero.

—Vamos a ver, el día 12 de julio de 1975 llevaste a mi madre a la clínica Los Milagros para que diese a luz. ¿Qué pasó con la niña que nació? —dijo Verónica en tono agresivo.

Yo estaba tratando de tranquilizarme controlando la respiración.

—Ya lo sabes, murió al nacer.

—Si nació muerta, ¿cómo es que ahora está aquí? —dijo Verónica señalándome.

—No digas tonterías —dijo Ana—. Betty se obsesionó, y tú vas por el mismo camino.

—Los análisis que me han hecho han demostrado que soy su hermana —dije hincándome las uñas en la mano para dominarme como cuando me examinaba de ballet.

Verónica me escuchó durante un segundo con la misma cara de sorpresa que Ana.

—Y, como ya sabrás —dijo—, hemos sacado un libro del registro de nacimientos y defunciones de la clínica donde en el día y la hora exacta en que nació Laura sólo figura la defunción de una niña, que no puede ser otra que la hija de tu amiga Betty —dijo Verónica.

—Os estáis volviendo locas.

—No, son pruebas —dijo Verónica.

Ana iba a hablar, pero Verónica no la dejó.

—Alguien nos ha dicho que estás metida, muy metida, en la adopción ilegal de Laura. ¿Cuánto te pagaron?

—¡Marchaos de mi casa!

—¿Sabes quién nos lo ha dicho?

Nos miró entre aterrada y envalentonada.

—Carol —dijo Verónica—. Carol dice que tú hiciste la operación de quitarle la niña a mi madre y dársela a Greta. Y lo mismo que nos lo ha dicho a nosotras, se lo puede decir a la policía, a un juez.

De pronto la empleada, cuyos pasos no sonaban, estaba entre nosotras poniendo un juego de té marroquí en la mesa de teka.

—Por favor, Asun, vete —le dijo cuando la vio levantar la tetera para servir. En cuanto se fue prosiguió—: No podéis probar nada. Es la palabra de Carol contra la mía.

—El registro de la clínica en contradicción con el Registro Civil, la ausencia de enterramiento en el cementerio de la niña que figura en el registro de defunciones, que tú fueras la única persona que estuvo con mi madre en el parto, la declaración de Carol. Si mi madre viviese nunca lo habríamos descubierto porque jamás habría sospechado de ti.

Ana negaba con la cabeza. Cogió un cigarrillo y lo encendió dando una profunda calada que debió de llegarle a los pies. Yo me sentía más relajada, como si la calada también me hubiese atravesado a mí. Era la compañía de Verónica, su apoyo y el desprecio con que miraba a Ana lo que me daba fuerza.

—Ya no hay vuelta atrás —dije—. El daño ya está hecho, me conformo con saber qué ocurrió, cómo pasé de unas manos a otras.

—No sé nada. Dejé a tu madre allí y me marché.

—Y te fuiste a hacerle compañía a Greta, la nueva madre de Laura.

Verónica también se encendió un cigarrillo y se acuclilló junto a ella.

—Conocías cada paso que daba mi madre buscando a Laura. Avisabas a Greta y a Lilí. Nunca llegaste a gustarme del todo. ¿Y sabes una cosa? A mi padre no le gustas ni le podrías gustar jamás en la vida. Nunca ha dicho nada bonito de ti.

—No te pongas así, Verónica, a lo mejor no es ella, a lo mejor fue la comadrona que la atendió aquella noche —dije mirando a Ana—. ¿Cómo se llamaba? Al fin y al cabo nos podemos olvidar de ti si existe alguien responsable de la clínica que me entregase a alguien que no fuese mi madre y que falseara el registro.

—Ya —dijo Verónica—, pero si es la culpable es la culpable. Mañana vamos a ir con todo esto a comisaría.

Se oyeron los ladridos de *Gus*, nos había olido desde la entrada y venía medio corriendo. Se nos tiró encima con toda la pesadez de sus años. Me recordaba a mí cuando era pequeña y en Navidad venían a cenar Alberto I y Alberto II, la familia de Carol y la pobre Sagrario, cuya forma de mirarme y hablarme comprendía ahora. Me recordaba lo feliz que me hacía ver la casa llena de gente, sentir su calor. *Gus* nos había conocido a Verónica y a mí en casas y familias diferentes, pero para él eso no contaba. En la cabeza de *Gus* los detalles importantes eran otros.

Ana se remetió mejor la toalla bajo el brazo y fue hacia la entrada de este templo de bienestar. Qué buena vida se daba. Todo era de color crema. Pero no llegó a tiempo porque antes de poder evitarlo entró una chica de la edad de Verónica más o menos, con los ojos rasgados y muy negros, igual que el pelo; piel morena, labios ligeramente morados... Sólo le faltaba un lunar en la frente para ser hindú. En un brazo llevaba unos libros y en otro un gatito. Pasó descalza por el color crema, que parecía abrazarla. No se podía ser más bella. Por un momento nos quedamos embobadas mirándola. Ana estaba tensa.

—Hola, mamá —dijo sonriente soltando unos libros sobre la mesa de teka. Le dio un beso—. Mira qué monada me he encontrado en la calle.

Luego se volvió hacia nosotras inocente, pura, ingenua, encantadora.

—Hola —dijo—. Soy Sara.

Nos presentamos: Laura y Verónica.

—Son las hijas de unas amigas mías.

Sara se quitó los pantalones, la camiseta, el sujetador, se desnudó totalmente y se tiró al agua. Se deslizaba entre el agua.

—No sabía que tuvieras una hija. ¿Tú lo sabías, Laura?

Negué con la cabeza.

—¿Su padre es el amante tailandés, ese del que le hablabas a mi madre para entretenerla? —dijo Verónica.

—No metáis a Sara en esto. Ella no tiene la culpa de nada.

—¡Pero tú sí! —dijo Verónica levantando la voz.

Sara tenía un cuerpo perfecto, como perfecta era la casa y el mundo de Ana.

—Esperadme en el restaurante de la esquina. Bajo ahora mismo, en cuanto me cambie.

Soñaba despierta: con el trabajo que nos había costado dar con ella no saldríamos de su templo por las buenas.

—Te esperamos aquí —dije yo imitando la mala leche de Verónica.

Ana miró a su hija en el agua y dudó si marcharse o quedarse, las dos únicas opciones que tenía. Verónica se acercó a ella clavándole la mirada como si quisiera atravesarla.

—Y dile a la Lilí esa que no vuelva a mandar al bosnio a mi casa. Mi casa es sagrada, mucho más sagrada que tu hija, ¿comprendes?

54

Verónica y el odio

Me rechinaban los dientes al hablarle, como si tuviera tierra en la boca. Y hacía grandes esfuerzos para contenerme y no pegarle. Deseaba con toda mi alma dejarle la planta de la bota en la blanca toalla. La hubiese matado sin remordimientos. La habría matado, me habría deshecho del cuerpo y no sentiría ninguna culpa porque la seguiría odiando. Hasta ahora nunca había sentido un odio tan puro, un desprecio tan claro por otro ser humano. Ana había logrado despertar en mí un auténtico monstruo, y de ahora en adelante sabía que podría despertarse y desear hacer cosas terribles. Noté una fuerza desconocida que bajaba de la cabeza a la punta de los pies y me quitaba el miedo y me volvía invencible. Desde este momento, siempre que quisiera vencer todos los obstáculos, vencerme a mí misma y sentirme poderosa sobre los demás, tendría que odiar. Era el camino más corto. Ahora comprendía por qué en las guerras algunas personas eran capaces de ser tan valientes. Por odio. El odio elimina de un plumazo todas las debilidades. ¿Y por qué había gente que asesinaba y lo soportaba bien? Por odio. Ahora Ana no podía nada contra mí porque la odiaba. Y odiaba su color preferido, el beis y crema. Odiaba las líneas quebradas de esta casa, los espacios diáfanos, los muebles étnicos, la limpieza máxima. Ana estaba frente a mí con su cuerpo ideal enrollado en una toalla y tuvo la sangre fría de servirse un té y tomárselo. Ni Laura ni yo tocamos nuestras tazas. La hija de Ana, la sorpresa del día, era feliz, mucho más feliz que nosotras. No la odiaba, tampoco me daba pena, me resultaba indiferente. Sobre la mesa había dejado unos libros de primero de Turismo.

Vimos cómo se secaba y se vestía y nos pedía que nos quedáramos a comer con ella y su madre. Les encantaba tener a gente en casa. Ana apareció vestida con sus tradicionales tonos arena en un tiempo récord y le pidió a su hija que no insistiera. Otro día, dijo, porque hoy debíamos solventar algunos asuntos de trabajo. Ésta era la clave, Laura y yo éramos trabajo para Ana, no se trataba de nada personal.

Según pasaban los minutos iba leyendo en Ana como en un libro abierto. Había conseguido tener una buena vida a costa de gente como nosotros. Lilí y Greta le habían comprado a Laura. Un buen negocio a la vista del tren de vida que llevaba.

Se lo dije sentadas en aquella cafetería en que los camareros la reverenciaban.

—Devuélveme la foto de Laura que cogiste de la cartera de cocodrilo aquella tarde que estuviste sola en casa.

—No sé de qué hablas.

—Tú lo sabes y yo lo sé. Has abusado de nosotros de todas las formas posibles. Vas a ir a la cárcel —dije.

—¿Por qué? Lo único que tenéis son sospechas. Sospechas, suposiciones, dudas mezcladas con vuestra tragedia personal.

—Vas a ir porque se me ha metido en la cabeza.

—Estás loca. Es una fantasía.

—¡No le digas eso! —dijo Laura con la cara roja de ira o de vergüenza—. Ni estaba loca Betty, ni ella ni yo. Puedes ir diciéndole al doctor Montalvo que vamos a ir a hacerle una visita. Me gustaría saber qué mierda me estaba dando en casa de Lilí.

—No tenemos todo el tiempo del mundo, querida Ana. Así que como no nos digas algo que nos convenza vamos a volver a tu casa contigo y tendremos una charla con Sara.

—No os creerá.

—Es igual. Propagaremos esta historia, se enterará todo el mundo. Unos la creerán y otros, no. Pero ya te puedes imaginar lo que te espera.

Miró a derecha e izquierda como para inspirarse y cruzó sus elegantes manos bajo el mentón.

—Yo no tuve nada que ver. Acompañé a Betty y ya está, pero después me enteré de que la comadrona, una tal sor Rebeca, no era trigo limpio.

—¿No ser trigo limpio es decirle a una madre que su hijo ha nacido muerto y venderlo? —dijo Laura, a la que ya no me imaginaba llevando el negocio de doña Lilí de tan buena gana.

—Dicho así suena… —dijo Ana.

—Suena mal, ¿verdad? —dije—. Haz lo que te parezca, aunque creo que no te conviene hablar más de la cuenta con tus amigos porque cargarán contra ti como ha hecho Carol.

55

Laura,
¿estás loca?

Cuando llegamos a casa tras la tensa entrevista con Ana, una prueba más a favor de que no estábamos locas, me esperaba en el contestador una llamada del chico del local de ensayos, que Verónica llamaba la Estaca y cuyo nombre real era Valentín, lo que me recordaba que llevaba sin hablar con Pascual más de un mes y que cada día que pasaba me encontraba con menos ganas de contarle lo que me estaba ocurriendo, más que nada porque de entrada no se lo creería. Creía que porque trabajaba en un laboratorio con tubos de ensayo tenía que dudar de todo lo que sonara extraño. Siempre había admirado su vida en París, su beca, su brillante futuro, y me sentía muy orgullosa de que hubiese puesto sus ojos en mí. Pero la verdad era que últimamente pasaban los días y las semanas sin que me acordara de él, sobre todo desde que estaba metida tan profundamente en mi propia vida. Nunca antes yo había tenido tanta importancia para mí misma, más que Pascual, más que Lilí, más que Greta y que el universo entero. La madre que me había dado la vida no me la había dado. Mi abuela no era mi abuela, la tienda que iba a heredar ya no sería mía. Todo lo que creía que tenía no lo tenía. Mi prima Carol no era mi prima, ni Alberto I y Alberto II mi familia. Ana no era quien creía que era. Sólo podía estar segura de mí y de lo que sabía hacer, bailar, dar clases, vender. La verdad estaba desmoronando mi mundo, pero no a mí. Ya no tenía que complacer a Lilí, lo único que tenía que saber era qué quería hacer yo.

Valentín, este nuevo ser que aparecía en mi nueva vida, me pidió que le acompañara a la boda de Mateo, lo que sería traicionar a Verónica, la persona que el destino había elegido para que me guiara por una cueva oscura en que jamás habría entrado por propia voluntad. A Verónica le había tocado el trabajo sucio de sacarme de mi propia vida, infinitamente más trabajoso que sacar a alguien de un pozo oscuro o de una casa en llamas. Se había arriesgado a equivocarse y a que yo la odiara por dejarme sin seguridad, sin cariño y sin dinero, sin un techo y con un pasado que sólo me había creído yo. No lo había hecho por mí, lo había hecho para recompensar a su madre de los malos ratos que este asunto le había hecho pasar. De todos modos, era la única persona a la que podía respetar y decidí decirle a Valentín que no contara conmigo, pero Verónica me animó a ir, me dijo que Mateo podía hacer de su capa un sayo y que ella aprovecharía para visitar a algunos clientes. Me dijo que era demasiado remilgada y mirada y que empezara a ser más brusca y a tener más mala hostia o se mearían y cagarían en mí. Estaba segura de que hablaba así para desagradarme y que no sintiera pena por ella. Me dijo que tenía que procurar no caerle bien a todo el mundo porque no todo el mundo se lo merecía.

Le llevaba dos años de edad, y ella parecía mayor, pero en el fondo era yo la que había sufrido, la que había sido robada, vendida al nacer y engañada hasta el día de hoy.

Me puse un vestido de terciopelo verde de Betty, que Verónica había conservado junto con el resto de la ropa, y como me estaba bastante ancho me lo sujeté en la cintura con una lazada. Lo completé con unas medias negras de Verónica y las botas más presentables que tenía. Me recogí el pelo, me puse el visón, me maquillé; me pinté los labios de rojo con medio carmín de Yves Saint Laurent que me recordó los que me regalaba Ana.

La ceremonia se celebraba en una ermita cerca de la finca donde iban a vivir, a cincuenta kilómetros de Madrid. Ella estaba maravillosa, pero nunca se lo diría a Verónica, le diría que Valentín había estado hablándome toda la ceremonia y que no me había fijado. Aunque al principio no me preguntara, convencida de que ya no le importaba Mateo, seguro que después le picaría la curiosidad y acabaría sacando el tema.

El convite se celebró en la misma finca. Había tractores, gallinas, huerto y un caballo precioso en un cercado. Sus hijos serían increíblemente felices allí. Después el grupo tocó durante toda la noche, y Valentín y yo nos dimos un paseo al raso mirando al cielo. Ninguno sabíamos nada de las estrellas, sólo distinguíamos la Osa Mayor y el Carro. El oxígeno era tan puro que se me aceleró el corazón. Qué afortunada era por poder estar allí debajo de la luna nueva. Nos besamos con un beso largo que lo cambió todo. A partir de ese momento Valentín entraba en mi vida.

Regresé sobre las doce del día siguiente. Cada vez mi casa anterior, donde estaban todas mis cosas, era más lejana y esta nueva casa, donde todo era prestado, más cercana. Estaba Ángel haciéndose un bocadillo, y *Don* me saltó encima. No sabía dónde paraba Verónica. Estará viendo clientes, dijo.

Se me quedó mirando, observando. Yo no podía disimular lo contenta que estaba, hasta el punto de que de vez en cuando hacía un esfuerzo por acordarme de mi drama y me centraba en el presente. Sabía que tenía que comer algo, pero no tenía hambre. Creo que por primera vez le miré sonriente.

—Me alegra que estés más animada.

Daniel se había empeñado en llevarle en el taxi al instituto por la mañana. Pero ahora estaba trabajando, qué iba a hacer. Así que yo me empeñé en acompañarle dando una vuelta con *Don* y luego iría a recogerle si no le importaba. Mejor prevenir que curar, serían unos días fuera de lo normal.

Me sentía responsable de Ángel. Él no tenía por qué pagar los platos rotos de tanto egoísmo. No tenía la culpa de lo que me había ocurrido a mí por mucho que yo tampoco la tuviera.

Ángel andaba a mi lado adaptándose a mi paso y dejando que brazos y piernas se soltaran a placer dentro de la ropa que siempre parecería tres o cuatro tallas mayor que la suya, como si esperase llenarla algún día.

A la vuelta, abrí la puerta y me encontré muy rara. Sería la primera vez que estaba sola en esta casa prestada, una casa que habría podido ser la mía. *Don* se resistía a entrar, quería corretear un poco más, hasta que al final se resignó, se tumbó en su manta, puso la cabeza sobre una pata y se me quedó mirando con cara de enfado. Era como un niño. Su meta era jugar, disfrutar de su agilidad, hacer su gusto y ser feliz. Seguramente yo también había sido como *Don*. Incluso bajo la mirada vigilante de Lilí corrí, jugué y me imaginé que estaba en otras partes.

Me daba un poco de aprensión meterme en el interior de esta casa y procuré no pasar a las habitaciones. Betty me miraba desde su retrato y *Don* desde la manta. Así que me dediqué a limpiar la cocina y el polvo del salón. Traté de quitar de la mesa de caoba el cerco que había dejado un vaso. Todo esto le agradaría a Betty. Y aunque no debía hacerlo abrí el frigorífico y le puse en el plato de *Don* unos espaguetis resecos que habían quedado de la otra noche. Ésta era la casa de los espaguetis con tomate, puro veneno para una bailarina.

Había empezado a hacer unos estiramientos cuando sonó el teléfono. Era Verónica, tenía algo que contarme y me esperaba en la estación de Atocha.

Don estiró las orejas cuando vio que me ponía el abrigo. Ya no podría ir a recoger a Ángel.

56

Verónica y
sor Rebeca

Sor Rebeca estaba jubilada y se había retirado a una residencia de la congregación en Guadalajara, así que tomé el cercanías y me adormilé pensando en mi madre y en lo asquerosa que fue la vida con ella y las pocas oportunidades que le dio. Por eso yo a la vida le haría las concesiones justas.

Era un convento modernizado por dentro con radiadores para la calefacción y rampas para las sillas de ruedas. En el centro había un patio con muchas plantas y una fuente. No se debía de estar nada mal allí. Utilicé el nombre de la directora del antiguo colegio de Laura, sor Esperanza, para acercarme a ella. Le dije que me había mandado a saludarla, ella estaba muy liada con el colegio.

—¿Aún sigue en activo? ¡Qué mujer! Siempre al servicio de los demás.

La hermana Rebeca tenía mirada rígida, voz rígida, mandíbulas rígidas, cara de haber sufrido o de haber hecho sufrir. Ojos astutos entre pliegues de pellejo. Debía de saberlo todo sobre el engaño, y aunque le hubiera gustado pensar que había gente fuera de aquellos muros que se acordaba y preocupaba por ella, no llegaba a creérselo del todo. Estaba sentada en una silla en una galería soleada con plantas en grandes macetones y otras ancianas también en sillas. La joven hermana que me condujo hasta ella dijo de sor Rebeca que las piernas le fallaban, pero que de cabeza estaba muy bien.

Sor Rebeca me preguntó cómo me llamaba. Me acuclillé junto a ella en posición de respeto y subordinación.

—Verónica.

Me preguntó la edad.

—Diecisiete.

Me preguntó qué tal iba sor Esperanza de su hígado.

Le dije que si se encontraba mal lo disimulaba porque no paraba en todo el día y pensé que tendría que haber contado con Laura para esta entrevista porque ella conocería todas las respuestas, pero por otro lado quizás la presencia de dos personas habría intimidado a sor Rebeca.

Me miró empequeñeciendo aún más los ojos como si achicándolos pudieran penetrar en mi cerebro.

—Dicen que el colegio tiene problemas de financiación.

—A los centros religiosos cada vez les cuesta más mantenerse en pie —dije tratando de no meter la pata.

Suspiró con un suspiro de desagrado.

—No sabemos adónde vamos a llegar. Dile a sor Esperanza que yo también me acuerdo mucho de ella y que me paso casi todo el día sola. No me quejo porque Dios sabe lo que hace.

Volvió a mirarme detenidamente. Tenía las manos cruzadas sobre el hábito y una le temblaba ligeramente.

—Coge una silla de por ahí.

Me observó alejarme y acercarme. Me había quitado la cazadora y me había sacado los pantalones por encima de las botas para inspirarle más confianza.

—¿Por qué te ha enviado a ti? —dijo mientras me sentaba.

—Le hago recados de vez en cuando, sobre todo desde que he empezado la universidad.

—Necesitas dinero.

Cabeceé afirmativamente.

—A sor Esperanza, más que el hígado, le preocupa su sobrino —dije.

Sus ojos se movieron inquietos tratando de relacionar a sor Esperanza con un sobrino. Permanecieron a la espera. Ya no tenía la impresión de hablar con una anciana al sol, debía tener mucho cuidado de no pisar una mina.

—Resulta que está casado con una chica estupenda, pero no pueden tener hijos.

—Ya —dijo, como si de pronto le cuadrase mi visita—. ¿Y te ha dicho que me lo cuentes?

—No sabe qué hacer. Los pobres tendrán que esperar años para adoptar.

—Es una pena. Los niños son una bendición. ¿Tienes novio?

—Tenía —dije—. Se acaba de casar con otra. Está embarazada.

Como era verdad, me tembló la voz al decirlo y se me quebró la última palabra en los labios. Sor Rebeca levantó una mano y la puso encima de las mías. Estaba bastante fría, pero lo preferí a que estuviera caliente.

—Vendrán otros, no te preocupes. Me gustaría levantarme y dar una vuelta por el atrio.

La ayudé a ponerse en pie y comenzamos a andar despacito. Era más baja que yo y tirando a flaca. Calculé que si se desvanecía podría sujetarla. Era desesperante andar a este ritmo, pero merecía la pena. Ella se aprovechaba de mí y yo de ella.

Dijo en voz baja:

—Sor Adelina es muy buena, pero perezosa. Me pasea cinco minutos y ya tiene otra cosa que hacer.

Creí prudente no hacer ningún comentario.

Anduvimos un interminable cuarto de hora. Sor Rebeca hablaba de gente del convento que yo no conocía, de tiempos en que nadie se escaqueaba del trabajo.

—¿Y en el hospital? Dice sor Esperanza que fue usted comadrona.

—Traje muchos niños al mundo. Tenía muy buena mano. Ninguno me salió morado, ninguno se me ahogó con el cordón.

—Eso dice sor Esperanza.

De vuelta hacia la silla, nos sumimos en un silencio de varios minutos en que sor Rebeca parecía estar cavilando.

—¿Cómo se llama el sobrino?

—Creo que Gabriel. Ella lo llama Gabi.

—¿Y su mujer?

—Sofía, Sofi.

—¿En qué trabajan? ¿Qué vida llevan? —dijo dejándose caer en la silla. Yo le cogía la mano con fuerza para que no se desviara.

—Sor Esperanza me ha contado que es un chico con mucho porvenir. Parece que está muy orgullosa de él. Tiene un puesto muy bueno en una multinacional. Su mujer da clases particulares de idiomas. Tienen una casa muy bonita, con ellos un niño sería muy feliz.

—¿Dónde tienen la casa?

—No lo sé. No me lo ha dicho.

—Sor Esperanza tendría que hablar conmigo directamente. Hace mucho que no nos vemos.

—Ella prefiere que hable conmigo y más adelante vendría a verla. No sé qué le parece.

—Las cosas han cambiado, yo ya estoy retirada, pero conozco a alguien que quizá pueda echaros una mano. Acompáñame a mi habitación.

Otra vez tardamos media hora en recorrer treinta metros. Sor Adelina, la monja joven, nos saludó con la mano, encantada de que yo le quitara a sor Rebeca de encima.

En la habitación se sentó en la cama. Daba a una ventana con vistas a la galería soleada, que ella llamaba atrio, de donde veníamos. Había otra cama sin vistas junto a la puerta.

—Abre ese cajón —dijo señalando una cómoda— y dame la agenda y un bolígrafo.

Se lo di.

Arrancó una hoja y anotó con la mano ligeramente temblorosa un nombre y un número de teléfono. Tardó un siglo en la operación. Verdaderamente la vejez era terrible, pero también la infancia, cuando se depende al cien por cien del corazón ajeno.

—Solamente tiene que llamar de mi parte y decirles que me gustaría que esta pareja pudiera ser feliz.

Le dije que yo me encargaría de llamar porque sor Esperanza prefería no meterse.

—Pero ¿vendrá a verme?

—Por descontado.

—Pide las condiciones. Si tienes alguna duda, ven a verme.

—Pero ¿cómo lo van a hacer? —pregunté.

—Paso a paso. Una persona os llevará a otra y a otra y al final todo saldrá bien. No te preocupes.

—Vendré a verla pronto, sor Rebeca. Tengo mucho que aprender de usted. Voy a guardar esto en su sitio —dije cogiendo la agenda y el bolígrafo.

Dejé el bolígrafo, pero la agenda me la metí en la cinturilla del pantalón. Recogí mis cosas y me fui a la puerta. Desde allí la miré un momento. No le llegaban los pies al suelo. Tenía una mano sobre otra.

—Si ves a sor Adelina dile que tengo que ir al baño.

Adiós, adiós, le dije a sor Adelina y otras monjas camino de la salida. Me puse la cazadora, me metí los pantalones dentro de las botas, me saqué la agenda de sor Rebeca de la cinturilla del pantalón y miré el nombre escrito por ella en el papel. Casi me mareo al verlo. Ana Cavadas y un teléfono. Ana la del perro, Ana la de la hija hindú, Ana la de la piscina, Ana la del amante tailandés, Ana la amiga de todo el mundo. Estaba deseando repasar la agenda de la monja, seguro que sería interesante. No veía el momento de contárselo a Laura, así que en cuanto pude la llamé por teléfono a casa para que fuera a buscarme a la estación de Atocha.

57

Laura,
bebe conmigo

No tuve que mentir ni fingir con Verónica para no contarle lo mío con Valentín, ni eludir detalles de la fantástica boda de Mateo, ni de la belleza de la novia, ni de la finca con caballos. Llegó excitada. Nos encontramos en la salida de la estación y tras preguntarme qué tal de pasada dijo que venía de tener una charla con sor Rebeca, la comadrona que probablemente me trajo al mundo y que me entregó a Greta y Lilí. A no ser que la monja chocheara más de lo que parecía, el negocio continuaba porque Verónica se inventó una pareja que no podía tener hijos y ella picó y le dio el nombre de un contacto: Ana. La amiga de Greta y amiga de su madre había sido la intermediaria entre Greta y sor Rebeca.

—Estamos en lo cierto —dijo—. Es un negocio con compradores, vendedores, intermediarios, asesores y a saber qué más. Lo siento. Siento que te haya tocado a ti.

No comprendía que lo que para ella suponía un triunfo para mí era la confirmación del fracaso de toda una vida.

—Me gustaría tener una vida normal. Valentín me ha pedido que salga con él.

Cerró los ojos para tratar de entender. Comprendió que había pasado la noche con Valentín o la Estaca en la boda de Mateo y que no valoraba sus esfuerzos en la justa medida.

—Este asunto es muy gordo, no te afecta sólo a ti, ¿sabes?

—Sí, pero quiero empezar a ser como todo el mundo y no esa pobre niña rodeada de mentiras. No puedo más.

Verónica apretó las mandíbulas, no metafóricamente, sino de verdad. En los ojos se iba acumulando un brillo exagerado. De un momento a otro podría romper a llorar o gritar o a pelearse con la gente. Necesitaba hacer algo y sacó una cajetilla aplastada del bolsillo de la cazadora; tuvo que enderezar el cigarrillo para encenderlo. Se lo encendió con un Zippo y el leve olor a gasolina suavizó el ambiente. Lo abrió y cerró varias veces. El humo le pasó por la cara como un velo y tras ese velo sus ojos eran más grandes y brumosos.

—Cuanto antes terminemos, antes podrás seguir con tu vida y yo con la mía —dijo.

—Querrás decir empezar con mi vida.

Nos detuvimos para que pudiera sacar de la mochila una agenda muy usada.

—Tienes delante de ti la joya de la corona.

Fui a cogerla y me sujetó la mano.

—Aún no la he abierto. Se la he mangado a la hermana Rebeca.

Nos quedamos contemplándola como si fuera exactamente eso, una joya.

Pasamos a un bar de aluminio y cristal y Verónica le pidió al camarero dos copas de Rioja.

—No quiero beber sola —dijo.

Chocamos las copas sin brindar por nada y abrimos la agenda. La letra era increíblemente redonda y pequeña. Costaba verla, pero una vez vista se entendía muy bien. De todos los nombres apretados unos contra otros con marcas y señales imposibles de entender, conocíamos el de Ana, el doctor Montalvo, Lilí y Greta, con una flecha que llevaba a Betty. Nombres de otros doctores, con una flecha que llevaba a la clínica Los Milagros. Muchos nombres, como el de Betty, tenían un número microscópico al lado. ¿Qué querían decir? Habíamos juntado las sillas y nos pasábamos la agenda para que una viese lo que no veía la otra. Verónica se terminó enseguida la copa y estaba eufórica. Todo encaja, decía, todo encaja, como si la agenda fuera una bola de cristal en que estuviésemos viendo la historia de mi vida. Hasta que le hice bajar de las nubes. Figuraba el nombre de su madre, lo que significaba que a su madre le habrían quitado una hija, pero no el mío lo que significaba que no tenía por qué ser yo esa hija. Entonces ella, mientras pedía otras dos copas, aunque yo no me había terminado la mía, me puso delante de las narices los nombres de Lilí y Greta. Como refuerzo de la tesis estaba la clínica Los Milagros, donde nací.

Nos terminamos la segunda copa al mismo tiempo.

—¿No te parecen datos suficientes para que te hagas las pruebas?

La verdad era que por nada del mundo pensaba hacerme los análisis. Todavía no había llegado el momento de tener otra familia. Por una vez quería elegir yo. Quería decidir si tener o no hermanos, si tener o no un padre. Si Betty era mi madre algún día lo sabría con total certeza, y si Verónica era mi hermana también lo sabría. De momento, las cosas estaban bien como estaban.

De pronto, Verónica cerró la agenda y se levantó.

—Vamos a ver a María, la ayudante del detective Martunis.

El vino se me había subido un poco y me sentía dicharachera. No había comido y seguramente tampoco Verónica, pero no se lo recordé.

—Mateo no se ha quitado el anillo de la cobra. Lo llevaba el día de su boda —dije.

Esta vez María, nada más vernos, colgó el teléfono y nos hizo pasar al despacho de su jefe, Martunis. No sé cómo podía moverse con unos pantalones tan ceñidos y por la forma de mirarla creo que Verónica se preguntaba lo mismo. Se sentó en el sillón tipo trono de detrás de la mesa y nos preguntó qué era eso tan importante que habíamos conseguido. ¿Cómo había adivinado que teníamos algo importante?

—Son muchos años de experiencia.

Verónica le contó todo y le enseñó la agenda de sor Rebeca. María suspiró y se pasó el dorso de las manos bajo la melena, que se abrió a su alrededor.

—¿No te dije que las piezas encajarían? Ahora tendríais que llevar estas pruebas a un abogado. O mejor, tendríais que tratar de localizar a otras víctimas. Esta agenda debe de estar repleta de ellas. Yo lo haría pero os cobraría. Os saldría caro, así que de ser vosotras me pondría manos a la obra. Primero estudiad la agenda a conciencia para detectar cuáles son las familias perjudicadas y luego empezad a llamarlas. Lo ideal sería que os unieseis. Será un proceso largo y cansado, injusto y decepcionante muchas veces, pero haréis historia. Quizá cuando seáis muchos podáis contratarme. Y tú —dijo dirigiéndose a mí— no tengas prisa y no tengas miedo porque eres muy joven y la vida es maravillosa.

58

Verónica
en familia

La vida maravillosa. Parecía que María me había quitado esas palabras tan mías para regalárselas a Laura. No tenía nada en contra, la prioridad era que se hiciera justicia con Laura. María nos acompañó a la puerta y nos deseó suerte. Yo iba a preguntarle si existía algún detective Martunis o si se lo había inventado para protegerse, su particular escudo en un mundo de hombres, pero no me atreví, no tenía derecho a irrumpir en la intimidad de María. Todo lo que ella hacía estaría bien hecho y me quedé con ganas de decirle que para mí ella valía más que todos los Martunis del mundo juntos. Y lo que la hacía sobrehumana es que llevase la agencia ella sola, que pudiese investigar y al mismo tiempo estar en la oficina y encima ir siempre tan arreglada.

Mientras la estaba escuchando en el despacho se me ocurrió algo y a la salida arrastré a Laura a la oficina de correos donde tenía su apartado la Vampiresa. Tecleé la clave de su caja y guardé dentro la agenda. De paso me cercioré de que, por lo menos a simple vista, nadie había metido mano en el dinero. Laura asistía a la operación completamente sorprendida.

—Aquí la agenda estará segura, nadie podrá robarla. A estas horas puede que sor Rebeca ya se haya dado cuenta de su pérdida y la relacionará conmigo, pero no es seguro porque no puede andar sola, tendría que haber sospechado de mí para ir a mirar al cajón de la cómoda.

—A las monjas no se les escapa nada —dijo Laura—. Al final atará cabos. ¿Y sabes una cosa? Yo ya sé todo lo que tengo que saber. He sido utilizada desde que nací, no digo que me hayan maltratado o que me hayan dado una mala vida, pero se podría decir que el cariño que les tengo a Lilí y a Greta es un cariño que ellas un día compraron a sor Rebeca y a Ana. Ahora lo único que quiero es recuperar mi documentación y mis cosas personales, mis libros, la ropa. He trabajado muchísimo en la tienda, no tienen por qué quedarse con todo lo mío. Les he pagado con creces lo que me han dado. No voy a esperar a que haya una investigación, una denuncia y un juicio. No voy a esperar mil años para vivir.

Le dije a Laura que había dado mi palabra de no darle a nadie la clave de la caja de correos, pero que si a mí me pasaba algo podía ir a la cárcel de Alcalá Meco, preguntar por una presa que yo llamaba la Vampiresa y contarle lo que había ocurrido.

Por la noche, al llegar a casa, Laura tenía una llamada de la Estaca. Sus ojos, hasta ahora simplemente azules y en ocasiones bonitos, empezaron a ser bellos como los de papá.

A mí ahora no me llamaba nadie, todo el mundo tenía cosas urgentes que resolver, igual que yo. Se oía la música que llegaba del cuarto de Ángel, y a mi padre cenando en la cocina. Por la ventana se veían los coches aparcados enfrente junto a las altas puertas de chapa de los vecinos. Le expuse a mi padre la situación mientras Laura seguía enredada en su conversación amorosa. Le dije que la agenda estaba bajo llave en un lugar seguro. Pero fue al relatarle nuestro encuentro con Ana cuando se desarmó. Tuvo que pasar de la cerveza al vino.

No tuvo más remedio que escuchar que Ana vivía a todo trapo, a su lado nosotros éramos unos mendigos.

Tenía una hija que se llamaba Sara y que era el culmen de la perfección. Siempre habíamos sido parte del trabajo con el que Ana se pagaba su lujosa existencia. Parecía que su cometido dentro de la organización era hacer un seguimiento de las familias captadas por ella, sobre todo de las familias mosqueadas, cabreadas y empeñadas en sospechar del hospital que había dado por muerto a su hija o hijo. Cada equis minutos mi padre movía la cabeza con incredulidad y entonces yo le decía que le preguntara a Laura, que había estado tan presente como yo y había quedado tan impresionada como yo.

—Betty tenía razón —dijo pegándole el último trago a la copa y hundiendo la mirada en los coches de enfrente, en las sombras, en esos ratos pasados a solas con Ana en los que Ana con toda probabilidad trató de llevárselo al huerto. Hundía la mirada en el desconcierto de tantos años cuya principal culpable era Ana, esa Ana que había ayudado a mi madre en los momentos más críticos de su vida.

Mi padre podría haber dicho que lo sentía, que nunca se perdonaría no haber apoyado a Betty al cien por cien, que le daba vergüenza haber preferido creer que Laura estaba muerta, que se sentía culpable. Yo también me sentía culpable por no haber estado al lado de mi madre constantemente mientras estuvo en el hospital y haberme dedicado a buscar a Laura como excusa. Todos nosotros podíamos sentirnos culpables, mientras que Lilí, Greta, sor Rebeca, sor Esperanza, el doctor Montalvo, el médico que atendió el parto —el doctor Domínguez—, la clínica y los demás no se lo tomaban como algo personal, no se sentían culpables de nada, era un negocio.

Mi padre era partidario de terminar con esto de una vez por todas. Si Laura no necesitaba saber que era un miembro de nuestra familia, sí necesitaría saber que no era parte de su familia anterior. No le debía nada a nadie, no les debía ningún tipo de amor a su madre y a su abuela postizas.

No se le ocurría otra cosa que presentarnos en casa de Lilí y Greta con las pruebas que teníamos y hablar como seres civilizados por el bien de Laura.

A ella le sobrecogió la propuesta. Se quedó un buen rato pensando, dejando sus pensamientos en el trozo de calle donde los había dejado mi padre un poco antes. Ella también necesitaba terminar con esto, pero así, de pronto, a las diez de la noche...

—Vayamos cuando vayamos, siempre llegaremos tarde, diecinueve años tarde —dijo mi padre.

Le bloqueé con la mano el paso de la botella a la copa.

—Papá, no necesitas más fuerza que la que tienes —dije.

Le explicamos a Ángel que íbamos a sacar a *Don* a dar una vuelta.

—¿Todos? —exclamó.

—No se te ocurra abrirle la puerta a nadie, nosotros tenemos llave.

Comprendió nuestras intenciones y dudó durante unos segundos si unirse a nosotros. Agradecí que volviera a ponerse los cascos, que decidiera seguir con su música y su vida y le dejamos a *Don*. Pensamos que él lo necesitaría más que nosotros.

—Así que aquí es donde vivías —dijo mi padre mirando la fachada de la casa de Lilí, Greta y Laura.

—A la vuelta de la esquina está la tienda, el piso cae encima —dijo Laura.

Continuó mirando con curiosidad, tratando probablemente de imaginar cómo habría sido la vida de esta más que seguro nueva hija. Mi padre se encontraba, como todos nosotros, desconcertado con los sentimientos que tenía y los que debería tener. Había logrado sentirse responsable de Laura, pero no podía quererla de la noche a la mañana, era imposible que pudiera quererla como a Ángel y a mí. Habría que confiar en que con el tiempo sintiera apego. Sin embargo, salvando estos matices, a todos nos unía un hilo de sangre y la necesidad de protegernos. También nos unía mamá, la única capaz de querer a Laura y preocuparse por ella aunque no llegara a verla.

Mientras mi padre contemplaba el mundo de Laura por fuera, yo no podía apartar los ojos de él. Creía que lo conocía porque lo llevaba viendo toda mi vida y siempre había creído que su única aspiración era ser taxista y que fuésemos felices. Había creído que el único escollo que impedía que nuestra vida fuese maravillosa era el tormento de mi madre y la hija fantasma. Si a mi madre no le hubiese pasado aquello, quizá no habría enfermado. Si no hubiese enfermado y yo no me hubiera empeñado en la búsqueda de Laura, estaría en primer curso y sería como Rosana. Si mi madre no hubiese muerto y no hubiese encontrado a Laura no estaríamos aquí ahora.

Mi padre terminó de aparcar y salimos. No habíamos planeado ni previsto nada. La vida no se podía controlar, se escapaba como el agua por agujeros microscópicos.

Me tranquilizaba que mi padre no estuviera nervioso, incluso parecía estar pensando en otra cosa. Sin mediar palabra, cruzamos la calle y situamos a Laura frente al videoportero para que Greta y Lilí sólo viesen su cara. El turno del portero se había terminado, lo que podía ser bueno, porque no habría que forcejear con él, o malo porque Lilí o Greta podrían no abrirnos. Apenas tuvo que dejarse ver para que sonara la cerradura del portal. No dio explicaciones, nada. Daban por hecho que venía sola.

Arriba nos ocultamos un segundo para que vieran por la mirilla únicamente a Laura. Abrió Greta y, por un instante, a Laura le sucedió algo incomprensible o muy comprensible, según se mire: se olvidó de todo, se alegró de ver a Greta e hizo el amago de darle un beso, pero papá reaccionó casi instintivamente y se lo impidió. Cogió por los hombros a Laura, lo que la desconcertó del todo, y entraron juntos, sin más. Greta, ante su presencia, tuvo que apartarse, yo pasé detrás. Lilí estaba en el pasillo en la silla de ruedas y nos miraba despavorida.

—¡Petre! —gritó.

Sin decir palabra, siempre sujetos los hombros por el brazo de mi padre, Laura nos dirigió al salón que yo conocía. Sorteamos varias mesas, sillas de madera muy labrada, aparadores, cuadros clásicos y sillones y nos detuvimos junto a un sofá de corte moderno y funcional.

—Sentaos —dijo Laura.

La obedecimos, y apareció el bosnio en manga corta y con mirada indiferente, como si fuese mitad orgánico, mitad goma. Se detuvo con los brazos a la espalda frente a nosotros. Mi padre apoyó los codos en las rodillas y la cara en las manos y miró a Greta, a Lilí y al bosnio como si fuesen un trámite más que debiera resolver esta noche.

—Preséntanos —le dijo casi al oído mi padre a Laura.

—Mi... —iba a decir madre, pero no lo dijo—, Greta. Y Lilí. Éste es Petre.

—¿Estáis cómodos? —preguntó Greta irónicamente y completamente vieja a pesar de sus modernos pantalones de franela gris con vuelta abajo sujetos sobre los huesos de las caderas. No se había puesto lo más usado que tenía en casa para estar cómoda como hacíamos nosotros, no bajaba la guardia. Quería exhibir el palmito de la mañana a la noche. Aún no se había desmaquillado y la línea negra alrededor de los ojos parecía que se los torcía un poco. Se había cogido el pelo rojizo de un lado con una horquilla y le caía sobre el otro hombro y pecho. Se nos quedó mirando de pie con las manos en los bolsillos del pantalón y una pierna cruzada sobre la otra, esperando que saltase el flash de alguna invisible cámara de fotos.

—Me gustaría saber quién ha entrado en mi casa sin permiso —dijo Lilí agarrada con fuerza a los brazos de la silla.

Lilí sí estaba desmaquillada, lo que dejaba al descubierto su falta de cejas y escasez de pestañas, y una cara de luna llena. Llevaba un traje blanco de pantalón y chaqueta bastante elegante, lo que hacía pensar que acababan de llegar de la calle y no les había dado tiempo de cambiarse.

—Se lo he dado yo —dijo Laura levantándose y situándose junto a la boiserie de caoba.

—Hemos estado buscándote por todas partes —dijo Lilí— y llegas ahora, de repente, como si nada. ¿Tenemos que hablar ante estos extraños?

Greta clavó su mirada torcida en mí.

—¿Tú no eres la de las cremas? ¿La que me hizo la limpieza facial?

Lilí movió afirmativamente la cabeza hacia Greta.

—Te dije que no me gustaba.

Laura se separó del mueble y habló con un tono más alto de lo habitual en ella.

—Carol me ha dicho que soy adoptada.

Fue como un puñal clavado en el traje blanco de Lilí, un puñal que le salió por los ojos y los repartió entre mi padre y yo.

—¿Cómo dices?

—Carol me lo ha contado todo —dijo Laura.

—¿Qué te dije? —le gritó Greta a su madre—. Tu adorada Carol.

—Me niego —dijo Lilí— a continuar esta conversación delante de esta gente.

—Pues no vas a tener más remedio —dijo Laura— que hablar delante de mi padre y de mi hermana.

—Ya me olí algo en cuanto apareció ésta —dijo refiriéndose a mí—. No te creas nada. Te han engañado. Ven aquí, cariño.

Laura dio un paso e inmediatamente se detuvo. Nosotros no cambiábamos de posición, no despegábamos los labios, no había llegado el momento. Petre nos vigilaba. Greta sacó las manos de los bolsillos y se acercó a Laura.

—Cariño —repitió colocándole el pelo detrás de las orejas—. Para mí siempre has sido mi única y verdadera hija. Todo lo que he hecho en esta vida ha sido por ti.

—¿Por mí? —dijo Laura bajando todas sus defensas.

Greta la abrazó. Laura se dejó abrazar. Y en ese momento me levanté para intervenir, pero mi padre me tiró del brazo, me obligó a sentarme de nuevo. Ver, oír y callar.

—Claro, tesoro mío. Hemos vivido para ti, para que no te faltara de nada.

—¿Y por qué? —dijo Laura—, yo tenía una familia, una madre que también habría tratado de que no me faltara de nada. ¿Por qué me arrancasteis de ahí para sacrificaros por mí? Yo no os lo pedí, nadie os lo pidió.

—Te queremos —dijo Lilí—. Eso es lo que importa.

—¿Me robasteis para quererme?

—No te robamos, no digas eso —dijo Lilí con una voz quejosa, tierna y cantarina—. Es perverso pensar algo así. Greta te adoptó. Una persona nos dijo que una madre soltera, pobrecilla, no podía cargar con el niño que traía al mundo y nosotras te adoptamos.

—¿Y por qué no me dijisteis nada? ¿Por qué esas fotos de tu embarazo fingido?

—Pasaba un día y otro y otro y no encontrábamos el momento. Queríamos protegerte.

—¡Adelante! —me dijo mi padre sin poder contenerse.

Me levanté. Traté de calmarme, de ser fría como Greta y sibilina como Lilí. No quería que nos ganasen la partida por una cuestión de nervios rotos. Por eso no les miré a la cara mientras hablaba, aparté la vista de sus gestos.

—Carol nos dijo que Laura era adoptada. Lo que pasa es que no se trataba de una adopción normal, Ana nos confesó que era comprada. Os la vendió sor Rebeca por medio de Ana. Ana se enteró de que mi madre, que era también la madre de Laura, la buscaba y estaba a punto de encontrarla y por eso os marchasteis de la zona residencial El Olivar. El doctor Montalvo, de manera directa o indirecta, también está implicado. Pretendía que mamá se olvidara de su hija y luego pretendió que me olvidara yo e intentó que Laura se convirtiera en un vegetal que no sintiera ningún interés por su propia vida.

—Niña, tienes mucha imaginación —dijo Lilí.

—Y pruebas. Tenemos las confesiones de Carol y de Ana, sin las cuales no hubiésemos podido llegar a sor Rebeca. Y sin sor Rebeca no tendríamos una extraordinaria agenda donde vienen todos vuestros nombres y las relaciones entre ellos. La agenda está en lugar seguro. También hemos conseguido, y estoy segura de que ya lo sabéis, el libro de registro de la clínica Los Milagros donde nació Laura. En ese registro ocurre algo increíble, pura magia: en lugar del nacimiento de Laura figura su defunción. Estas pruebas están en lugar seguro y camino de la policía. Hay médicos implicados, seguramente enfermeras… No tenéis nada que hacer. Todo confirma que las sospechas de mi madre eran ciertas, su hija estaba y está viva.

Se miraban entre ellas. Petre no nos quitaba la vista de encima.

—Comprasteis a mi hija —dijo mi padre poniéndose en pie—, la apartasteis de nuestra vida.

Entonces la vio. Papá miraba fijamente una repisa en la que asomaba entre dos libros la vieja foto de Laura. Parecía pedir que la rescatasen. Los ojos de mi padre se encontraron con los míos. Chocaron como dos trenes.

—Su madre no la quería y nosotras la recogimos —dijo Lilí con voz chillona, ajena a todo.

—¡Eso es mentira! No se te ocurra volver a nombrar a su madre —dijo mi padre dando unos pasos entre los muebles, tomando la foto y acercándola al rostro de Lilí. Parecía que el tiempo se había parado, hasta que ella bajó la mirada. Nunca lo había visto así. A mi padre su profesión le obligaba a tener mucho temple y no dejarse llevar por los nervios, pero hoy no estaba en el taxi. Parecía otro. Hoy tenía dentro de él toda la fuerza del espíritu de Betty.

—No olvides que tenemos el registro de nacimientos y defunciones de la clínica —dije yo tomando con suavidad la foto de manos de mi padre, que apretó la mía con tanta fuerza que casi me alarmó.

Sabíamos que ese registro ni siquiera se podría aportar como prueba puesto que lo sacamos de la maternidad de forma fraudulenta. Pero nos daba la razón.

—¿Cuánto pagasteis por mí? ¿Lo habéis recuperado ya con lo que he trabajado en la tienda? —dijo Laura con rabia y con dolor, fuera de sí—. Voy a mi cuarto por mis cosas.

La escuchamos en silencio, la seguimos con la mirada encaminarse al pasillo, hasta que Lilí, apoyándose en los brazos de la silla, se levantó como una montaña nevada y le cortó el paso.

—De aquí no sale nada —dijo.

Su voz, aunque seguía teniendo ese tono entrañable, también era temible.

Laura se volvió para mirarnos con desesperación. Greta se había situado junto a mí, y Petre, cerca de mi padre, sin saber si atacarle o no, le pedía ayuda a Lilí con los ojos, pero ella tampoco sabía qué hacer.

—Te ayudaré a recogerlo todo —le dije a Laura yendo hacia ella.

Greta me cogió del brazo con una fuerza sorprendente. Laura no se atrevía a tocar a la que hasta ahora había sido su abuela.

Entonces mi padre se volvió de improviso a Petre y le soltó un puñetazo en la cara. La nariz empezó a sangrarle. Antes de que reaccionara le dio otro también en la cara y Petre se cayó sobre la mesita del teléfono y la rompió. A doña Lilí le sobresaltó el ruido y la furia del momento. No parecía que le agradasen los escándalos.

Laura y yo nos quedamos sin habla y temíamos que

Petre se levantara. Pero mi padre no tenía miedo porque, aunque el bosnio era muy fuerte, a él no le habían dejado ser feliz.

—Laura, recoge tus cosas —dijo con toda calma, limpiándose el puño en los pantalones.

Doña Lilí se apartó. Greta me soltó. Se sentaron en el sofá a esperar que todo terminara. Petre se fue a la cocina dejando un reguero de gotas rojas.

Laura sacó una maleta grande de un altillo y empezó a llenarla llorando y, según la llenaba, lloraba más.

—El maletero del coche es grande. No te prives de nada —dije, deseando que nos largáramos de allí. Tanto tiempo incubando ira y ahora no me gustaba.

—De la mesa. No podemos llevárnosla —dijo.

—¿Cómo que no? Papá la desmonta y la baja.

Como no tenía bastante, fue a buscar otra maleta más. Entretanto yo empecé a vaciar el cajón del escritorio.

—¿Has cogido la documentación?

—Sí —dijo—, y la libreta del banco con algo de dinero que tenía guardado.

En el salón el silencio era absoluto. Hasta que se oyó la voz de mi padre.

—Tendréis que llevarlo a un hospital para que le pongan puntos. Lo siento —dijo.

—No era necesaria semejante salvajada—dijo Greta—. Estáis locos.

—Si no hubiese sido necesario no lo habríamos hecho —dijo mi padre y entró en la habitación de Laura.

Mientras él desmontaba el escritorio, sacamos las maletas al descansillo, y Laura recogió la mesa rota y la puso en un rincón del salón. Lo contempló disimulada pero intensamente porque quizá sería el último recuerdo que se llevaría de allí y a pesar de todo no quería perderlo.

Lilí y Greta la veían hacer desde el sofá. Parecía que iban envejeciendo por segundos y que se quedarían así, sentadas y con la ropa que llevaban, para la eternidad.

—Ya soy mayor de edad —les dijo Laura en un susurro con la voz emocionada.

Ellas no contestaron. La miraban con pena por ella o por ellas mismas. Yo no quise que me dieran pena, porque la pena no deja pensar ni sentir.

Petre salió con una toalla contra la nariz y al vernos volvió a meterse en la cocina.

Fuimos bajándolo todo al coche. Las dos maletas, una mochila, dos abrigos y una caja grande, el tablero, las patas y el cajón del escritorio y la caja de papel maché, que me habían entregado en El Olivar para ella. Aun así, Laura dijo que se dejaba muchas cosas que le harían falta, pero ya se nos había esfumado la furia y la fuerza y uno no podía llevárselo todo, absolutamente todo, de una vida a otra.

Íbamos apiñados en el coche. Condujo Laura porque ya llevaba el carné de conducir encima, mi padre se sentó a su lado y yo detrás sujetaba como podía el tablero del escritorio.

—Me he dejado todos los libros y apuntes del colegio.

Sabíamos que sería muy difícil que Laura regresara a esta casa después de lo que había ocurrido, y que lo que no se llevase hoy no se lo llevaría nunca. Con el tiempo lo olvidaría como si nunca lo hubiese tenido.

Para María, la ayudante de Martunis, las piezas habían encajado y las que no habían encajado ya encajarían; tenía que alegrarme porque si la caja de Pandora se había destapado era muy difícil volver a taparla. Debía sentirme orgullosa por haber liberado a Laura, que era lo que quería mi madre, y Laura tenía la obligación de ser libre. Ahora yo también debía liberarme de la responsabilidad que había contraído con el empeño de mi madre. Le llevé como regalo a María la crema de partículas de oro. Era una pena que tuviese las mejillas picadas, seguramente había sufrido acné severo de adolescente. A veces el maquillaje se lo tapaba bastante, pero otras se lo acentuaba horriblemente.

Hoy se lo acentuaba. Le dije que necesitaría una exfoliación profunda antes de aplicarse la crema.

Esta vez también me pasó al llamado despacho de Martunis y le puse sobre la mesa el registro del hospital, la agenda de sor Rebeca y el millón de pesetas, menos lo que cogí para la ropa de Laura, que mi madre había ahorrado, según la encargada de la empresa de los productos, para mi futura clínica.

—¿Qué se puede hacer con esto? —le pregunté.

—Déjame pensar. A Martunis y a mí nos vendrá bien un caso de verdad: el caso de los niños vendidos y comprados.

Hizo una fotocopia del registro y de la agenda, cogió trescientas mil pesetas del sobre, lo metió todo en una carpeta en que puso Betty, seguramente en honor a mi madre, y me pidió que Laura y yo le relatásemos, cada una por nuestro lado, todo lo que supiésemos de este triste asunto, nuestra versión particular, para incorporarlas a la documentación. A continuación me marché a la oficina de correos para guardarlo todo en la caja de la Vampiresa. Algún día tendría que ir a verla con Laura a Alcalá Meco para que se conocieran. Con las mismas me encaminé hacia la consulta del doctor Montalvo. Hacía días que tenía ganas de verle la cara al psiquiatra.

Como siempre, Judit en la recepción. Me miró con los ojos muy abiertos, no sé si por la sorpresa o porque trataba de reconocerme. ¿Sí?, me dijo. No le hice caso y fui derecha al despacho del bigotes. Empujé la puerta, estaba con una señora de pelo rubio cardado.

Se levantó de un salto al verme.

—Estoy con una consulta —dijo.

—¿Qué sedantes mandó darle a Laura? ¿Dónde pensaba llevársela?

La señora rubia me miraba asustada. Le hablé a ella.

—¿Le ha aconsejado que salga del caracol?

Judit estaba en la puerta y el doctor le lanzó una señal con los ojos.

—Llame a quien quiera. Ana le ha delatado. Ya sabemos que está implicado en el robo de Laura. Figura en la agenda de sor Rebeca, la comadrona que la trajo al mundo.

Judit cogió por el brazo a la señora rubia y la hizo salir del despacho. Al segundo volvió por el abrigo y el bolso y el doctor le hizo un gesto negativo con la mano.

—Ana nos lo ha contado todo —dije.

Él se sentó en su sillón de cuero.

—Mi madre debió de darse cuenta de algo y por eso cortó el tratamiento.

No habló a la espera de que sucediera algo más, de que llegara alguien, de que yo le diese más información.

—¿No le han contado Greta y Lilí la que liamos en su casa?

Negó con la cabeza y yo descolgué el teléfono y se lo di.

—Llámelas y pregúnteles para que se haga una idea de qué estamos hablando.

—No las conozco.

—Pues ellas sí que lo conocen a usted. Laura lo puede confirmar, ¡ah!, y también el portero de la casa. Qué casualidad que haya tratado a mi madre y a Laura, mi hermana. Mi madre vino por Ana. No sea tonto, hable con ellas, así podrán ponerse de acuerdo sobre qué decirle a la policía cuando se les eche encima.

—Soy psiquiatra, trato a la gente. La alivio. No sé nada de esa historia truculenta y absurda.

—¿Conoce al doctor Domínguez?

Negó con la cabeza.

—Pues él sí lo conoce a usted —mentí.

Se le veía nervioso. Se notaba que se le movía descontrolada una pierna debajo de la mesa.

—¿Por qué figura en la agenda de sor Rebeca? Tendrá que pensar alguna respuesta —dije levantándome. Él continuó sentado mirándome con sus ojos azules que algún día pudieron ser bonitos y una cara abotargada que algún día pudo ser agraciada. Demasiadas comilonas, demasiado sillón de cuero, demasiado de todo.

59

Laura sueña

Volví al conservatorio. Dije que ya tenía el pie bien y que quería reanudar las clases. Me recibieron con los brazos abiertos. Solía llevarme el coche de Betty y a *Don*. *Don* me esperaba atado en la puerta. Daniel y Verónica se empeñaron en que necesitaba una protección mínima. A veces iba a buscarme Valentín y le dábamos una vuelta a *Don* por el parque cercano al conservatorio y luego le acercaba a su casa. A veces le acompañaba y me quedaba a pasar la noche. Le poníamos una manta en el suelo a *Don* y nosotros nos metíamos en la cama. Y un día Valentín me propuso que me mudara a vivir con él. Había un hueco bajo la ventana del saloncito donde colocaríamos mi escritorio y pintaríamos las paredes de blanco para que tuviesen más luz. Pasaríamos algunos fines de semana en la finca de Mateo, y Valentín buscaría un trabajo mejor. Ahora hacía trabajos informáticos desde casa. Me encontraba bien con Valentín, me sentía en paz, puede que no fuese el hombre de mi vida, pero desde luego era el hombre de esta vida, ahora mismo.

Yo ganaba suficiente dinero para vivir gracias a las clases y a la venta de la línea de cosméticos a domicilio que representaba Verónica. Entre unas cosas y otras no tenía tiempo de pensar en el pasado.

Verónica y yo nos llevábamos bien, y a ella le gustaba mucho mi formalidad en el trabajo y mi trato con los clientes. Enseguida le pillé el truco y ampliamos nuestra agenda de clientes. Al principio de mi nueva vida, cuando me quedé en casa de Verónica, me instalé en el cuarto de invitados y me dejaron pintarlo en naranja. Cuando podía, acompañaba a Ángel al instituto con *Don* y hablábamos de baloncesto. Era un chico reservado y cariñoso a su manera, simpático. Me gustaba estar con él. Daniel cada dos por tres nos invitaba a todos a cenar en el Foster's Hollywood del centro comercial y llegué a querer que esta familia fuese la mía. Lo que no le contaba a nadie era que, sin poder remediarlo, a los dos meses empecé a soñar con Greta y Lilí, sobre todo con Lilí, sueños vagos que me dejaban hecha polvo y con mucha melancolía como si regresara de un viaje o de una vida triste. Y a veces, despierta, me sobresaltaba el sonido de una silla de ruedas, como si se hubiera vuelto invisible y no dejase de estar cerca de mí. No sabía si deseaba o no encontrármelas a la vuelta de alguna esquina. Temía a Lilí y al mismo tiempo la echaba de menos. No podía evitarlo. Formaban parte de mi alma. Verónica las despreciaba y las odiaba y estaba gestionando con María, la ayudante del detective Martunis, cómo denunciarlas y montar la de Dios, y para ello sería conveniente que nos hiciéramos las pruebas de paternidad, pero a mí me angustiaba dar ese paso; ahora lo que tenía entre manos era marcharme a casa de Valentín. Compartiríamos los gastos y empezaríamos de cero.

Daniel me dijo que le llamara de vez en cuando y que los visitara porque me echarían mucho de menos.

Verónica y Ángel me ayudaron a hacer el traslado de mis cosas en el coche de Betty y cuando lo iba a devolver me dijeron que era un regalo. También me regalaron el visón. Verónica insistió en que tenía que ser así. Era muy cabezota. Llegué a querer que fuese mi hermana. El tiempo lo diría.

60

Verónica

Durante toda la mañana del domingo en que estuvimos preparando la mudanza de Laura, mi padre se entretuvo hojeando el periódico. Era increíble la cantidad de cachivaches que se puede acumular en unos meses. Nos miraba hacer de reojo a Ángel, a Laura y a mí. *Don* movía el rabo de un lado para otro. La mayor parte de la atención se centraba en la ropa, en montañas de ropa sobre la cama de Laura que había que doblar y meter en maletas y cajas de cartón. Ella estaba empeñada en regalarme las prendas de diseño que más me gustaran y, cuando estaba eligiéndolas, mi padre apareció en la puerta del cuarto.

Se nos quedó mirando de una manera fuera de lo corriente. Se pasó las manos por la cabeza y acto seguido fue hacia Laura y la abrazó.

—Ésta es tu casa —dijo mi padre—. Betty nunca quiso olvidarte.

Laura se negó a conocer a sor Rebeca, la monja comadrona que la vendió a Greta y Lilí y que tenía relación con la directora de su colegio, sor Esperanza, como si todas las personas de su vida estuvieran unidas por una tela de araña, en que unos vendieran y otros compraran. Dijo que no quería almacenar más imágenes horribles, que no quería saber cómo era esa mujer, que estaba harta de ser el centro de una historia tan cruel. Yo podía hacer lo que quisiera porque también éramos víctimas de esa gente, pero ella de momento arrojaba la toalla.

Fuimos María y yo a ver a sor Rebeca. María tenía mucha curiosidad y ganas de tirar de todos los hilos. Quedamos en la oficina y sobre un mono ajustado negro y unas botas por encima de los pantalones se puso un abrigo de piel vuelta forrado y bordeado de borrego. Bajamos al parking del edificio y subimos en un coche antiguo y enorme, alemán, verde oscuro. No parecía que fuésemos sobre ruedas, nos deslizábamos por la autopista y por una carretera con pinos a los lados hasta la puerta de la residencia. Al pasar busqué con la vista a sor Adelina. Era antes de mediodía, la hora en que parecía que sacaban a las ancianas al solario a chupar vitamina D. Nadie nos impidió el paso. A sor Adelina se la veía al fondo de charla con unas hermanas, y sor Rebeca estaba más sola que la una. Tenía razón, sor Adelina no le hacía caso.

Nos acercamos a ella acompañadas por el repiqueteo de los tacones finos de las botas de María y de los toscos de las mías.

—Sor Rebeca, soy Verónica, ¿se acuerda? Vine a visitarla hace unos días por lo de esa pareja, el sobrino de sor Esperanza.

Sus pequeños ojos secos lo recordaban perfectamente; había una pregunta en ellos.

—Ésta es mi amiga María, me ha traído en coche. Será quien se encargue de todo, ya me he puesto de acuerdo con Ana.

—Estoy cansada de estar sentada —dijo.

—Ya —dije—. Parece que sor Adelina está muy entretenida.

Le echó una mirada rencorosa.

—A los viejos no nos quiere nadie. Se va con las jóvenes —dijo.

Las jóvenes debían de tener de setenta y cinco a ochenta años.

—Yo he venido a verla —dije dándole el brazo para que se apoyara. Emprendimos el camino hacia las habitaciones.

María nos seguía pacientemente.

—No quiero entrar ya en el cuarto. No tengo ganas de descansar.

—No se preocupe —dije—. Vamos y volvemos a la silla.

¿No se había dado cuenta de la falta de la agenda o se habría olvidado de que le faltaba?

—Llamé a sor Esperanza. Dice que no te conoce y que ella no mandó a nadie a verme.

Entramos en el recinto y enfilé hacia el pasillo donde estaba su cuarto. Se volvió a mirarme.

—No quiero ir al cuarto.

Le apreté el brazo flaco pero tenso, nervioso. María se puso al otro lado.

—Quiero que María lo vea.

—Queréis hacerme daño.

—No se le ocurra gritar porque puedo romperle el brazo y entonces sí que no va salir de la habitación en mucho tiempo. Sor Adelina, con la excusa de que está escayolada, aprovechará para encerrarla aquí por lo menos un mes.

Al entrar se sentó en la cama con los pies colgando. María se puso en cuclillas y se dedicó a observarla un rato. La cara arrugada, los ojos duros, prácticos, la boca áspera. Había acabado pareciéndose a sus actos.

—Así que ésta es sor Rebeca —dijo María—. ¿Cómo pudo arrancar a niños de sus madres para dárselos a otros diciéndoles que habían muerto?

—Esto es una trampa —dijo mirando a su alrededor. Tenía algo de vieja loba solitaria—. Es mentira lo de la pareja que no puede tener hijos, ¿verdad? Sor Esperanza ni se acordaba de mí. Siempre se ha creído mejor que yo, siempre ha pecado de soberbia, que Dios la perdone.

—Mi madre se llamaba Betty y usted en la clínica de Los Milagros fingió que mi hermana había muerto y se la entregó a una tal Greta.

Intentó levantarse, pero yo la cogí por los hombros y la hundí un poco más en el colchón.

—Eso es mentira. Lo único que hice fue dar a algunos niños en adopción de madres que no los querían. Hay chicas con muy mala cabeza. Cumplí la voluntad de Dios. Hay padres maravillosos esperando la bendición de un niño.

Estaba visto que era más difícil comunicarse con ella que con *Don* y sería imposible que aceptara que había traficado con vidas humanas. Su Dios era su escudo contra la conciencia.

—¿Qué hiciste con el dinero? —preguntó María—. ¿Cómo lo repartíais? No querrás que se entere aquí todo el mundo de lo que hacías. No querrás que venga la policía a ponerte las esposas.

Nos miró incrédula. La vejez la salvaba de todo, de las esposas y de sus pecados.

—No sé nada de dinero.

—Conque no sabes nada —dijo María levantándola con suavidad de la cama y llevándola hasta el armario. En ese momento me relajé y no fui capaz de adivinar qué se proponía. Sor Rebeca se dejó conducir, feliz de levantarse de la cama; parecía que lo único que la aterraba era estar allí metida.

María abrió una de las tres puertas del armario. Cogió una de las manitas enjutas de sor Rebeca y la colocó entre la jamba y la hoja. Sor Rebeca quería sacarla, pero María le dijo que se estuviera quieta porque se le podían partir los huesos y tendrían que llevarla al hospital y pasaría allí una buena temporada. La mirada de María podía competir perfectamente con la de sor Rebeca. Hubo un momento en que una llegó al fondo de los ojos de la otra sin parpadear y lo que fuera que vieron les hizo recapacitar porque María sacó la mano de la monja de ese sitio tan peligroso y sor Rebeca confesó que no se acordaba de mi hermana pero que una niña de esas características podría haber costado dos o tres millones de pesetas. Ese dinero no era para ella, había que cubrir gastos. Pagar al doctor, a las enfermeras, la comisión de Ana… Teníamos que creerla, no era dinero.

La devolvimos andando a la silla y allí la dejamos de cara al sol y al grupo de sor Adelina y las otras hermanas más jóvenes. Se reían alegremente mientras el sol resplandecía sobre sus tocas como para mortificar a sor Rebeca.

Mientras María conducía su tanque hacia Madrid, me prometió que ella se encargaría de lo que quedaba por hacer.

—¿Y Martunis? —pregunté.

—Está de viaje. Hasta que vuelva, Martunis seré yo.

Entendido. Le pedí que me dejara cerca de la nueva casa de Laura. Tenía que acompañarme con el coche al polígono a recoger mercancía. Dentro de poco le darían de alta como vendedora. De momento actuaba como mi ayudante.

Ahora, a la Estaca siempre lo llamaba Valentín, incluso para mí misma. Se lo merecía porque se esforzaba para que Laura fuera feliz y había encontrado un trabajo extra. El piso había cambiado profundamente desde la noche que pasé allí con Mateo. Ahora estaba limpio y pintado de blanco. Debajo de la ventana del salón había varios ficus, un tronco del Brasil y una palmera. Los libros estaban alineados en una estantería de pino en la que descansaba también un marco de plata envejecida con la foto de la pequeña Laura. Me miró y yo la miré. Del techo colgaba una gran lámpara de papel de arroz sobre una mesa vieja de madera que ellos habían lijado y pintado de rojo. Olía bien, y Laura me abrió la puerta con uno de sus modelitos recuperados y el pelo largo, liso y brillante como un lingote de oro. Me dijo entusiasmada que tenía que enseñarme unas sábanas que había comprado por nada de dinero y, mientras la seguía por la casa, me acordé de mi madre y casi me mareé de lo incomprensible y abismal y dolorosa y alegre que es la vida.